P9-DHH-319

ZETA

Título original: *Sugar Daddy*
Traducción: Victoria Morera
1.ª edición: febrero 2009

para el sello Zeta Bolsillo
Bailén, 84 - 08009 Barcelona (España)
www.edicionesb.com

Printed in Spain
ISBN: 978-84-9872-066-2
Depósito legal: B. 225-2009

Impreso por LIBERDÚPLEX, S.L.U.
Ctra. BV 2249 Km 7,4 Polígono Torrentfondo
08791 - Sant Llorenç d'Hortons (Barcelona)

Mi nombre es Liberty

LISA KLEYPAS

Para Greg, mi marido, mi verdadero amor, mi mejor amigo, mi aventura, mi consuelo y la brújula en el mapa de mi corazón. Por darme los mejores abrazos, hacerme sentir hermosa, ser divertido e inteligente, elegir el vino perfecto, cuidar de la familia y ser siempre la persona más interesante en cualquier reunión.

Agradecimientos

Mientras escribía este libro, tuve la suerte de contar con la ayuda y los conocimientos de muchas personas. Se precisaría el equivalente a una novela para describir todo lo que estas personas han hecho por mí. Espero que sepan lo agradecida que me siento. En especial, deseo expresar mi agradecimiento a:

Mel Berger, un agente extraordinario, quien me ha acompañado en todas las etapas de mi profesión con sabiduría, paciencia y humor y nunca ha dejado de creer en mí.

Jennifer Enderlin, quien, según me dijo, deseaba que yo tuviera alas y me ayudó a encontrarlas. Jennifer no es sólo una editora brillante, sino también una persona hermosísima, tanto por dentro como por fuera.

Sally Richardson, Matthew Shear, George Witte, Matt Baldacci, John Murphy, Dori Weintraub, Kim Cardascia y el resto del equipo de Martin's Press, por su talento y su estupendo trabajo.

Linda Kleypas, Lloyd Kleypas y Ki Kleypas, por su clarividencia y apoyo emocional, por ayudarme a conocer y comprender a la familia de la que procedemos, proporcionarme respuestas a cientos de preguntas y por ser una compañía excelente y una familia amorosa. Y, sobre todo, por ser esa pequeña y perfecta constelación de estrellas que me guía. Gracias a vosotros, vaya a donde vaya siempre encuentro el camino de vuelta a casa.

Quiero agradecer especialmente a mi inteligente y

optimista madre, quien es, como diría Marie Brenner, toda una dama.

Ireta y Harrell Ellis, por darme el consejo correcto en el momento oportuno, por ayudarme a creer en mí misma y por mostrarme la fortaleza y el amor inquebrantable, los cuales constituyen, siempre, un puerto seguro en el que anclar. También les agradezco la maravillosa tarde que pasamos recordando a Mac Palmer.

Cristi y James Swayze, por su amor y ánimos y por cambiar mi vida, hace ya muchos años, al organizar una maravillosa cita a ciegas.

Christina Dodd, mi amiga más querida, quien me dijo que yo podía escribir una novela contemporánea. Y resultó ser cierto. Liz Bevarly, Connie Brockway, Eloisa James y Teresa Medeiros, quienes siempre me recogen cuando caigo, me defienden, tenga o no razón, y me rodean con un círculo de amor. No podría salir adelante sin vosotras.

Geralyn Dawson, Susan Sizemore y Susan Kay Law, quienes me escucharon con paciencia, me ofrecieron sus valiosas percepciones, me enseñaron a cocinar barritas de anacardos caramelizadas, a crear historias de vampiros, a comer cereales en la taza de té y quienes se convirtieron en unas amigas que quiero conservar para siempre.

Stephanie Bascon y Melissa Rowcliffe, dos mujeres dinámicas y hermosas, por compartir conmigo sus conocimientos legales y, todavía más importante, por el regalo de su amistad.

Billie Jones, la mujer más generosa que conozco, y su marido, James Walton Jones, por su amor, su sabiduría y su ingenio, y por una cena en una noche de verano en la que unos amigos contaron unos recuerdos preciosos que me ayudaron a comprender las cuestiones centrales de mi novela.

Gracias a los amigos que me han inspirado de múltiples formas: Mayor y Norman Erskine, Mena Nichols, Betsy Allen, J. C. Chatmas, Weezie Burton, Charlsie Brown, Necy Matelski, Nancy Erwin, Gene Erwin, Sara

Norton, Hammond Norton, Lois Cooper, Bill Reynolds y Mary Abbot Hess.

Patsy y Wilson Kluck, por sus relatos inestimables y su amor. Y, sobre todo, a Patsy, por enseñarme lo mejor de las mujeres de Tejas.

Virginia Lake, quien me animó a escribir la historia de una mujer que triunfa superando las dificultades con armonía, determinación y humor, cualidades que ella tiene en abundancia.

Sandy Coleman, por su amistad, su apoyo y su entusiasmo por el género romántico.

Michelle Buonfiglio, una mujer de gran inteligencia y carisma que hace que me sienta orgullosa de mi profesión.

Amanda Santana y Cindy Torres, no sólo por responder a preguntas técnicas acerca del mundo de la peluquería, sino también por sus comentarios y recuerdos personales.

Y, sobre todo, me siento agradecida a mis hijos, dos milagros que llenan mi corazón y todos los rincones de mi alma con alegría.

1

Cuando yo tenía cuatro años, mi padre murió en un accidente en una plataforma petrolífera. Él ni siquiera formaba parte del equipo de perforación, pues era administrativo. Incluso vestía traje y corbata cuando iba a supervisar las instalaciones de producción y extracción. Sin embargo, aquel día tropezó junto a un hueco en una de las plataformas de una torre en construcción, y cayó unos veinte metros hasta la plataforma inferior, donde falleció de inmediato, con el cuello roto.

Yo tardé mucho tiempo en comprender que mi padre no iba a volver jamás. Lo esperé durante meses sentada junto a la ventana de nuestra casa en Katy, al oeste de Houston. Algunos días lo esperaba al final del camino de entrada a nuestra casa y escudriñaba todos los coches que pasaban. No importaba cuánto insistiera mi madre en que dejara de esperarlo, yo no podía dejar de hacerlo. Supongo que creía que la intensidad de mi deseo lo haría regresar.

Sólo conservo unos cuantos recuerdos de mi padre, aunque en realidad no son más que impresiones. En una o dos ocasiones debió de llevarme sobre los hombros, pues recuerdo la superficie sólida de su pecho contra mis pantorrillas, la sensación de balancearme en lo alto anclada por la firme presión de sus dedos en mis tobillos, y el tacto en mis manos de su espeso cabello negro y escalonado. Aún hoy casi puedo oírlo cantar *Arriba del cielo*, una nana mexicana que siempre me inducía dulces sueños.

Sobre la cómoda de mi dormitorio hay una fotografía enmarcada de mi padre, la única que tengo. En ella, mi padre viste una camisa vaquera, unos tejanos con raya y un cinturón de piel labrada con una hebilla de plata con adornos turquesa del tamaño de un plato de postre. Una leve sonrisa curva un extremo de su boca y un hoyuelo interrumpe la superficie morena y suave de su mejilla. A decir de todos, era un hombre inteligente, romántico, un trabajador empedernido y ambicioso. Estoy convencida de que habría conseguido grandes cosas si hubiera podido disfrutar de más años de vida. Sé pocas cosas acerca de mi padre, pero estoy convencida de que me quería. Lo percibo incluso en esas leves impresiones que conservo de él.

Mi madre nunca encontró a otro hombre que ocupara su lugar. O quizá sería más acertado afirmar que encontró a muchos, pero pocos se quedaron durante largo tiempo. Mi madre era guapa, aunque no feliz, y atraer a los hombres nunca constituyó un problema para ella. Sin embargo, que se quedaran era otro asunto. Cuando cumplí trece años, mi madre había salido con más hombres de los que yo podía contar. Para mí constituyó un alivio cuando encontró uno con el que decidió que podía vivir durante algún tiempo.

Acordaron mudarse juntos a Welcome, una pequeña ciudad del este de Tejas, cerca de donde él había crecido. En Welcome yo lo perdí todo y lo gané todo. Welcome es donde mi vida dejó un camino para tomar otro, el cual me condujo a lugares a los que nunca creí que iría.

El día que llegamos al campamento de casas prefabricadas, pasé por una calle que transcurría entre filas de casas alineadas como teclas de un piano. El campamento era un entramado de calles polvorientas y sin salida al que se había añadido una rotonda nueva que bordeaba el campamento por la izquierda. Las casas, unas adornadas con zócalos de aluminio y otras con celosías de madera, estaban asentadas en losas de cemento. Algunas disponían de un jardín delantero con mirtos de flores secas y tallos agrietados debido al calor.

Aquel día, el sol poniente era redondo y blanco, como un plato de papel pegado al cielo. El calor parecía provenir tanto de abajo como de arriba y se elevaba en ondas visibles que brotaban del resquebrajado suelo. En Welcome, el tiempo avanzaba prácticamente a rastras y sus habitantes consideraban que todo lo que tenía que hacerse deprisa no merecía la pena hacerse. Los perros y los gatos se pasaban la mayor parte del día durmiendo en las calurosas sombras y sólo se levantaban para dar unos cuantos lengüetazos al agua tibia que goteaba de los conductos del agua. Incluso las moscas se movían con lentitud.

Un sobre que contenía un cheque crujía en el bolsillo de mis shorts vaqueros. Mi madre me había encargado que se lo entregara al señor Louis Sadlek, el gerente de Bluebonnet Ranch, quien vivía en una casa de ladrillos rojos construida cerca de la entrada del campamento.

Mientras avanzaba con pesadez por el agrietado asfalto, tenía la sensación de que mis pies se estaban cociendo en el interior de las deportivas. Por el camino, vi a un par de chicos más mayores que yo que charlaban, en actitud relajada, con una adolescente. La chica tenía el cabello largo y rubio, lo llevaba recogido en una cola de caballo y un flequillo engominado le cubría la frente. Buena parte de su piel bronceada quedaba expuesta gracias a unos shorts diminutos y a la escueta parte de arriba de un biquini de color violeta, lo cual explicaba que los chicos estuvieran tan absortos en la conversación que mantenían con ella.

Uno de ellos vestía unos pantalones cortos y una camiseta sin mangas, y el otro, de cabello moreno, vestía unos tejanos y unas botas vaqueras y sucias. Este último apoyaba el peso en una de sus piernas, tenía un pulgar hundido en uno de sus bolsillos y gesticulaba con la otra mano al hablar. Había algo llamativo en su figura alta y huesuda y en su perfil adusto, y su vitalidad casi desentonaba en aquel entorno caluroso y somnoliento.

Aunque los tejanos, sea cual sea su edad, son sociables por naturaleza y entablan conversación con los desconocidos sin titubear, resultaba obvio que yo pasaría junto a aquel trío sin ser vista, aunque a mí ya me estaba bien.

Cuando, discretamente, me crucé con ellos por el otro lado de la calle, un estallido de ruido y agitación me sobresaltó. Volví la cabeza hacia atrás y vi que un par de pit bulls rabiosos y agresivos corrían hacia mí. Los pit bulls ladraban, gruñían y curvaban los labios mostrando unos dientes puntiagudos y amarillentos. A mí los perros nunca me han dado miedo, pero aquellos dos sin duda estaban decididos a matar.

Los instintos me dominaron y me di la vuelta dispuesta a salir corriendo, pero las suelas desgastadas de mis deportivas resbalaron en un puñado de grava y mi cuerpo se adelantó a mis piernas de tal modo que caí al suelo a cuatro patas. Solté un chillido y me cubrí la cabeza con los brazos convencida de que los perros me despedazarían. Por encima del zumbido de la sangre en mis oídos oí una voz enojada y, en lugar de las fauces de los perros en mi carne, sentí que unas manos fuertes me sujetaban.

Solté otro chillido, alguien me dio la vuelta y me encontré, cara a cara, con el chico moreno. Él me echó una ojeada rápida para asegurarse de que me encontraba bien y volvió a gritar a los pit bulls. Éstos habían retrocedido unos metros y sus ladridos se habían apaciguado hasta convertirse en gruñidos malhumorados.

—¡Largaos de aquí! ¡Maldita sea! —soltó el chico—. ¡Llevad vuestros malditos traseros de vuelta a casa y dejad de asustar a la gente, par de m...!

El chico se contuvo y me lanzó una mirada rápida.

Los pit bulls dejaron de gruñir, retrocedieron con cautela y experimentaron un sorprendente cambio de humor mientras sus lenguas rosadas colgaban de sus fauces como las cintas de los globos en una fiesta de cumpleaños.

Mi salvador los contempló con enojo y se dirigió al chico de la camiseta sin mangas.

—¡Pete, lleva los perros de vuelta a casa de Miss Marva!

—Ya s'irán solos —protestó el chico, reacio a separarse de la muchacha rubia del biquini violeta.

—¡Llévatelos! —exclamó el chico moreno con tono

autoritario—. Y dile a Miss Marva que se acuerde de cerrar la maldita verja.

Mientras los chicos mantenían esta conversación, contemplé mis rodillas y vi que sangraban y estaban sucias de tierra. Cuando se me pasó el susto, empecé a llorar, con lo que mi caída al abismo de la más absoluta vergüenza fue total. Intenté tragar saliva por mi tensa garganta, cuanto más lo intentaba, peor era el resultado. Las lágrimas resbalaban por debajo de la montura de plástico de mis enormes gafas.

—¡Mierda...! —oí que exclamaba el chico de la camiseta sin mangas, y después de soltar un suspiro, se acercó a los perros y los cogió por el collar—. ¡Vamos, buscapeleas!

Los perros lo siguieron de buena gana, trotando con elegancia a ambos lados del chico como si estuvieran desfilando en un concurso canino.

El chico moreno volvió su atención hacia mí y su voz se suavizó.

—Vamos, tranquila... Todo está bien. No tienes por qué llorar.

El chico sacó un pañuelo rojo del bolsillo trasero de sus pantalones y empezó a limpiarme la cara; me secó los ojos y la nariz con destreza y me dijo que me sonara. El pañuelo, apretado con firmeza contra mi nariz, conservaba un olor acre y penetrante a sudor masculino. En aquella época, todos los hombres llevaban un pañuelo rojo en el bolsillo trasero de los pantalones. Yo los había visto utilizarlos como colador, filtro para café, máscara contra el polvo y, una vez, incluso como un pañal improvisado.

—Nunca huyas así de un perro. —El chico volvió a introducir el pañuelo en el bolsillo trasero de sus tejanos—. No importa lo asustada que estés. Sólo desvía la mirada a un lado y aléjate muy, muy despacio, ¿comprendes? Y grita «¡No!» con voz fuerte y potente.

Yo sorbí por la nariz y asentí con la cabeza mientras contemplaba su rostro en sombras. Su ancha boca esbozaba una sonrisa que envió un escalofrío hasta la boca de mi estómago y encogió los dedos de mis pies en el interior de las deportivas.

Le faltaba muy poco para ser realmente guapo, pero sus facciones eran demasiado toscas y marcadas y tenía la nariz torcida cerca del puente, porque se la debía de haber roto en alguna ocasión. Sin embargo tenía una sonrisa que hacía hervir la sangre, unos ojos vivos de un azul intenso que todavía parecían más vivos en contraste con su piel bronceada y un pelo tan brillante como el de un visón.

—No tienes nada que temer de estos perros —explicó él—. Son un engorro, pero por lo que sé nunca han mordido a nadie. Vamos, dame la mano.

El chico tiró de mí hasta que me puse de pie. Las rodillas me ardían, pero yo apenas sentía el dolor, pues ya tenía bastante con mi corazón, que latía con desenfreno. La mano del chico era fuerte y sus dedos cálidos y secos.

—¿Dónde vives? —preguntó él—. ¿Te has mudado a una de las casas de la zona nueva?

—Ajá.

Yo enjugué una lágrima perdida de mi barbilla.

—¡Hardy...! —sonó la voz acaramelada de la muchacha rubia—. La chica ya está bien. Acompáñame a casa. Tengo algo en mi habitación que quiero enseñarte.

«Hardy», de modo que así se llamaba el chico. Él no se movió y dirigió su viva mirada hacia el suelo. Probablemente era mejor que la chica no viera la irónica sonrisa que curvaba la comisura de sus labios. Hardy parecía tener una idea bastante exacta de lo que ella quería enseñarle.

—No puedo —respondió él con voz firme—, tengo que cuidar de esta chiquilla.

El enfado que sentí al oír que se refería a mí como a una cría enseguida fue reemplazado por la sensación de triunfo que experimenté cuando me di cuenta de que me había elegido a mí en lugar de a la chica rubia, aunque no entendía por qué él no daba saltos de alegría ante la posibilidad de ir con ella.

Yo no era fea, pero tampoco el tipo de chica que llama la atención. De mi padre, que era mexicano, había heredado el cabello negro, unas cejas espesas y una boca que, en mi opinión, era el doble de grande de lo necesario. De mi madre había heredado la constitución delgada y los ojos claros, aunque no eran de un verde claro como los de ella, sino de color avellana. Con frecuencia deseé haber nacido con el cabello rubio y la piel de color marfil, como mi madre, pero los tonos oscuros de mi padre habían imperado sobre los de mi madre.

Tampoco ayudaba el hecho de que fuera tímida y llevara gafas. Yo nunca destacaba por encima de los demás, aunque, en realidad, me gustaba permanecer en la sombra y, cuando estaba sola leyendo, era cuando me sentía más feliz. Esto y las buenas notas que sacaba en el colegio acabaron con cualquier posibilidad de ser una chica popular entre mis compañeros de clase, de modo que era de prever que los chicos como Hardy nunca se fijaran en mí.

—¡Vamos! —apremió él mientras encabezaba la marcha hacia una casa prefabricada de un solo módulo que tenía unos escalones de hormigón en la parte trasera.

Un cierto engreimiento animaba el caminar de Hardy, quien se movía con la desenvoltura de un ser libre y sin preocupaciones.

Yo lo seguí con cautela mientras imaginaba cómo se enfadaría mi madre si se enteraba de que me había ido con un desconocido.

—¿Es tuya? —le pregunté mientras mis pies se hundían en la crujiente hierba seca que conducía a la casa.

Hardy volvió la cabeza hacia mí y me respondió:

—Vivo aquí con mi madre, dos hermanos y una hermana.

—Son muchas personas para una casa de un solo módulo —comenté yo.

—Así es. Tengo que mudarme pronto, en esta casa no hay sitio para mí. Mi madre dice que estoy creciendo tan deprisa que pronto echaré las paredes abajo.

La idea de que aquel chico fuera a crecer más me parecía casi alarmante.

—¿Cuánto más vas a crecer? —le pregunté.

Él se echó a reír mientras se acercaba a la llave de paso de una manguera de jardín de color grisáceo. Tras darle unos cuantos giros hábiles, el agua empezó a brotar y Hardy se dirigió al extremo de la manguera.

—No lo sé, en realidad ya soy más alto que la mayoría de mis parientes. Siéntate en el escalón de abajo y estira las piernas.

Yo le obedecí mientras contemplaba mis pantorrillas esqueléticas y mi piel cubierta de una pelusilla negra e infantil. Me había depilado las piernas varias veces, pero todavía no lo hacía con regularidad. No pude evitar compararlas con las piernas de piel suave y bronceada de la chica rubia y la vergüenza creció en mi interior.

Hardy se acercó a mí con la manguera, se acuclilló y me advirtió:

—Es probable que te escueza un poco, Liberty.

—No importa, yo... —De repente me callé y mis ojos se abrieron como platos—. ¿Cómo sabes que ése es mi nombre?

Hardy esbozó una sonrisa de medio lado.

—Está escrito en la parte trasera de tu cinturón.

Aquel año, los cinturones con nombre estaban de moda y yo le había pedido a mi madre que me comprara uno. Juntas elegimos uno de piel rosa pálido con mi nombre grabado en letras rojas.

Yo solté un respingo mientras Hardy enjuagaba mis rodillas con un chorro de agua tibia y las limpiaba de sangre y arenilla. Me dolió más de lo que esperaba, sobre todo cuando él pasó el pulgar por la carne hinchada para desprender unas cuantas partículas de tierra que se habían pegado a la piel.

Cuando me estremecí, Hardy emitió un sonido tranquilizador y se puso a hablar para distraerme.

—¿Cuántos años tienes, doce?

—Catorce y tres cuartos.

Sus ojos azules chispearon.

—Eres bastante pequeña para tener catorce años y tres cuartos.

—No es verdad —repliqué indignada—. Este año estudiaré el último curso de secundaria. ¿Y cuántos años tienes?

—Diecisiete y dos quintos.

Yo me puse tensa al percibir su burla, pero al mirarlo a los ojos, noté que lo decía en broma. Nunca me había sentido tan atraída por otro ser humano en mi vida. La curiosidad y el afecto se entremezclaban, y miles de preguntas brotaron en mi interior.

Un par de veces a lo largo de la vida ocurre algo así: encuentras a un desconocido y lo único que sabes es que tienes que averiguarlo todo acerca de él.

—¿Cuántos hermanos tienes? —preguntó él.

—Ninguno. Sólo estamos mi madre, su novio y yo.

—Si puedo, mañana iré a verte con mi hermana Hannah. Ella te presentará a las chicas de por aquí y te indicará de cuáles debes mantenerte alejada.

Hardy apartó la manguera de mis escocidas rodillas, las cuales ahora estaban limpias y sonrosadas.

—¿Y qué hay de la chica con la que estabas hablando antes? ¿Debo mantenerme alejada de ella?

Hardy esbozó una sonrisa fugaz.

—Se llama Tamryn y, sí, mantente alejada de ella. No le gustan mucho las otras chicas.

Hardy cerró la llave del agua y, al regresar, se quedó de pie junto a mí. Su cabello moreno caía sobre su frente y sentí el deseo de apartarlo hacia atrás. Quería tocar a Hardy, pero no con sensualidad, sino con admiración.

—¿Adónde vas ahora, a tu casa? —preguntó él mientras extendía el brazo hacia mí.

Nuestras manos encajaron con firmeza. Él tiró de mí y no me soltó hasta que estuvo seguro de que mantenía el equilibrio.

—Todavía no, tengo un encargo. He de llevarle un cheque al señor Sadlek.

Yo toqué mi bolsillo trasero para asegurarme de que el cheque continuaba allí.

Al oír el nombre del señor Sadlek, una arruga se formó entre las cejas rectas y oscuras de Hardy.

—Te acompaño.

—No tienes por qué hacerlo —contesté, aunque sentí una tímida oleada de placer al oír su oferta.

—Sí que tengo que hacerlo. Tu madre no debería enviarte sola a la oficina.

—No veo por qué.

—Lo entenderás después de conocerlo. —Hardy me agarró por los hombros y me advirtió con determinación—: Si alguna vez, sea por la razón que sea, tienes que ir a ver a Louis Sadlek, antes ven a buscarme.

El tacto de sus manos era electrizante. Yo contesté con un hilo de voz:

—No querría causarte problemas.

—No es ningún problema.

Hardy me miró durante un instante y después retrocedió medio paso.

—Eres muy amable —respondí yo.

—De eso nada. —Hardy sacudió la cabeza y contestó con una sonrisa sarcástica—: Yo no soy amable, pero entre los pit bulls de Miss Marva y Sadlek, alguien tiene que cuidar de ti.

Juntos recorrimos la calle principal y Hardy acompasó sus largos pasos a los míos. Cuando nuestros pies avanzaron al mismo ritmo, sentí una punzada intensa y profunda de satisfacción. Podría haber seguido así, caminando a su lado, para siempre. Pocas veces en mi vida había experimentado un momento con tanta intensidad, sin que la soledad acechara a mi alrededor.

Cuando hablé, mi voz sonó lánguida a mis propios oídos, como si estuviéramos tumbados en un prado de hierba espesa a la sombra de un árbol.

—¿Por qué dices que no eres amable?

Hardy soltó una risita compungida.

—Porque soy un pecador incorregible.

—Yo también.

Esto, desde luego, no era cierto, pero si aquel chico era un pecador incorregible, yo también quería serlo.

—No, tú no lo eres —replicó él con voz lenta y con un convencimiento absoluto.

—¿Cómo puedes decir eso si no me conoces?

—Lo sé por tu aspecto.

Yo lo miré con disimulo. Tuve la tentación de preguntarle qué más deducía de mi aspecto, pero me temo que yo ya lo sabía. Mi cola de caballo enredada y despeinada, la recatada longitud de mis shorts, mis enormes gafas, mis cejas sin depilar... Lo cierto es que mi imagen no encajaba exactamente con las fantasías más salvajes de ningún chico, de modo que decidí cambiar de tema de conversación.

—¿El señor Sadlek es malo? —le pregunté—. ¿Por eso no debería visitarlo sola?

—Heredó el campamento de sus padres hará unos cinco años y, desde entonces, ha acosado a todas las mujeres que se cruzan en su camino. Lo intentó con mi madre una o dos veces, hasta que le advertí que, si volvía a hacerlo, me aseguraría de que no quedara de él más que una mancha en el suelo.

Yo no dudé, ni por un segundo, de que Hardy cumpliría su advertencia. A pesar de lo joven que era, Hardy era muy corpulento y podía hacer mucho daño a cualquiera.

Llegamos a la casa de ladrillos rojos, que estaba anclada en la tierra plana y árida como una garrapata en un venado. Un letrero blanco y negro de gran tamaño en el que se leía: «Campamento de casas prefabricadas Bluebonnet Ranch», estaba clavado en el suelo a un lado de la casa, cerca de la calle principal, y en las esquinas del letrero había unos ramitos de lupinos de plástico descolorido. Un poco más allá del letrero y alineada de una forma cuidadosa con la calle, había una hilera de flamencos rosa de madera acribillados a balazos.

Según averigüé más tarde, era costumbre de algunos de los residentes del campamento, entre ellos el señor Sadlek, hacer prácticas de tiro en el terreno de un vecino. Allí, disparaban a una hilera de flamencos de madera que cabeceaban cuando les acertaban. Si un flamenco estaba demasiado lleno de agujeros y no resultaba útil como blanco, lo colocaban en la entrada del campamento como propaganda de la habilidad de tiro de los residentes.

En una ventana situada a uno de los lados de la puerta principal, colgaba un letrero con la palabra «Abierto». Tranquila gracias a la sólida presencia de Hardy, me dirigí a la puerta, di unos golpecitos vacilantes y la abrí.

Una mujer de la limpieza de origen latino estaba fregando la entrada. En un rincón, un casete emitía el ritmo animado de la música texana. La mujer levantó la vista y declaró en un español rápido como una metralleta:

—Cuidado, el piso está mojado.

Yo sólo sabía unas cuantas palabras de español y, como no tenía ni idea de lo que había dicho, sacudí la cabeza en señal de disculpa, sin embargo, Hardy contestó en español y sin inmutarse:

—Gracias, tendremos cuidado. —A continuación, puso su mano en mi espalda y me advirtió—: Cuidado, el suelo está mojado.

—¿Hablas español? —le pregunté algo sorprendida.

Él arqueó sus cejas oscuras.

—¿Tú no?

Yo, avergonzada, negué con la cabeza. Siempre me había dado algo de vergüenza no hablar español a pesar de ser hija de un mexicano.

Una figura alta y corpulenta apareció en la puerta de la oficina. A primera vista, Louis Sadlek era un hombre atractivo, pero su belleza estaba hecha una ruina, pues su rostro y su cuerpo reflejaban el deterioro debido a los continuos excesos. Vestía una camisa a rayas que llevaba por fuera de los pantalones, sin duda para esconder sus michelines. Aunque sus pantalones debían de ser de poliéster barato, sus botas estaban confeccionadas con piel de serpiente auténtica teñida de azul. Sus facciones, equilibradas y regulares, quedaban estropeadas por sus mejillas abultadas y su cuello seboso.

Sadlek me miró con un interés superficial y sus labios se curvaron en una mala imitación de una sonrisa. Primero se dirigió a Hardy:

—¿Quién es la pequeña espalda mojada?

Por el rabillo del ojo vi que la mujer de la limpieza se ponía rígida y dejaba de limpiar. Por lo visto había sido objeto de aquella expresión muchas veces y conocía su significado.

Al percibir la tensión en la mandíbula de Hardy y su puño crispado, yo intervine con precipitación:

—Señor Sadlek, soy...

—No la llame así —declaró Hardy con un tono de voz que erizó el vello de mi nuca.

Los dos hombres se miraron con una animosidad palpable y sin parpadear. Uno, un hombre que había superado ampliamente la flor de la vida, y el otro, un chico que ni siquiera la había alcanzado. Sin embargo, si hubieran entablado una pelea, yo no tenía ninguna duda de cómo habría terminado.

—Me llamo Liberty Jones —declaré intentando suavizar la tensión del momento—. Mi madre y yo nos acabamos de mudar aquí. —Saqué el sobre del bolsillo trasero de mis shorts y se lo tendí—. Mi madre me ha pedido que le diera esto.

Sadlek cogió el sobre y lo introdujo en el bolsillo de su camisa mientras me miraba de arriba abajo.

—¿Diana Jones es tu madre?

—Sí, señor.

—¿Cómo puede una mujer como ella haber tenido una hija de piel oscura como tú? Tu padre debía de ser mexicano.

—Sí, señor.

Sadlek soltó una risita burlona, sacudió la cabeza e hizo una mueca.

—Dile a tu madre que, la próxima vez, me traiga el cheque personalmente, que tengo que hablar con ella.

—De acuerdo.

Ansiosa por salir de allí, tiré del tenso brazo de Hardy. Él me siguió hasta la puerta después de lanzar una última mirada de advertencia a Louis Sadlek.

—Será mejor que no te mezcles con unos fracasados

como los Cates, pequeña —exclamó Sadlek cuando ya estábamos fuera—. No crean más que problemas. Y Hardy es el peor de todos.

Tras un minuto escaso en su presencia, me sentía como si hubiera estado caminando por un vertedero con la basura hasta el cuello. Me volví con nerviosismo hacia Hardy.

—¡Menudo gilipollas! —exclamé.

—Ya puedes decirlo.

—¿Tiene esposa e hijos?

Hardy negó con la cabeza.

—Por lo que yo sé, se ha divorciado un par de veces. Algunas de las mujeres de la ciudad creen que es un buen partido. Por su aspecto, nadie lo diría, pero tiene bastante dinero.

—¿Gracias al campamento?

—Al campamento y a algún que otro trabajillo extra.

—¿Qué tipo de trabajillo extra?

Hardy se rio sin ganas.

—No quieras saberlo.

Caminamos en silencio hasta el inicio de la zona nueva. Con la llegada del anochecer, aparecían signos de vida en el campamento: coches que regresaban al hogar, voces y sonidos de los televisores que se filtraban por las delgadas paredes, olor a frito... El blanco sol descansaba en el horizonte y teñía el cielo de colores púrpura, naranja y carmesí.

—¿Es aquí? —preguntó Hardy mientras se detenía delante de mi casa blanca con su pulcro zócalo exterior de aluminio.

Yo asentí incluso antes de percibir el contorno de mi madre en la ventana de la pequeña cocina.

—Sí, aquí es —exclamé aliviada—. Gracias.

Mientras lo observaba con detenimiento a través de mis gafas de montura marrón, Hardy alargó el brazo para apartar un mechón de cabello que se había soltado de mi cola de caballo. La callosa yema de su dedo rozó con suave aspereza la línea del nacimiento de mi cabello, como si se tratara del lametazo de la lengua de un gato.

—¿Sabes a qué me recuerdas? —preguntó él mientras me escudriñaba con sus ojos azules—. A un mochuelo duende.

—Eso no existe —respondí yo.

—Sí que existe. En general, viven más al sur, en el valle del Río Grande y más allá, pero, de vez en cuando, alguno vuela hasta aquí. Yo he visto uno. —Hardy utilizó el pulgar y el índice para indicar una distancia de unos diez centímetros—. Son sólo así de grandes. Es un pájaro pequeño y gracioso.

—Yo no soy pequeña —protesté yo.

Hardy sonrió. Su sombra me cubrió y evitó que el sol poniente me deslumbrara. Un estremecimiento desconocido para mí recorrió mi interior. Yo quería adentrarme en su sombra hasta encontrarme con su cuerpo y sentir sus brazos a mi alrededor.

—Sadlek tenía razón, ¿sabes? —declaró Hardy.

—¿Acerca de qué?

—La verdad es que soy un problema.

Yo ya lo sabía. Mi acelerado corazón lo sabía y mis flaqueantes rodillas lo sabían, y también mi estómago encogido.

—A mí me gustan los problemas —respondí yo con esfuerzo.

Su risa se expandió por el aire.

Hardy se alejó con su caminar de pasos largos y desenvueltos. Una figura oscura y solitaria. Yo recordé la fuerza de sus manos cuando me levantó del suelo. Lo observé hasta que desapareció de mi vista y noté una sensación dulce y espesa en mi garganta, como si acabara de tragarme una cucharada de miel caliente.

El crepúsculo terminó con una extensa franja de luz que recorría el horizonte, como si el cielo fuera una puerta enorme y Dios estuviera echando una última ojeada. «Buenas noches, Welcome», pensé yo, y entré en la casa.

2

La casa recién estrenada despedía un olor agradable a plástico acabado de moldear y a moqueta nueva. Se trataba de una casa de un módulo y dos dormitorios y tenía un patio trasero encementado. Mi madre me había permitido quitar el papel de las paredes de mi habitación, el cual era blanco y estaba estampado con ramilletes de rosas y un ribete azul. Nunca habíamos vivido en una casa prefabricada, y antes de mudarnos hacia el este, a Welcome, vivíamos en Houston, en una casa de alquiler.

Flip, el novio de mi madre, constituía una adquisición nueva, como la casa prefabricada. Tenía la costumbre de cambiar continuamente el canal de la televisión, lo cual, al principio, no me resultaba muy molesto, pero, después de un tiempo, aquel hábito me volvía loca. Cuando Flip estaba cerca, no se podía ver ningún programa más de cinco minutos seguidos.

Yo nunca supe con certeza por qué mi madre lo invitó a vivir con nosotras, pues no parecía ser mejor o muy diferente de cualquiera de sus anteriores novios. Flip era como un perro amigable y grandullón. Era perezoso, guapo y tenía un inicio de tripa de bebedor de cerveza, una maraña espesa de pelo y una sonrisa fácil. Mi madre tuvo que mantenerlo desde el primer día con su sueldo de recepcionista de la oficina local de patentes. Flip, por su lado, era un eterno desempleado, pues aunque no le molestaba tener un empleo, estaba por completo en contra de la idea de buscarlo, lo cual constituía una paradoja sureña habitual.

No obstante, a mí Flip me gustaba, porque hacía reír a mi madre. El sonido de sus escasas risas era tan preciado para mí que me habría gustado atrapar una y conservarla en un frasco para siempre.

Cuando entré en la casa, vi que Flip estaba tumbado en el sofá con una cerveza en la mano mientras mi madre apilaba latas en uno de los armarios de la cocina.

—¡Hola, Liberty! —saludó Flip con jovialidad.

—Hola, Flip.

Yo me dirigí a la pequeña cocina para ayudar a mi madre. La luz que despedía el fluorescente del techo se reflejaba en la resplandeciente cabellera rubia de mi madre. Ella tenía la tez clara y las facciones delicadas, unos misteriosos ojos verdes y unos labios tiernos. El único indicio de su enorme tozudez era el contorno anguloso y definido de su mandíbula, la cual era afilada como la proa de un antiguo velero.

—¿Le has llevado el cheque al señor Sadlek, Liberty?

—Sí. —Yo cogí unos paquetes de harina, azúcar y maíz y los guardé en uno de los armarios—. Es un verdadero idiota, mamá. Me ha llamado espalda mojada.

Ella se volvió de repente hacia mí con los ojos brillantes. Una oleada de rubor cubrió sus mejillas de un tono sonrosado.

—¡Será imbécil! —exclamó—. No me lo puedo creer. ¿Flip has oído lo que acaba de contarme Liberty?

—No.

—La ha llamado espalda mojada.

—¿Quién?

—Louis Sadlek, el gerente. Levanta el trasero del sofá y ve a hablar con él. ¡Ahora! Y dile que no se le ocurra volver a hacerlo.

—Vamos, cariño, esa expresión no significa nada —protestó Flip—. Todo el mundo lo dice sin intención de herir a nadie.

—¡No te atrevas a justificarlo!

Mi madre me acercó hacia sí y me rodeó con los brazos de una forma protectora. Sorprendida por la intensidad de su reacción, después de todo no era la primera vez que me llamaban de ese modo ni sería la última, permití que me abrazara unos instantes.

—Estoy bien, mamá —la tranquilicé.

—Cualquiera que emplee esa expresión demuestra que es un estúpido ignorante —declaró mi madre con voz cortante—. No hay nada malo en ser mexicana, tú ya lo sabes.

Mi madre estaba más ofendida por mí que yo misma.

Yo siempre había sido muy consciente de lo distinta que era de mi madre. Cuando íbamos juntas a algún lugar, siempre constituíamos el blanco de las miradas curiosas de los demás. Mi madre, blanca como un ángel, y yo, de cabello oscuro y complexión latina. Pero había aprendido a aceptarlo con resignación. Ser medio mexicana era lo mismo que ser mexicana del todo. Esto implicaba que, algunas veces, me llamaran espalda mojada, aunque yo había nacido en Norteamérica y nunca había puesto un pie en Río Grande.

—Flip —insistió mi madre—, ¿vas a ir a hablar con él?

—No tiene por qué hacerlo —contesté yo arrepentida de habérselo contado.

No podía imaginarme a Flip metiéndose en problemas por algo que consideraba una nimiedad.

—Cariño —volvió a protestar Flip—, no tiene ningún sentido que te pelees con el propietario el primer día...

—La cuestión es si eres lo suficiente hombre para defender a mi hija. —Mi madre le lanzó una mirada furiosa—. ¡Ya lo haré yo, maldita sea!

Se oyó un gemido largo y lastimero que procedía del sofá, pero no se produjo ningún movimiento, salvo la presión del pulgar de Flip en el mando a distancia.

—No vayas, mamá —protesté yo con ansiedad—. Flip tiene razón, no ha significado nada.

Yo sabía, con todas las células de mi cuerpo, que tenía que mantener a mi madre alejada de Louis Sadlek.

—No tardaré —replicó ella con frialdad mientras trataba de encontrar su bolso.

—¡Por favor, mamá! —Yo busqué, con desesperación, la forma de disuadirla—. Es la hora de cenar y tengo hambre. Mucha hambre. ¿Podemos salir a cenar fuera? Probemos la cafetería de la ciudad.

A todos los adultos que conocía, incluida mi madre, les gustaba ir a la cafetería.

Mi madre se detuvo y me miró con fijeza mientras su expresión se suavizaba.

—¡Pero si tú odias la comida de las cafeterías!

—Ya no tanto —repliqué yo—. En realidad, comer con bandejas con compartimentos empieza a gustarme. —Al ver que una sonrisa empezaba a brotar de la comisura de sus labios, añadí—: Con suerte, hoy será la noche de la tercera edad y podrás comer a mitad de precio.

—¡Mocosa! —exclamó ella mientras rompía a reír—. Después del traslado, la verdad es que sí que me siento como si fuera de la tercera edad. —Mi madre se dirigió a la salita, apagó el televisor y se quedó de pie delante de la pantalla—. Levántate, Flip.

—¡Me perderé el programa de lucha libre! —protestó él mientras se incorporaba.

Su pelo enmarañado estaba aplastado en un lado debido al tiempo que llevaba echado en el sofá.

—En cualquier caso, tampoco lo verías acabar —declaró mi madre—. ¡Vamos, Flip, o esconderé el mando un mes entero!

Flip exhaló un suspiro y se puso de pie.

Al día siguiente, conocí a Hannah, la hermana de Hardy, quien era sólo un año mayor que yo, aunque me sacaba casi una cabeza de altura. Más que guapa, era llamativa, con un cuerpo atlético y miembros largos, como todos los Cates. Los Cates eran una familia de inclinaciones físicas, competitivos y bromistas, o sea todo lo opuesto a lo que yo era. Al ser la única niña de la familia, Hannah había aprendido a no intimidarse ante ningún desafío y a afrontar cualquier reto, por muy irrealizable que pareciera. Yo admiraba su temeridad, aunque no la compartía. Hannah me contó que ser una aventurera en un lugar donde resultaba imposible encontrar una sola aventura constituía una maldición.

Hannah quería con locura a su hermano mayor y le encantaba hablar de él casi tanto como a mí me encantaba escucharla. Según me contó, Hardy se había graduado el año anterior y salía con una chica de último curso del instituto que se llamaba Amanda Tatum. Las chicas se echaban en sus brazos desde que tenía doce años. Ahora Hardy se dedicaba a construir y reparar cercas de alambre para los ganaderos de la zona y había pagado la entrada de una furgoneta para su madre. Hardy había sido defensa en el equipo de fútbol de su colegio hasta que se rompió los ligamentos de la rodilla y había ganado la carrera de los cuarenta metros con un tiempo de 4,5 segundos. Podía imitar el canto de casi todas las aves de Tejas, desde el carbonero hasta el pavo salvaje, y era amable con ella y sus dos hermanos menores, Rick y Kevin.

Yo pensaba que Hannah era la chica con más suerte del mundo por tener a Hardy como hermano y, aunque su familia era muy pobre, yo la envidiaba. A mí nunca me gustó ser hija única. Siempre que una amiga me invitaba a cenar a su casa, me sentía como si estuviera en un país extraño y absorbía todo lo que hacían y decían. Sobre todo, me gustaban las familias que armaban mucho alboroto. Mi madre y yo éramos muy tranquilas y, aunque ella me aseguraba que dos personas ya formaban una familia, a mí me parecía que la nuestra no estaba completa.

Yo siempre quise tener una familia numerosa. Todas mis amigas tenían abuelos, tíos abuelos, primos segundos y terceros y otros familiares lejanos con los que se reunían una o dos veces al año, pero yo nunca conocí a los miembros de mi familia. Mi padre había sido hijo único, como yo, y sus padres habían muerto. El resto de su familia, los Jiménez, estaba desperdigada por todo el estado. Los Jiménez habían vivido en el condado de Liberty durante generaciones. De hecho, ésa era la razón de que me hubieran puesto aquel nombre. Yo nací en la ciudad de Liberty, que está situada al noreste de Houston. Los Jiménez se habían establecido en aquella zona a principios del siglo XIX, cuando México abrió aquella región a los colonizadores. Con el tiempo, los Jiménez cambiaron su apellido por el de Jones. Y, mientras unos fallecieron, el resto vendieron sus tierras y se trasladaron a otras regiones.

Esto me dejaba sólo con la rama de mi madre; sin embargo, siempre que le preguntaba por su familia, ella se volvía distante y silenciosa o me mandaba a jugar afuera. En cierta ocasión, incluso vi que se echaba a llorar mientras se sentaba en la cama con los hombros encorvados, como si llevara sobre ellos una carga invisible. Después de aquel día, no volví a preguntarle por su familia, pero sabía cuál era su apellido de soltera, Truitt, y me preguntaba si los Truitt siquiera sabían de mi existencia.

Sin embargo, por encima de todo me preguntaba qué daño había causado mi madre a su familia para que ellos no la quisieran.

A pesar de mis reticencias y de contarle a Hannah que me habían dado un susto de muerte, ella insistió en que fuera a conocer a Miss Marva y sus pit bulls.

—Será mejor que te hagas amiga de ellos —me advirtió Hannah—. Algún día volverán a escaparse, pero si te conocen, no te molestarán.

—¿Quieres decir que sólo se comen a los desconocidos?

Yo no creía que mi miedo fuera excesivo dadas las circunstancias, pero Hannah puso los ojos en blanco y me dijo:

—No seas miedica, Liberty.

—¿Sabes lo que te ocurre si te muerde un perro? —le pregunté yo indignada.

—No.

—Sufres hemorragias, lesiones nerviosas, tétanos, rabia, infecciones, amputaciones...

—¡Qué horror! —exclamó Hannah con admiración.

Caminábamos por la calle principal del campamento levantando en el aire piedrecitas y nubes de polvo con nuestras deportivas. El sol caía sobre nuestras cabezas descubiertas y quemaba la raya que separaba en dos nuestro cabello. Cuando nos acercamos a la casa de Hannah, vi que Hardy estaba lavando su vieja camioneta azul. Su torso desnudo brillaba como un centavo recién acuñado. Hardy llevaba puestos unos pantalones cortos, unas zapatillas y unas gafas de sol. Al vernos, sonrió, sus blancos dientes resplandecieron en su rostro bronceado y una sensación agradable invadió mi estómago.

—¡Hola, chicas! —exclamó él tapando con el pulgar la mitad de la boca de la manguera para que el agua saliera con más presión mientras enjuagaba restos de espuma de la camioneta—. ¿En qué andáis?

Hannah respondió por las dos:

—Quiero que Liberty se haga amiga de los pit bulls de Miss Marva, pero tiene miedo.

—No es verdad —repliqué yo, lo cual no era cierto, pero no quería que Hardy creyera que era una cobarde.

—Acabas de contarme todo lo que te puede pasar si te muerde un perro —indicó Hannah.

—Eso no significa que tenga miedo —contesté a la defensiva—, sino que estoy bien informada.

Hardy lanzó a su hermana una mirada reprobatoria.

—Hannah, no puedes forzar a alguien a hacer algo así si no está preparado, deja que Liberty lo solucione cuando esté lista.

—Ya lo estoy —declaré yo abandonando todo resto de sentido común en favor del orgullo.

Hardy cerró la llave de paso de la manguera, cogió una camiseta blanca de un tendedero en forma de sombrilla y se la puso.

—Iré con vosotras, Miss Marva me ha estado buscando para que lleve algunas de sus pinturas a la galería de arte.

—¿Es una artista? —pregunté yo.

—¡Oh, sí! —respondió Hannah—. Miss Marva pinta

lupinos. Sus cuadros son muy bonitos, ¿verdad, Hardy?

—Así es —respondió él mientras tiraba con suavidad de una de las trenzas de su hermana.

Mientras contemplaba a Hardy, experimenté el mismo anhelo desconocido que había experimentado cuando lo conocí: quería acercarme a él y absorber el aroma de su piel por debajo del algodón blanco de su camiseta.

La voz de Hardy pareció variar un poco cuando se dirigió a mí:

—¿Cómo están tus rodillas, Liberty? ¿Todavía te escuecen?

Yo negué con la cabeza sin pronunciar una palabra, pues su interés me hacía temblar como la cuerda punteada de una guitarra.

Él alargó el brazo hacia mí, titubeó y, al final, cogió mis gafas de montura marrón. Como de costumbre, los cristales estaban llenos de manchas y huellas de dedos.

—¿Cómo puedes ver con esto? —preguntó Hardy.

Yo me encogí de hombros y sonreí en dirección al fascinante contorno borroso de su rostro. Hardy limpió los cristales de las gafas con su camiseta y los examinó con atención antes de devolvérmelas.

—Vamos, os acompaño a casa de Miss Marva, tengo curiosidad por ver qué opina de Liberty.

—¿Miss Marva es agradable?

Yo me coloqué a la derecha de Hardy mientras Hannah lo hacía a su izquierda.

—Si le gustas, sí —respondió Hardy.

—¿Es vieja? —pregunté mientras me acordaba de la vecina cascarrabias que teníamos en Houston, quien me perseguía con un bastón cada vez que pisaba su cuidado jardín.

A mí, las personas de edad no me gustaban en especial. Las pocas que conocía estaban siempre malhumoradas, eran apáticas o sólo les interesaba hablar con todo tipo de detalles de sus molestias corporales.

Mi pregunta hizo reír a Hardy.

—No estoy seguro, desde que nací tiene cincuenta y nueve años.

Unos cuatrocientos metros más adelante, estaba la casa de Miss Marva. La podría haber identificado incluso sin la ayuda de mis compañeros, pues el ladrido de los dos perros endemoniados, que estaban tras una valla de tela metálica en el patio trasero, la delataba. Los perros sabían que yo me acercaba. Enseguida me sentí mal, unos escalofríos recorrieron mi cuerpo, el sudor me empapó y mi corazón latió con tanta intensidad que lo noté incluso en mis rodillas cubiertas de costras.

De repente me detuve y Hardy sonrió de una forma socarrona.

—¿Liberty, qué haces para que estos perros se pongan tan rabiosos?

—Huelen mi miedo —respondí yo con la mirada fija en el extremo de la cerca, donde los pit bulls arremetían contra la valla y echaban espuma por la boca.

—Me dijiste que los perros no te daban miedo —declaró Hannah.

—Los normales no, pero mi límite se encuentra en los pit bulls sanguinarios e infectados por la rabia.

Hardy se echó a reír, puso su cálida mano en mi nuca y la apretó de una forma tranquilizadora.

—Entremos a ver a Miss Marva. Te gustará. —Hardy se quitó las gafas de sol y me miró con sus sonrientes ojos azules—. Te lo prometo.

El interior de la casa despedía un fuerte olor a cigarrillos, a lupinos y a algo bueno que se estaba cociendo en el horno. Hasta el menor de los rincones estaba ocupado por una pieza de arte o artesanía. Había casitas para pájaros pintadas a mano, envoltorios para cajas de Kleenex confeccionados con hilo de nailon, adornos de Navidad, tapetes de ganchillo y cuadros de lupinos sin enmarcar de todas las formas y medidas.

Sentada en medio de aquel caos, había una mujer regordeta, con el cabello tan encrespado y enlacado que formaba un casquete perfecto, y lo llevaba teñido en un tono de rojo que yo nunca había visto en la naturaleza. Su piel constituía una maraña de surcos y arrugas que no cesaban de cambiar para acomodarse a sus animadas expresiones. Su mirada era tan despierta como la de un halcón y, aunque fuera vieja, Miss Marva era todo menos apática.

—Hardy Cates —declaró con la voz áspera de nicotina—, te esperaba hace dos días para que recogieras mis cuadros.

—Sí, señora —respondió él con humildad.

—¿Y bien, chico, cuál es tu excusa?

—He estado muy ocupado.

—Si apareces tarde, Hardy, lo menos que puedes hacer es inventarte una excusa imaginativa. —Miss Marva dirigió su atención a Hannah y a mí—. Hannah, ¿quién es la muchacha que viene contigo?

—Se llama Liberty Jones, Miss Marva. Ella y su madre acaban de mudarse a la casa nueva de la rotonda.

—¿Sólo tú y tu madre? —preguntó Miss Marva frunciendo los labios como si acabara de comerse un puñado de pepinillos en vinagre.

—No, señora, el novio de mi madre también vive con nosotras.

Apremiada por las preguntas de Miss Marva, le expliqué todo acerca de Flip y sus cambios de canal, que mi madre era viuda y trabajaba de recepcionista en la compañía local de patentes y que yo había ido a su casa para hacer las paces con sus pit bulls después de que se abalanzaran sobre mí y me asustaran.

—Menudos granujas —declaró Miss Marva de una forma desapasionada—. La mayor parte del tiempo me causan más problemas que beneficios, pero los necesito para que me hagan compañía.

—¿Qué tienen de malo los gatos? —pregunté yo.

Miss Marva sacudió la cabeza con determinación.

—Renuncié a los gatos hace ya mucho tiempo. Los gatos se encariñan con los lugares y los perros con las personas.

Miss Marva nos condujo hasta la cocina y nos ofreció sendos platos con una ración generosa de pastel de terciopelo rojo. Entre bocado y bocado, Hardy me contó que Miss Marva era la mejor cocinera de Welcome, que sus tartas y pasteles ganaban, año tras año, la banda tricolor del concurso del condado hasta que los organizadores le pidieron que no participara para que los demás tuvieran alguna oportunidad.

El pastel de terciopelo rojo de Miss Marva era el mejor que yo había probado nunca. Estaba elaborado con mantequilla, cacao y suficiente colorante rojo alimentario para hacerlo brillar como un semáforo en rojo, y todo él estaba cubierto con una capa de crema de queso de dos centímetros de grosor.

Comimos como lobos hambrientos y casi desconchamos los platos de cerámica amarilla con nuestros agresivos tenedores, hasta que la menor de las migajas de pastel desapareció. Mis amígdalas todavía disfrutaban del sabor dulce de la crema de queso cuando Miss Marva me condujo hasta un frasco de galletas para perro situado en el extremo de la encimera de formica.

—Coge un par para los perros —me indicó Miss Marva—, y dáselas a través de la cerca. En cuanto se las hayan comido, serán amigos tuyos.

Yo tragué saliva con esfuerzo y, de repente, el pastel que había comido se convirtió en un ladrillo en mi estómago. Al ver la expresión de mi rostro, Hardy murmuró:

—No tienes por qué hacerlo.

A mí no me entusiasmaba la idea de enfrentarme a los pit bulls, pero con tal de pasar unos minutos más con Hardy, me habría encarado a una manada de toros de Tejas en estampida. Introduje la mano en el frasco y cogí dos galletas con forma de hueso que se volvieron pegajosas al contacto con la húmeda palma de mi mano. Hannah se quedó en la casa ayudando a Miss Marva a acomodar diversos objetos de artesanía en un cajón de plástico de una licorería.

Hardy me acompañó hasta la valla mientras unos ladridos furiosos impregnaban el aire. Los pit bulls tenían las orejas aplastadas contra el cráneo en forma de bala y curvaban los labios mientras gruñían con desprecio. El macho era blanco y negro, y la hembra, de color tostado. Me pregunté por qué creían que valía la pena abandonar la sombra que les proporcionaba el alerón de la casa para abalanzarse hacia mí.

—¿La valla evitará que se escapen? —pregunté tan pegada a Hardy que casi lo hice tropezar.

Los perros irradiaban una energía incontenible y hacían lo posible por saltar la valla.

—Seguro —declaró Hardy con una firmeza tranquilizadora—. La he construido yo.

Yo contemplé a los irritables perros con recelo.

—¿Cómo se llaman? ¿*Psico* y *Asesina*?

Hardy negó con la cabeza.

—*Magdalena* y *Tigretón*.

Yo me quedé boquiabierta.

—Bromeas.

Una sonrisa burlona cruzó fugazmente sus labios.

—Me temo que no.

Si Miss Marva les había puesto nombres de pastelitos para que resultaran simpáticos, no lo había conseguido. Los perros babeaban y chasqueaban las mandíbulas como si yo fuera una ristra de salchichas.

Hardy se dirigió a ellos con un tono de voz decidido y les aconsejó que se callaran y se portaran bien si sabían lo que les convenía. También les ordenó que se sentaran, obteniendo un éxito a medias. El trasero de *Magdalena* descendió a desgana hasta el suelo, pero *Tigretón* continuó de pie en actitud desafiante. Jadeantes y con las fauces abiertas, los pit bulls nos contemplaron con unos ojos que eran como botones negros.

—Ahora —me aconsejó Hardy—. Ofrece una galleta a *Magdalena* con la mano abierta y la palma hacia arriba. No la mires directamente a los ojos, y no realices ningún movimiento brusco.

Yo trasladé una galleta a mi mano izquierda.

—¿Eres zurda? —preguntó Hardy con amabilidad.

—No, pero si me muerde, al menos podré escribir con la mano derecha.

Hardy se rio entre dientes.

—No te morderá. Vamos.

Yo clavé la mirada en el collar antipulgas que rodeaba el cuello de *Magdalena* y alargué la mano con la galleta hacia la valla metálica que nos separaba. El cuerpo del animal se puso en tensión ante la expectativa del festín que yo le ofrecía. Por desgracia, no estaba claro si lo que le atraía era la galleta o mi mano. En el último momento, perdí los nervios y retiré el brazo.

De la garganta de *Magdalena* salió un aullido mientras *Tigretón* respondía con una serie de ladridos truncados. Yo lancé una mirada avergonzada a Hardy esperando que se burlara de mí, pero él, sin pronunciar una palabra, deslizó su sólido brazo alrededor de mis hombros, su otra mano buscó la mía y la sostuvo en su palma como si se tratara de un colibrí. Juntos ofrecimos la galleta al ansioso animal, quien la engulló con un enorme sorbetón mientras agitaba su cola recta como un palo. Su lengua dejó una capa de saliva en la palma de mi mano y yo la limpié en mis shorts. Hardy mantuvo su brazo sobre mis hombros mientras yo le daba la otra galleta a *Tigretón*.

—Buena chica —me alabó Hardy, y después de darme un breve apretón en los hombros, me soltó.

La presión de su brazo pareció continuar sobre mis hombros incluso después de que lo apartara, y el lugar en que nuestros cuerpos se habían tocado continuaba muy caliente. Mi corazón se había acelerado hasta adquirir un nuevo ritmo, y cada inhalación que realizaba producía un dolor dulce en mis pulmones.

—Todavía me dan miedo —reconocí mientras observaba cómo las dos bestias regresaban junto a la casa y se dejaban caer con pesadez a la sombra.

Hardy, con el cuerpo vuelto hacia mí, apoyó la mano en la valla y desplazó parte de su peso sobre una pierna. Entonces me miró como si viera algo en mi rostro que lo fascinara.

—Tener miedo no siempre es malo —declaró con voz

suave—, pues te mantiene en marcha y te ayuda a conseguir cosas.

El silencio que se produjo entre nosotros fue distinto de cualquier otro silencio que yo había experimentado antes, pues era cálido, denso y expectante.

—¿De qué tienes miedo tú? —me atreví a preguntarle yo.

Un destello de sorpresa brilló en sus ojos, como si nunca antes le hubieran formulado esta pregunta y, durante unos instantes, creí que no me respondería. Sin embargo, Hardy exhaló con lentitud un suspiro y su mirada se apartó de la mía para deslizarse por el campamento.

—De quedarme aquí —respondió por fin—. De quedarme hasta que no pueda pertenecer a ningún otro lugar.

—¿Y a qué lugar quieres pertenecer? —pregunté yo en un susurro.

Su expresión cambió a la velocidad de un rayo mientras la diversión se reflejaba en su mirada.

—A cualquier lugar en el que no me quieran.

3

Pasé la mayor parte del verano en compañía de Hannah; ajustándome a sus planes, los cuales, aunque no fueron nada extraordinario, resultaron agradables. Fuimos en bicicleta hasta la ciudad, exploramos campos, barrancos y cuevas y pasamos tardes enteras en su dormitorio escuchando a Nirvana. Para mi decepción, apenas vi a Hardy, quien estaba siempre trabajando o armando camorra, como decía con amargura la señora Judie, su madre.

Yo me preguntaba cuánta camorra podía armarse en una ciudad tan pequeña como Welcome y, mientras tanto, intenté recabar toda la información que pude de Hannah. Por lo visto, era creencia común que Hardy Cates había nacido para crear problemas y que, tarde o temprano, se encontraría con ellos. De momento, sus delitos no eran más que faltas e infracciones menores que eran el reflejo de la frustración que se ocultaba bajo su naturaleza bondadosa. Hannah me contó con entusiasmo que Hardy había sido visto con chicas bastante mayores que él y que corrían rumores de que había tenido una aventura amorosa con una mujer madura de la ciudad.

—¿Ha estado enamorado alguna vez? —no pude evitar preguntarle.

Hannah me respondió que no, que, según Hardy, enamorarse era lo último que necesitaba, pues entorpecería sus planes, los cuales consistían en irse de Welcome en cuanto Hannah y sus hermanos crecieran algo más y pudieran ayudar a su madre.

Resultaba difícil comprender cómo alguien como la señora Judie había tenido unos hijos tan indómitos. Ella era una mujer disciplinada que recelaba del placer en cualquiera de sus formas. Sus facciones angulosas eran como una balanza antigua en la que la sumisión y el orgullo severo pesaban por igual. La señora Judie era alta y de aspecto frágil, con unas muñecas tan delgadas que se diría que podían quebrarse como la rama de un álamo. Y era una prueba viviente de que no se puede confiar en una cocinera delgaducha. Su idea de preparar una cena era abrir unas latas y escarbar en busca de restos en el cajón de las verduras. Ninguna zanahoria mustia ni ramita de apio petrificada escapaba de su escrutinio.

Después de una comida que consistió en unas sobras de salchichas ahumadas mezcladas con judías verdes enlatadas sobre unas tostadas recalentadas y un trozo de pastel helado con galletas pasadas de postre, aprendí a irme a mi casa nada más oír el golpeteo de las cacerolas en la cocina. Curiosamente, sus hijos no parecían darse cuenta o no parecía importarles lo espantosa que era la comida, y todo macarrón enmohecido, cualquier partícula suspendida sobre la gelatina o los trozos de grasa o cartílago desaparecían de sus platos antes de cinco minutos.

Los sábados, los Cates comían fuera, pero no en la cafetería o en el restaurante mexicano de la ciudad, sino en la carnicería de Earl. Aquel día de la semana, el carnicero echaba todos los restos y pedazos que no había vendido durante la semana, como salchichas, costillas, rabos y orejas de cerdo, en una olla enorme. «Todo menos los gruñidos», solía decir Earl con una sonrisa burlona. Earl era un hombre muy corpulento, con unas manazas como guantes de béisbol y un rostro tan encarnado como el jamón salado.

Después de verter los restos de la semana en la olla, Earl los cubría con agua para hervirlos. Por veinticinco centavos, podías escoger lo que quisieras y Earl lo ponía en un trozo de papel alimentario junto con una rodaja de pan de molde y te lo comías en la mesa de linóleo que había en un rincón. En la carnicería nada se desperdiciaba y, cuando los clientes habían terminado de comer, Earl cogía todo lo que quedaba, lo trituraba, añadía sémola de maíz y lo vendía como alimento para perros.

Los Cates eran extremadamente pobres, pero nadie se refería a ellos como fracasados. La señora Judie era una mujer respetable y temerosa de Dios, lo que elevaba a la familia al grado de pobres. Parece una distinción mínima, pero en Welcome muchas puertas se te abrían si eras pobre, pero se te cerraban si eras un fracasado.

Como funcionaria de la única oficina de la Administración Pública de Welcome, la señora Judie ganaba lo justo para proporcionar un techo a sus hijos, y los ingresos de Hardy complementaban su escaso sueldo. Un día, le pregunté a Hannah dónde estaba su padre, y ella me contó que se encontraba en el centro penitenciario de Texarkana, aunque nunca había conseguido averiguar qué había hecho para que lo ingresaran allí.

Quizás el turbulento pasado de la familia había empujado a la señora Judie a asistir a misa con una regularidad inquebrantable. Acudía a la iglesia los domingos por la mañana y los miércoles por la tarde y siempre se sentaba en uno de los tres primeros bancos, que es donde la presencia de Dios es más intensa. Como la mayoría de los habitantes de Welcome, la señora Judie extraía conclusiones de la forma de ser de las personas según su religión. Yo la desconcerté cuando le conté que mi madre y yo no íbamos a la iglesia.

—Pero ¿vosotras qué sois? —insistió ella, hasta que al final le contesté que creía que éramos baptistas no practicantes.

Mi respuesta condujo a otra pregunta delicada.

—¿Baptistas progresistas o baptistas reformadas?

Yo no estaba segura de cuál era la diferencia, de modo que le contesté que creía que éramos baptistas progresistas. La señora Judie arrugó la frente mientras me explicaba que, en ese caso, deberíamos asistir a la iglesia baptista Primera de Main, aunque, por lo que ella sabía, durante el servicio de los domingos actuaban bandas de rock y un coro de chicas.

Cuando, más tarde, le conté la conversación a Miss Marva y me quejé de que «no practicante» quería decir que no tenía que ir a misa, ella me contestó que esta opción no existía en Welcome y que, para el caso, también podía ir con ella y Bobby Ray, su novio, a la iglesia del Cordero de Dios de la calle Sur, pues, aunque era de confesionalidad libre y tocaba un guitarrista en lugar de un organista, ofrecía la mejor comida comunitaria de todo Welcome.

Mi madre no presentó ninguna objeción a que acudiera a la iglesia con Miss Marva y Bobby Ray aunque, por el momento, ella prefería continuar siendo no practicante. Pronto adquirí la costumbre de presentarme en la casa de Miss Marva los domingos por la mañana a las ocho en punto y, después de desayunar tortas con salchichas o *pancakes* de almendras de pacana, iba con ella y Bobby Ray a la iglesia del Cordero de Dios.

Como Miss Marva no tenía hijos ni nietos, decidió acogerme bajo su tutela y, cuando averiguó que mi único vestido de los domingos me iba demasiado corto y estrecho, se ofreció a confeccionarme uno. Yo pasé una hora feliz hurgando en el montón de retales de telas que Miss Marva guardaba en su sala de la costura, hasta que encontré un rollo de tela roja estampada con pequeñas margaritas blancas y amarillas. En apenas dos horas, Miss Marva confeccionó para mí un sencillo vestido sin mangas con cuello de bañera. Yo me lo probé y contemplé mi imagen en el espejo de cuerpo entero que había en el interior de la puerta de su dormitorio. Para mi deleite, realzaba mis curvas adolescentes y me hacía parecer más mayor.

—¡Oh, Miss Marva, es usted la mejor! —exclamé con alegría mientras rodeaba sus robustas formas con mis brazos—. ¡Mil gracias! No, ¡mogollón de gracias!

—De nada —respondió ella—. No puedo llevar a una muchacha a la iglesia en pantalones, ¿no crees?

Con ingenuidad, creí que, cuando llevara el vestido a casa, a mi madre le encantaría el regalo de Miss Marva; en cambio, al verlo mi madre montó en cólera y soltó una perorata acerca de la caridad y los vecinos metomentodo. Mi madre gritó y tembló de rabia hasta que yo rompí a llorar y Flip salió de la casa para ir a comprar más cerveza. Yo alegué que se trataba de un regalo, que no tenía ningún vestido y que pensaba conservarlo dijera lo que dijera ella; sin embargo, mi madre me arrebató el vestido de las manos, lo introdujo en una bolsa de plástico y se dirigió a la casa de Miss Marva llena de indignación.

Yo lloré hasta que no pude más; creía que no podría volver a visitar a Miss Marva y me preguntaba por qué tenía que tener a la madre más egoísta del mundo, cuyo orgullo significaba más que la salvación espiritual de su hija. Era del dominio público que las chicas no podíamos acudir a la iglesia en pantalones, lo que significaba que yo continuaría siendo una pagana, viviría alejada del Señor y, lo peor de todo, me perdería las mejores comidas comunitarias de Welcome.

Sin embargo, algo ocurrió mientras mi madre estaba en la casa de Miss Marva y, cuando regresó, su rostro estaba relajado, su voz sonaba calmada, conservaba mi vestido nuevo en la bolsa y tenía los ojos rojos, como si hubiera estado llorando.

—Toma, Liberty —declaró con voz ausente mientras me entregaba la bolsa de plástico—, puedes quedarte con el vestido. Ponlo en la lavadora, y añade una cucharada de bicarbonato para que se vaya el olor a tabaco.

—¿Has... has hablado con Miss Marva? —me atreví a preguntar yo.

—Sí, he hablado con ella, y es una mujer bondadosa, Liberty. —Una sonrisa irónica curvó la comisura de sus labios—. Pintoresca pero bondadosa.

—Entonces, ¿puedo ir a la iglesia con ella?

Mi madre se recogió la larga melena rubia en la nuca con una goma de pelo, apoyó la espalda en la encimera de la cocina y me observó de una forma pensativa.

—Daño no te va a hacer, eso seguro.

—Es verdad —asentí yo.

Mi madre abrió los brazos y yo, obedeciendo de inmediato su invitación, corrí hasta que mi cuerpo estuvo totalmente pegado al de ella. No había nada mejor que un abrazo de mi madre. Yo sentí la presión de sus labios en la parte superior de mi cabeza y el suave movimiento de su mejilla cuando sonrió.

—Tienes el pelo de tu padre —murmuró mi madre mientras acariciaba mi pelo oscuro y enredado.

—Ojalá tuviera el tuyo —respondí con la voz amortiguada por la delicada suavidad de su cuerpo.

Yo absorbí su delicioso olor a té y a piel con cierto toque a polvos de maquillaje.

—No, tu pelo es muy bonito, Liberty.

Yo me quedé quieta, en silencio y pegada a ella mientras deseaba que aquel momento no terminara. Su voz era un murmullo bajo y agradable y su pecho subía y bajaba junto a mi oreja.

—Cariño, ya sé que no entiendes por qué me he enfadado tanto con lo del vestido, pero es que... no quiero que nadie piense que necesitas cosas que yo no puedo comprarte.

«¡Pero yo necesitaba un vestido!», estuve a punto de decir; sin embargo, mantuve la boca cerrada y asentí con la cabeza.

—Creí que Marva te lo había dado porque le dabas lástima —explicó mi madre—, pero ahora me doy cuenta de que se trataba de un regalo entre amigas.

—No entiendo por qué era tan grave —murmuré yo.

Mi madre me apartó un poco y me miró con fijeza a los ojos.

—La lástima va de la mano con el desprecio. No lo olvides nunca, Liberty. No aceptes limosna ni ayuda de nadie, porque esto les da derecho a menospreciarte.

—¿Y qué ocurre si necesito ayuda?

Ella sacudió enseguida la cabeza.

—Sean cuales sean las dificultades con las que te encuentres, siempre podrás salir adelante tú sola, sólo trabaja duro y utiliza la cabeza. Tú eres muy inteligente... —Mi madre se interrumpió para coger mi rostro entre sus manos. Mis mejillas quedaron atrapadas entre la calidez de sus dedos—. Cuando crezcas, quiero que seas autosuficiente, pues la mayoría de las mujeres no lo son y quedan a merced de los demás.

—¿Tú eres autosuficiente, mamá?

Mi pregunta incomodó a mi madre, quien se ruborizó, separó las manos de mi rostro y tardó un buen rato en contestar.

—Lo intento —respondió en un susurro y esbozó una sonrisa amarga que erizó el vello de mis brazos.

Mientras mi madre preparaba la cena, yo salí a dar un paseo. Cuando llegué a la casa de Miss Marva, el ardiente calor de la tarde había chupado toda mi energía.

Llamé a la puerta y Miss Marva me indicó que entrara. Un viejo aparato de aire acondicionado traqueteaba en su estantería, encima de la ventana, y lanzaba aire frío hacia el sofá, donde Miss Marva bordaba.

—¡Hola, Miss Marva!

Yo sentía hacia ella un nuevo respeto a causa de la misteriosa influencia que había ejercido en mi temperamental madre.

Miss Marva me indicó que me sentara a su lado y el peso combinado de nuestros cuerpos hizo que el cojín del sofá se hundiera y los muelles chirriaran.

La televisión estaba en marcha y una locutora con el pelo perfectamente cortado a lo paje estaba de pie frente al mapa de un país extranjero. Yo la escuché sólo a medias, pues no sentía interés por lo que estuviera sucediendo en un lugar tan lejano de Tejas.

«... de momento constituye el ataque más encarnizado al palacio del emir. La guardia real contuvo a los asaltantes iraquíes el tiempo suficiente para que la familia real huyera... preocupación por los miles de turistas occidentales a quienes, de momento, no se les ha permitido abandonar Kuwait...»

Yo me concentré en el bastidor circular que Miss Marva sostenía en las manos. Estaba bordando un cojín que, cuando estuviera terminado, parecería una rodaja enorme de tomate. Al percibir mi interés, Miss Marva me preguntó:

—¿Sabes bordar, Liberty?

—No, señora.

—Pues deberías aprender, nada relaja más los nervios que bordar.

—Yo no padezco de los nervios —respondí.

Ella contestó que lo haría cuando fuera más mayor, colocó el bastidor en mi regazo y me enseñó a pasar la aguja por los agujeritos de la tela. Yo percibía el calor de sus manos venosas sobre las mías y su olor a galletas y tabaco.

—Una buena bordadora logra que la parte de atrás tenga tan buen aspecto como la de delante —me explicó Miss Marva. Juntas nos inclinamos sobre la enorme rodaja de tomate y yo di unas cuantas puntadas de color rojo intenso—. ¡Buen trabajo! —alabó ella—. Mira qué bien has tensado el hilo, ni demasiado fuerte ni demasiado flojo.

Yo seguí bordando un rato más. Miss Marva me observó con paciencia y no me regañó, aunque realicé mal algunas puntadas. Yo intenté pasar el hilo de lana verde pálido por todos los agujeritos teñidos del mismo color. Si miraba de cerca el bordado, parecía que los puntos y las manchas de color habían sido teñidos al azar, pero cuando me alejaba y lo miraba con perspectiva, el dibujo adquiría sentido y formaba una imagen completa.

—Miss Marva... —empecé yo mientras me reclinaba en el extremo del mullido sofá y me rodeaba las rodillas con los brazos.

—Si vas a poner los pies en el sofá, quítate los zapatos.

—Sí, señora. Miss Marva, ¿qué ocurrió cuando mi madre vino a verla?

Una de las cosas que me gustaba de Miss Marva era que siempre respondía mis preguntas con franqueza.

—Tu madre vino echando chispas y muy enfadada por

el vestido que te había hecho, de modo que le expliqué que no pretendía ofenderla y le dije que me lo quedaría. Después le serví un té con hielo, continuamos charlando y enseguida me di cuenta de que no estaba enfadada por el vestido.

—¿Ah, no? —pregunté dubitativa.

—No, Liberty, sólo necesitaba hablar con alguien, alguien que comprendiera la pesada carga que lleva.

Aquélla era la primera vez que yo hablaba de mi madre con otro adulto.

—¿Qué carga?

—Es una madre trabajadora que cría sola a su hija, y ésta es una de las situaciones más duras que existen.

—No está sola, tiene a Flip.

Miss Marva soltó una risita socarrona.

—Cuéntame, ¿Flip ayuda mucho a tu madre?

Yo reflexioné acerca de las responsabilidades de Flip, que consistían, principalmente, en conseguir cerveza y deshacerse de las latas. También, entre práctica y práctica de tiro con otros hombres del campamento en los flamencos de madera, dedicaba mucho tiempo a limpiar sus armas. En esencia, la función de Flip en nuestra casa era puramente ornamental.

—No mucho —admití yo—, pero ¿por qué permite mi madre que se quede con nosotras si es tan inútil?

—Por la misma razón que yo estoy con Bobby Ray. A veces, una mujer necesita la compañía de un hombre, por muy inútil que éste sea.

Aunque conocía poco a Bobby Ray, a mí me caía bastante bien. Bobby era un hombre afable y mayor que olía a colonia de supermercado y a desengrasante. Aunque no vivía, de una forma oficial, en la casa de Miss Marva, pasaba allí la mayor parte del tiempo. Parecían uno de esos matrimonios que llevan mucho tiempo casados, de modo que deduje que estaban enamorados.

—¿Usted quiere a Bobby Ray, Miss Marva?

Mi pregunta la hizo sonreír.

—A veces, sí. Cuando me lleva a la cafetería, o cuando me frota los pies mientras vemos la televisión los domingos por la noche. Supongo que lo quiero unos diez minutos al día.

—¿Sólo?

—Son unos buenos diez minutos.

Poco tiempo después, mi madre echó a Flip de casa, aunque la verdad es que no constituyó una sorpresa para nadie. El grado de tolerancia hacia los holgazanes era muy alto en el campamento, pero Flip se había distinguido como un vago de primera categoría y todos sabían que una mujer como mi madre podía conseguir a alguien mejor. La cuestión consistía en cuál sería la última gota que colmaría el vaso, aunque no creo que nadie pensara que ésta sería un emú.

Los emús no son aves oriundas de Tejas, aunque, por la cifra de ejemplares domésticos y salvajes que hay en el país, cualquiera podría pensar lo contrario. De hecho, se considera que Tejas es la capital del mundo de los emús. Todo empezó a finales de los ochenta, cuando unos granjeros introdujeron en el estado unos ejemplares del enorme pájaro no volador con la intención de reemplazar a las reses en la producción industrial de carne. Debían de ser unos comerciantes con mucha labia, porque convencieron a todos aquellos con quienes hablaron de que pronto todo el mundo estaría ansioso por comprar aceite, piel y carne de emú. De modo que los criadores de estas aves vendieron ejemplares a otros criadores hasta que, en determinado momento, una pareja reproductora llegó a costar unos treinta y cinco mil dólares.

Más adelante, cuando, en contra de lo esperado, el público no aceptó la idea de reemplazar las Big Mac de ternera por las Big Bird de carne de ave, los precios cayeron en picado y docenas de criadores de emús dejaron en libertad al inútil animal. Cuando la pasión por los emús estaba en pleno apogeo, los granjeros los tenían encerrados en extensos pastos vallados y, como cualquier otro animal confinado en una zona limitada, de vez en cuando, alguno de ellos encontraba la forma de escapar.

Por lo que sé, el encuentro de Flip con el emú tuvo lugar en una de esas carreteras estrechas que hay por todo el país en medio de ninguna parte. Flip regresaba de una partida de caza de palomas en la que alguien lo había dejado participar. La temporada de caza de las palomas transcurre de principios de septiembre a finales de octubre y, si no dispones de un coto propio, puedes pagar a alguien para que te permita cazar en el suyo. Los mejores cotos para la caza de las palomas disponen de campos cubiertos de girasoles o de maíz y un estanque, al cual acuden las palomas en un vuelo rápido y bajo y agitando las alas.

Para participar en aquella partida de caza, Flip tenía que pagar setenta y cinco dólares, y mi madre se los dio para librarse de él durante unos días. Esperábamos que Flip tuviera suerte y cazara algunas palomas que nos comeríamos con bacon y jalapeños. Por desgracia, aunque Flip tenía muy buena puntería cuando el objetivo estaba quieto, no conseguía acertar a un blanco en movimiento.

Camino de vuelta a casa, con las manos vacías y el cañón de la escopeta todavía caliente, Flip tuvo que parar la camioneta porque un emú de cuello azul y unos dos metros de altura se había detenido en medio de la carretera. Flip tocó la bocina y gritó para que la criatura se apartara, pero el emú no se movía, sólo estaba allí, plantado en medio de la carretera y mirándolo con sus redondos y brillantes ojos amarillos. Ni siquiera se movió cuando Flip disparó al aire con su escopeta; o era tonto o demasiado inocente para tener miedo.

Mientras contemplaba con impotencia al animal, Flip debió de pensar que se parecía mucho a una gallina gigante con patas largas y también se le debió de ocurrir que había mucha carne para comer en aquella ave; digamos que unas mil veces más que en un puñado de las diminutas pechugas de las palomas. Incluso, a diferencia de éstas, el emú no se movía, de modo que, en un intento por restaurar su masculinidad herida y con la puntería afinada gracias a horas de práctica con los flamencos, Flip apoyó la escopeta en el hombro e hizo saltar por los aires la cabeza del animal.

Flip regresó a casa con el enorme cuerpo del ave en la parte trasera de la camioneta y esperando ser recibido como un héroe.

Yo estaba leyendo en el patio cuando oí el familiar traqueteo de la camioneta y el motor que se apagaba, de modo que me dirigí a la entrada de la casa para preguntarle a Flip si había cazado alguna paloma. Sin embargo, en lugar de palomas vi un cuerpo enorme de plumas grises en el suelo de la camioneta y la camisa y los pantalones de Flip manchados de sangre, como si hubiera estado sacrificando reses en lugar de cazando palomas.

—¡Eh, mira! —exclamó él con una amplia sonrisa mientras giraba su gorra hasta colocar la visera hacia atrás.

—¿Qué es esto? —pregunté desconcertada, y me acerqué al animal para examinarlo.

Él adoptó una sutil pose de orgullo.

—He cazado un avestruz.

Yo arrugué la nariz al percibir el olor a sangre fresca que flotaba, denso y dulzón, en el aire.

—Creo que esto no es un avestruz, Flip, sino un emú.

—Es lo mismo. —Flip se encogió de hombros y su sonrisa se amplió cuando mi madre apareció en el umbral de la puerta—. ¡Eh, cariño, mira lo que ha traído a casa papaíto!

Yo nunca había visto abrirse tanto los ojos de mi madre.

—¡Mierda! —exclamó mi madre—. ¿De dónde demonios has sacado este emú, Flip?

—Le he pegado un tiro en la carretera —respondió él con orgullo, pues había confundido el impacto que había sufrido mi madre con la admiración—. Esta noche cenaremos bien. Dicen que sabe a vaca.

—¡Como mínimo, este bicho debe de valer quince mil dólares! —exclamó mi madre, y se llevó una mano al corazón como para evitar que saliera de su pecho.

—Ya no —no pude evitar comentar.

Mi madre lanzó una mirada furiosa a Flip.

—¡Has destruido la propiedad privada de alguien!

—Nadie lo descubrirá —respondió él—. Vamos, cariño, abre la puerta para que pueda meterlo y descuartizarlo.

—¡De ninguna forma vas a meter este animal en mi casa, loco estúpido! ¡Llévatelo! ¡Ahora! Vas a conseguir que nos arresten a los dos.

Flip se sentía dolido y perplejo por la falta de valoración de su regalo. Yo percibí que se avecinaba una tormenta, murmuré algo acerca de regresar al patio y me escabullí hasta quedar oculta tras la casa. Durante los minutos que siguieron, lo más probable es que la mayoría de los habitantes de Bluebonnet Ranch oyeran a mi madre gritar que ya tenía bastante y que no pensaba aguantarlo ni un minuto más. Después desapareció en el interior de la casa, rebuscó en los armarios durante un rato, volvió a salir con un montón de tejanos, botas y ropa interior de hombre y lo tiró todo al suelo.

—¡Coge tus cosas y lárgate de aquí ahora mismo!

—¿Y tú me llamas loco? —gritó Flip a su vez—. ¡Estás como una cabra, mujer! Y deja de tirar mis cosas como... ¡Eh, para ya!

Entonces se produjo una lluvia de camisetas, revistas de caza y cajas de cerveza vacías: los residuos de la vida de ocio de Flip. Él, resoplando y maldiciendo, cogió los objetos del suelo y los echó en el interior de la camioneta.

En menos de diez minutos, Flip se alejaba de la casa mientras las ruedas de su camioneta giraban enloquecidas y la grava salía despedida hacia atrás. Lo único que quedó de él fue un emú sin cabeza abandonado frente a la puerta de la casa.

Mi madre tenía el rostro encendido y respiraba con pesadez.

—¡Gilipollas inútil! —murmuró—. Debería haberme librado de él hace ya mucho tiempo... Un emú, por el amor de Dios...

—Mamá, ¿Flip se ha ido para siempre? —pregunté mientras me acercaba a su lado.

—¡Sí! —contestó ella con vehemencia.

Yo contemplé el cuerpo enorme del animal.

—¿Qué vamos a hacer con el emú?

—No tengo ni idea. —Mi madre se alisó el rubio cabello—. Pero tenemos que librarnos de las pruebas del delito. Esta ave era muy valiosa para alguien, y yo no voy a pagar por ella.

—Alguien debería comérsela —sugerí yo.

Mi madre sacudió la cabeza y murmuró con voz grave:

—Esto es algo más que un atropello accidental.

Yo reflexioné durante unos instantes y, al final, me llegó la inspiración:

—Los Cates.

Mi madre me miró a los ojos y, de una forma gradual, una sonrisa reticente reemplazó su ceño.

—Tienes razón, ve a buscar a Hardy.

Según nos contaron los Cates más adelante, aquello constituyó más que un festín... Y duró días y días. Bistecs de emú, estofado de emú, bocadillos de emú, chile con emú... Hardy llevó el animal a la carnicería de Earl, quien, tras prometer una confidencialidad absoluta, se lo pasó en grande descuartizándolo, cortándolo en filetes y preparando carne picada.

La señora Judie incluso nos hizo llegar un guiso de emú cocinado con patatas fritas y verduras. Yo lo probé y me pareció uno de los platos más logrados de la señora Judie, sin embargo, mi madre, quien me observaba con recelo, de repente empalideció, salió corriendo de la cocina y se fue a vomitar al lavabo.

—Lo siento mamá —declaré con preocupación a través de la puerta—, no comeré más estofado si te hace sentir mal. Lo echaré a la basura, lo...

—No es por el estofado —replicó mi madre con voz gutural.

Yo la oí escupir y a continuación oí el gorgoteo del agua del retrete. Después, mi madre abrió el grifo del lavamanos y se lavó los dientes.

—¿Qué te pasa, mamá, has cogido un virus?

—No.

—¿Entonces...?

—Ya hablaremos de esto en otro momento, cariño. Ahora mismo necesito un poco de... —Mi madre volvió a escupir—. Intimidad.

—Sí, mamá.

Me extrañó que mi madre le contara a Miss Marva que estaba embarazada antes que a ninguna otra persona, incluida yo. A pesar de que eran muy diferentes, se habían hecho amigas en muy poco tiempo. Cuando estaban juntas era como ver a un cisne en compañía de un pájaro carpintero de cresta roja, pero, bajo su aspecto dispar, ambas tenían en común una gran entereza. Las dos eran mujeres fuertes que estaban dispuestas a pagar el precio que exigía su independencia.

Una noche, mientras mi madre hablaba en la cocina con Miss Marva, quien nos había traído un pastel de melocotón con varias capas de bizcocho empapado en zumo, descubrí el secreto de mi madre. Yo estaba sentada frente al televisor con un plato y una cuchara en el regazo y oí algunas de las palabras que susurraban.

—... no sé por qué tendría que contárselo... —le dijo mi madre a Miss Marva.

—Pero es su deber ayudarte...

—¡Oh, no...! —Mi madre volvió a bajar la voz y sólo pude oír algunas palabras aquí y allá—: ... mía, no tiene nada que ver con él...

—No te resultará fácil.

—Lo sé, pero tengo a quién acudir si las cosas se ponen realmente mal.

Yo comprendí cuál era el tema de su conversación. Antes ya había percibido algunas señales, como el estómago revuelto de mi madre o el hecho de que había acudido dos veces al médico en el plazo de una semana. Todos mis deseos y esperanzas de tener a alguien a quien amar, de tener una familia, por fin habían sido escuchados. Noté una presión en la parte de atrás de la garganta, como si tuviera ganas de llorar. Me sentía tan feliz que quería dar saltos de alegría.

Sin embargo, permanecí inmóvil mientras me esforzaba en oír más fragmentos de la conversación. De algún modo, mi madre debió de percibir la intensidad de mi deseo, porque fijó la mirada en mí e interrumpió la conversación con Miss Marva para indicarme en tono desinteresado:

—Liberty, ve a ducharte.

Yo no podía creer lo normal que sonó mi voz, tan normal como la de mi madre.

—No me hace falta ducharme.

—Entonces ve a leer algo. ¡Vamos, ahora!

—Sí, mamá.

Yo me dirigí con desgana al lavabo mientras cientos de preguntas cruzaban por mi mente: alguien a quien acudir... ¿Un antiguo novio? ¿Uno de los familiares de los que nunca hablaba? Yo sabía que aquella persona estaba relacionada con la vida secreta de mi madre, la que había llevado antes de que yo naciera y me prometí en silencio que, cuando fuera mayor, averiguaría todo lo que pudiera acerca de aquella etapa de su vida.

Esperé con impaciencia que mi madre me contara la noticia, pero después de seis semanas de espera inútil, decidí preguntárselo directamente. Nos dirigíamos al supermercado en el Honda Civic plateado que teníamos desde que me alcanzaba la memoria. Hacía poco que mi madre lo había llevado al taller para que le hicieran una puesta a punto: le habían arreglado las rascadas y las abolladuras, lo habían pintado y le habían cambiado las pastillas del freno, de modo que estaba como nuevo. Mi madre también había comprado ropa nueva para mí, una mesa con sillas y una sombrilla para el patio y un televisor de primera mano. Según me explicó, la compañía de patentes le había concedido una prima.

Nuestra vida siempre había transcurrido así, a veces teníamos que contar hasta el último centavo, pero, de repente, nos llegaba algún extra como caído del cielo: una prima, un pequeño premio de la lotería o algo de dinero que un familiar lejano había dejado en herencia a mi madre. Yo nunca me atreví a preguntarle acerca de aquellas entradas inesperadas de dinero, pero, conforme fui creciendo, me di cuenta de que siempre ocurrían justo después de una de sus misteriosas desapariciones. Cada pocos meses, quizá dos veces al año, mi madre me enviaba a dormir a casa de algún vecino y ella se marchaba durante todo el día, aunque a veces no regresaba hasta la mañana siguiente. Cuando volvía, reaprovisionaba la despensa y la nevera, compraba ropa nueva, pagaba deudas pendientes y salíamos a comer fuera.

—Mamá, ¿vas a tener un bebé, verdad? —le pregunté mientras observaba sus facciones severas pero delicadas.

Mi madre me lanzó una mirada estupefacta y el coche realizó un ligero viraje. Entonces ella volvió la atención a la carretera y sujetó el volante con fuerza.

—¡Santo cielo, casi haces que tengamos un accidente!

—¿Vas a tenerlo? —insistí yo.

Ella permaneció en silencio unos instantes y, cuando contestó, su voz temblaba un poco.

—Sí, Liberty.

—¿Un niño o una niña?

—Todavía no lo sé.

—¿Lo vamos a compartir con Flip?

—No, Liberty, no es hijo de Flip, ni de ningún otro hombre, sólo nuestro.

Yo me relajé en el asiento mientras mi madre me lanzaba una rápida mirada a través del silencio.

—Liberty... —declaró con esfuerzo—, ambas tendremos que realizar algunos ajustes en nuestras vidas... Algunos sacrificios. Lo siento. Yo no lo planeé.

—Lo entiendo, mamá.

—¿Ah, sí? —Mi madre rio entre dientes sin ganas—. Pues yo no estoy segura de entenderlo.

—¿Cómo llamaremos al bebé? —pregunté yo.

—Ni siquiera he empezado a pensar en eso.

—Tenemos que comprar uno de esos libros de nombres para bebés.

Yo pensaba leer todos los nombres que existían. Nuestro bebé tendría un nombre largo y que sonara importante; uno de esos nombres que aparecían en las obras de Shakespeare; un nombre gracias al cual todo el mundo supiera lo especial que él o ella era.

—No esperaba que te tomaras tan bien la noticia —comentó mi madre.

—Estoy contenta —respondí yo—. Muy contenta.

—¿Por qué?

—Porque a partir de ahora ya no estaré sola.

Mi madre detuvo el coche en el aparcamiento, junto a otros vehículos recalentados por el sol, y apagó el motor. A mí me sabía mal haberle contestado aquello, porque su mirada parecía afligida. Mi madre alargó el brazo con lentitud y me apartó el cabello de la cara. Yo quería apretujarme contra su mano como un gato cuando lo acarician, pero mi madre creía en el espacio personal, en el suyo y en el de los demás, y no lo invadía con facilidad.

—Tú no estás sola —me dijo.

—Ya lo sé, mamá, pero todo el mundo tiene hermanos y hermanas, y yo siempre he querido tener a alguien con quien jugar y a quien cuidar. Seré una buena canguro. Ni siquiera tendrás que pagarme.

Gracias a esta afirmación, conseguí otra caricia en el cabello y, después, salimos del coche.

4

Nada más empezar el colegio, descubrí que mis camisetas tipo polo y mis tejanos cedidos me calificaban como «necesitada urgente de ropa a la moda». El estilo que se llevaba entonces era el *grunge*: todo tenía que estar roto, manchado y arrugado. «Basura *chic*», declaró mi madre con desagrado, pero yo me sentía desesperada por encajar con las otras chicas de mi clase y le supliqué que me llevara a los grandes almacenes más cercanos. Allí compramos blusas de algodón fino, camisetas largas sin mangas, un chaleco de ganchillo, una falda larga hasta los tobillos y unas botas robustas de la marca Doc Martens. El precio que marcaba la etiqueta de unos tejanos envejecidos casi provocó un shock a mi madre.

—¿Sesenta dólares y ya están rotos?

Aun así, me los compró.

El instituto de Welcome no tenía más de cien alumnos en todo el curso de noveno grado. Y para ellos el fútbol lo era todo. La ciudad entera acudía los viernes por la noche al campo de fútbol de Welcome para ver el partido o cerraban los negocios para poder seguir a los Panthers, el equipo del instituto, cuando jugaba en otro campo. Madres, hermanas y novias apenas parpadeaban mientras sus héroes se enfrascaban en batallas que, si hubieran tenido lugar fuera del estadio, se habrían considerado intentos de asesinato. Para la mayoría de los jugadores, formar parte del equipo constituía la oportunidad de ser el centro de todas las miradas, de alcanzar la gloria. A los jugadores se los saludaba como a celebridades cuando paseaban por la calle y al entrenador, cuando pagaba con tarjeta de crédito, le rechazaban, de una forma ostentosa, cualquier carnet identificativo, pues él no necesitaba identificación alguna.

Como el presupuesto para material deportivo sobrepasaba de largo el de cualquier otro departamento, la biblioteca del instituto era, como mucho, suficiente. Allí es donde yo pasaba la mayor parte de mi tiempo libre. Ni siquiera se me había pasado por la cabeza intentar formar parte del equipo de las animadoras, no sólo porque me parecía ridículo, sino porque se requería dinero y unos padres fanáticos que movieran algunos hilos.

Yo tuve suerte e hice amigas enseguida, en concreto tres chicas que no habían conseguido entrar en el círculo de las populares. Las cuatro nos reuníamos en casa de una o de otra, experimentábamos con el maquillaje, desfilábamos delante del espejo y ahorrábamos para comprar pinzas alisadoras del pelo. Como regalo por mi decimoquinto cumpleaños, mi madre por fin me permitió llevar lentes de contacto. Mirar el mundo sin el peso de las gruesas gafas constituyó para mí una sensación extraña pero maravillosa. Para celebrar mi liberación, Lucy Reyes, mi mejor amiga, me anunció que me depilaría las cejas. Lucy era una muchacha portuguesa de complexión morena y caderas estrechas que devoraba las revistas de moda entre clase y clase y que siempre estaba al corriente de las últimas tendencias.

—Mis cejas no están tan mal, ¿no crees? —protesté yo mientras Lucy avanzaba hacia mí con una mirada maligna en sus ojos de color avellana, unas pinzas y, para mi horror, un tubo de analgésico.

—¿De verdad quieres que te conteste? —preguntó Lucy.

—Creo que no.

Lucy me arrastró hasta la silla que había delante del tocador de su dormitorio.

—Siéntate.

Yo contemplé mi reflejo en el espejo con preocupación mientras me concentraba en los pelos que crecían entre mis cejas y que, en opinión de Lucy, constituían una vía de enlace. Como era del dominio público que una chica con una sola ceja nunca podría ser feliz, no tuve más remedio que ponerme en las hábiles manos de Lucy.

Quizá se trató, sólo, de una coincidencia, pero al día siguiente tuve un encuentro inesperado con Hardy Cates, el cual pareció confirmar la afirmación de Lucy acerca del poder de la depilación de las cejas. Yo estaba practicando sola en la canasta de baloncesto del campamento, pues, en la clase de gimnasia, había demostrado que no podía encestar un tiro libre aunque me fuera la vida en ello. Mis compañeras de clase se habían dividido en dos equipos y habían estado discutiendo acerca de quién se quedaba conmigo. No las culpaba, pues yo tampoco me habría querido en mi equipo. Como la liga escolar de baloncesto no acababa hasta finales de noviembre, estaba condenada a sufrir públicamente más vergüenza a menos que mejorara mi habilidad de enceste.

El sol otoñal caía con pesadez. Aquel año, el clima había sido bueno para la cosecha de los melones, y los días calurosos sumados a las noches frescas habían logrado que los cantalupos y los melones dulces alcanzaran un grado de maduración óptimo.

Después de practicar encestes durante cinco minutos, estaba empapada en sudor y polvo. Cada vez que la pelota botaba en el suelo pavimentado, se levantaba una nube de polvo rojo.

En todo el mundo, no hay nada que se pegue más al cuerpo que el polvo de arcilla roja del este de Tejas. El viento lo lanza sobre uno y se percibe su sabor dulce en la boca. La arcilla se encuentra bajo una capa de tierra árida y ligera y se encoge y se expande de una forma tan drástica que, durante los meses más secos, se forman en el suelo grietas de un intenso color rojo, como el de Marte. Uno podría dejar los calcetines sumergidos en lejía durante una semana y el color rojo no desaparecería.

Mientras resoplaba y me esforzaba en conseguir que mis brazos y mis piernas se movieran de una forma coordinada, oí una voz indolente a mis espaldas.

—Tienes el peor estilo de lanzamiento de tiro libre que he visto en mi vida.

Casi sin aliento, yo apoyé la pelota en mi cadera y me volví hacia el recién llegado. Un mechón de pelo escapó de mi coleta y cayó encima de uno de mis ojos.

Pocos hombres pueden convertir un insulto amistoso en un buen inicio de conversación y Hardy era uno de ellos. Su sonrisa pícara y encantadora despojaba de malicia sus palabras. Hardy vestía unos tejanos y una camisa blanca con las mangas arremangadas y su ropa estaba tan arrugada y polvorienta como la mía. Y también llevaba puesto un sombrero vaquero de paja que, en determinado momento, debió de ser blanco, pero que con el tiempo se había vuelto gris aceituna, como la paja vieja. Mientras permanecía de pie en actitud relajada, Hardy me miró de tal forma que mi corazón dio volteretas en mi pecho.

—¿Tienes alguna sugerencia? —pregunté yo.

En cuanto hablé, Hardy me miró con fijeza y con los ojos muy abiertos.

—¿Liberty? ¿Eres tú?

Hardy no me había reconocido. Resulta sorprendente lo que puedes conseguir si te depilas la mitad de las cejas. Yo tuve que hincar los dientes en el interior de las mejillas para no echarme a reír y, después de apartar el mechón de pelo suelto de mi cara, respondí con tranquilidad:

—Claro que soy yo, ¿quién creías que era?

—No tengo ni idea. Yo... —Hardy echó hacia atrás el sombrero y se acercó a mí con cuidado, como si yo fuera una sustancia volátil que podía explotar en cualquier momento. Y es así como me sentía con exactitud—. ¿Qué les ha pasado a tus gafas?

—Llevo lentes de contacto.

Hardy se colocó delante de mí y sus anchas espaldas me protegieron del sol.

—Tienes los ojos verdes —declaró trastornado; contrariado, incluso.

Yo contemplé su garganta de piel suave y bronceada, que estaba salpicada por unas gotitas de humedad. Hardy estaba tan cerca de mí que percibí el olor salado de su sudor. Yo clavé las uñas en la superficie rugosa de la pelota de baloncesto. Mientras Hardy Cates me miraba y, en realidad, me veía por primera vez, sentí como si una mano enorme e invisible hubiera agarrado la Tierra y hubiera detenido su movimiento.

—Soy la peor jugadora de baloncesto de la escuela —declaré yo—. O quizá de todo Tejas. No consigo meter la pelota en aquella cosa.

—¿En la canasta?

—Sí, eso.

Hardy me observó durante un buen rato más y, al final, una sonrisa curvó uno de los extremos de su boca.

—En realidad sí que podría hacerte unas sugerencias. La verdad es que peor no puedes hacerlo.

—Los mexicanos no sabemos jugar a baloncesto —expliqué yo—. Deberían haberme dispensado de jugar debido a mi herencia genética.

Sin apartar sus ojos de los míos, Hardy cogió la pelota, la hizo botar varias veces, se volvió hacia la canasta y, con toda soltura, realizó un salto con un lanzamiento perfecto. En realidad se trató de una fanfarronada, aun más ostentosa por el hecho de que llevaba puesto un sombrero de vaquero, y yo me eché a reír mientras Hardy me miraba con una sonrisa expectante.

—¿Se supone que debo alabarte? —pregunté yo.

Él recuperó la pelota y la hizo botar con lentitud a mi alrededor.

—Sí, ahora sería un buen momento.

—Ha sido increíble.

Hardy siguió botando la pelota con una mano y utilizó la otra para quitarse el viejo sombrero y lanzarlo a un lado. Después cogió la pelota con la palma de la mano y se acercó a mí.

—¿Qué quieres aprender primero?

«Peligrosa pregunta», pensé yo.

Al estar tan cerca de Hardy, volví a sentir aquella dulce pesadez que me impedía moverme. Me sentía como si tuviera que respirar el doble de deprisa para introducir la misma cantidad de oxígeno en mis pulmones.

—El tiro libre —conseguí responder.

—Muy bien, vamos allá.

Hardy me indicó la línea blanca que estaba pintada en el suelo a unos cuatro metros y medio del tablero de la canasta. Parecía una distancia enorme.

—No lo conseguiré nunca —declaré mientras cogía la pelota—. No tengo fuerza en la mitad superior del cuerpo.

—Tienes que utilizar las piernas más que los brazos. Enderézate, guapa, y separa los pies a la distancia de los hombros. Ahora enséñame cómo has estado lanz... Vaya, si es así como agarras la pelota no me extraña que no puedas lanzarla en línea recta.

—Nadie me ha enseñado a hacerlo —protesté yo mientras él acomodaba mi mano a la superficie de la pelota.

Sus dedos bronceados cubrieron los míos y sentí su fuerza y la aspereza de su piel. Tenía las uñas cortas y descoloridas por el sol: la mano de un trabajador.

—Yo te enseñaré —declaró él—. Cógela así. Ahora, dobla las rodillas y apunta al cuadrado dibujado en el tablero. Cuando te endereces, suelta la pelota y deja que la energía suba desde tus rodillas. Intenta lanzarla con soltura. ¿De acuerdo?

—De acuerdo.

Yo apunté al tablero y lancé la pelota con todas mis fuerzas. Ésta se desvió por completo de la dirección correcta y le dio un susto de muerte a un armadillo que, de una forma temerosa, se había aventurado fuera de su madriguera para examinar el sombrero de Hardy. Cuando la pelota botó peligrosamente cerca del armadillo, éste soltó un chillido y sus largas uñas arañaron el polvoriento suelo mientras corría despavorido de vuelta a su escondrijo.

—Lo intentas con demasiada intensidad. —Hardy corrió en busca de la pelota—. Relájate.

Yo sacudí los brazos y cogí en el aire la pelota que Hardy me pasó.

—Enderézate. —Yo volví a colocarme en posición, y Hardy se puso a mi lado—. Tu mano izquierda es el soporte, y la derecha es... —Hardy se interrumpió y empezó a reírse—. ¡No, maldita sea, así no!

Yo lo miré con el ceño fruncido.

—Mira, ya sé que intentas ayudarme, pero...

—Está bien, está bien... —Hardy dejó de reírse—. No te muevas. Voy a colocarme detrás de ti. No pretendo quitarte la pelota, ¿de acuerdo? Sólo voy a poner las manos encima de las tuyas.

Yo permanecí inmóvil mientras sentía su cuerpo detrás del mío y la sólida presión de su pecho en mi espalda. Hardy me rodeó con los brazos y su cálida fortaleza hizo que un estremecimiento recorriera el interior de mi cuerpo.

—Tranquila —murmuró él.

Yo cerré los ojos y sentí su aliento en mi cabello. Hardy colocó mis manos en la posición correcta.

—La palma tiene que ir aquí. Y apoya las yemas de estos tres dedos en la línea negra. Cuando lances la pelota, deja que se deslice por tus dedos y acompáñala en el movimiento. De esta forma la lanzarás con efecto.

Sus manos cubrieron por completo las mías. El color de su piel era casi idéntico al de la mía, pero el suyo se debía al sol y el mío era natural.

—Ahora la lanzaremos juntos para que veas cómo se hace. Dobla las rodillas y mira hacia el tablero.

Nada más sentir sus brazos a mi alrededor, yo había dejado de pensar por completo y me había convertido en instinto y sentimiento puros mientras los latidos de mi corazón, mi respiración y mis movimientos se acompasaban a los de él. Con Hardy a mi espalda, lancé la pelota, que describió un arco certero en el aire. Sin embargo, en lugar de pasar limpiamente por el aro, como yo esperaba, rebotó en la pieza de metal. De todos modos, fue un gran lanzamiento, teniendo en cuenta que, hasta entonces, mis tiros ni siquiera se habían acercado al tablero.

—No está mal —declaró Hardy con una sonrisa—. Vas mejorando, chiquilla.

—Yo no soy una chiquilla, sólo tengo un par de años menos que tú.

—Eres una cría, ni siquiera te han besado nunca.

La palabra «cría» me dolió.

—¿Cómo lo sabes? Y no intentes convencerme de que lo deduces por mi aspecto. Si te dijera que me ha besado un centenar de chicos no podrías demostrar lo contrario.

—Me sorprendería que te hubiera besado aunque sólo fuera uno.

Un deseo intenso de que Hardy estuviera equivocado me consumió por dentro. Yo deseé tener la suficiente experiencia y confianza en mí misma para decir algo como: «Entonces prepárate para recibir una sorpresa», y a continuación, acercarme a él y darle el beso de su vida; uno que le hiciera perder el sentido.

Pero mi plan no funcionaría. En primer lugar, Hardy era mucho más alto que yo, con lo que tendría que escalar la mitad de su cuerpo para llegar a sus labios. En segundo lugar, yo no tenía ni idea de cómo se daban los besos; si se empezaba con los labios abiertos o cerrados, qué tenía que hacer con la lengua, cuándo debía cerrar los ojos... y, aunque no me importaba que Hardy se riera de mis torpes lanzamientos de baloncesto —bueno, no mucho—, me moriría si se riera de mi intento de besarle, de modo que sólo dije:

—No sabes tanto como crees.

Y me alejé en busca de la pelota.

Lucy Reyes me preguntó si quería que me cortaran el pelo en Bowie's, la famosa peluquería de Houston a la que acudían ella y su madre. Me advirtió que me costaría bastante dinero, pero también me dijo que, después de que Bowie me lo cortara, yo podía buscar alguna peluquería en Welcome en la que me mantuvieran el corte. Tras obtener la aprobación de mi madre y reunir hasta el último centavo de lo que había conseguido haciendo de canguro a los hijos de los vecinos, le dije a Lucy que concertara una cita con su peluquero. Tres semanas más tarde, la madre de Lucy nos llevó a Houston en su Cadillac blanco de tapicería de color habano, con radiocasete incorporado y ventanas que subían y bajaban con sólo pulsar un botón.

En comparación con la media de Welcome y gracias a la prosperidad de su tienda, a la que habían bautizado como Casa de Empeños Trickle-Down, los Reyes eran una familia acomodada. Yo siempre creí que a las casas de empeño acudían personas marginadas y desesperadas, pero Lucy me aseguró que mucha gente normal acudía a aquel tipo de tiendas para conseguir un préstamo. Un día, después del colegio, acompañé a Lucy a la casa de empeños, que estaba gestionada por su padre, su tío y su hermano mayor. Las estanterías estaban atiborradas de pistolas y escopetas resplandecientes, cuchillos enormes y aterradores, hornos microondas y televisores. Para mi alegría, la madre de Lucy me permitió probarme algunos de los anillos de compromiso que guardaban en unas cajas forradas de terciopelo. Había cientos de ellos adornados con todas las piedras imaginables.

—Hacemos un gran negocio con los compromisos rotos —declaró la madre de Lucy con entusiasmo mientras sacaba una bandeja de terciopelo llena de solitarios. A mí me encantaba su acento portugués, que hacía que alargara las vocales.

—¡Oh, qué lástima! —exclamé yo.

—En absoluto. —La madre de Lucy me contó lo reconfortante que le resultaba a una mujer empeñar el anillo de compromiso y quedarse con el dinero después de que su horrible novio la hubiera engañado—. ¡Él te joroba, tú le jorobas! —declaró con autoridad.

La buena marcha de Trickle-Down había proporcionado a Lucy y a su familia los medios para ir a la peluquería y realizar sus compras en la zona alta de Houston.

Yo nunca había estado en la lujosa área comercial de la Galleria, en la que abundaban las tiendas y los restaurantes. La peluquería Bowie's estaba situada en la intersección de Westheimer con un lujoso paseo de ronda. Me costó ocultar mi sorpresa cuando la madre de Lucy detuvo el coche y le entregó las llaves a un aparcacoches. ¡Un aparcacoches para un corte de pelo!

La peluquería Bowie's estaba llena de espejos, muebles cromados y exóticos equipos de peluquería. Un olor penetrante a activador de permanente flotaba en el aire. El propietario era un hombre de treinta y tantos años, y el pelo rubio y ondulado le caía por la espalda. Esto no era habitual en el sur de Tejas y deduje que Bowie debía de ser un tipo muy, muy duro. La verdad es que estaba realmente en forma. Su cuerpo era enjuto y musculoso, y deambulaba por la peluquería vestido con unos tejanos negros, unas botas negras, una camisa vaquera blanca y una corbata de cordón de ante anudada con una piedra turquesa sin pulir.

—¡Vamos a ver las lacas nuevas para uñas! —me apremió Lucy.

Yo negué con la cabeza y permanecí sentada en uno de los sillones de piel negra de la zona de espera. Estaba demasiado atónita para pronunciar una palabra. Bowie's era el lugar más maravilloso que había visto en toda mi vida. Exploraría el lugar más tarde, pero de momento quería quedarme quieta y absorberlo todo. Contemplé a las peluqueras mientras trabajaban cortando el pelo a la navaja, secándolo con el secador de mano y enrollando con destreza mechones pequeños de pelo en las varillas de color pastel para la permanente. Unos carritos altos, cromados y de madera, contenían misteriosos tarros y tubos de cosméticos y botellines de champús, lociones, bálsamos y perfumes de aspecto medicinal.

Me parecía que todas las clientas de la peluquería experimentaban, ante mis ojos, una transformación. Las peinaban, las maquillaban, les limaban las uñas y las sometían a múltiples tratamientos, hasta que alcanzaban un cuidado glamour que yo sólo había visto en las revistas. Mientras la madre de Lucy permanecía sentada a una mesa de manicura donde le colocaban unas uñas acrílicas y Lucy curioseaba en las estanterías de los cosméticos, una mujer vestida de blanco y negro me acompañó al tocador de Bowie.

—Primero Bowie la asesorará —me explicó la mujer—. Yo le aconsejo que le deje hacer lo que quiera. Es un genio.

—Mi madre me ha dicho que no permita que me lo corten mucho... —empecé yo, pero ella ya se había ido.

Entonces apareció Bowie, carismático y guapo, pero con cierto toque artificial. Cuando nos estrechamos la mano, oí un tintineo metálico, pues tenía los dedos llenos de anillos de oro y plata con diamantes y turquesas encastrados.

Una ayudante me envolvió en una capa de color negro brillante y me lavó la cabeza con unas pociones de olor caro. Después me aclaró el pelo, me lo peinó y me condujo de vuelta al tocador. Allí me recibió la visión, algo inquietante, de Bowie con una navaja. Durante la media hora siguiente, dejé que inclinara mi cabeza en todas las direcciones posibles mientras tiraba de algunos mechones estratégicos de mi pelo o cortaba centímetros de un solo golpe de navaja. Mientras trabajaba, Bowie permanecía en silencio y arrugaba el entrecejo debido a la concentración. Cuando terminó, había empujado mi cabeza hacia atrás y hacia delante tantas veces que yo me sentía como un dispensador de caramelos Pez. Largos mechones de mi cabello permanecían amontonados en el suelo.

Una ayudante barrió enseguida los montones de pelo desechado y Bowie me secó el pelo con un alarde increíble de teatralidad. Enrolló mechones de cabello en un cepillo redondo como si estuviera formando una bola de algodón de azúcar, me enseñó a aplicar unos toques de laca en la raíz del pelo y, al final, hizo girar mi silla para que me viera en el espejo.

Yo no podía creerlo. En lugar de una madeja de pelo

negro y encrespado, ahora tenía un flequillo largo y mi pelo, escalado hasta los hombros, brillaba y flotaba a mi alrededor con cada movimiento de mi cabeza.

—¡Oh! —fue todo lo que pude decir.

Bowie exhibía una sonrisa como la del gato de Cheshire.

—¡Guapísima! —exclamó mientras deslizaba los dedos por la parte trasera de mi cabeza para ahuecar el cabello—. Es toda una transformación, ¿no crees? Le diré a Shirlene que te enseñe a maquillarte. Normalmente, cobro por sus consejos, pero en este caso, te los ofrezco como regalo.

Antes de que pudiera agradecérselo, Shirlene apareció y me condujo a un taburete alto y cromado situado frente al espejo de uno de los tocadores de maquillaje.

—Eres afortunada, tienes muy buena piel —declaró ella después de observar mi cutis—. Te enseñaré el maquillaje de los cinco minutos.

Cuando le pregunté cómo podía conseguir que mis labios parecieran más estrechos, ella reaccionó con sorpresa.

—¡Cariño, no puede ser que quieras que tus labios parezcan más finos, pero si lo étnico está de moda ahora! Mira a Kimora.

—¿Quién es Kimora?

Shirlene dejó sobre mi regazo una sobada revista de moda. En la portada se veía a una mujer preciosa, con la piel del color de la miel y las largas extremidades entrecruzadas en una pose que parecía natural. Sus ojos eran oscuros, tenía los párpados entornados y sus labios eran más carnosos que los míos.

—Es la nueva modelo de Chanel —me explicó Shirlene—. Tiene catorce años, ¿puedes creerlo? Dicen que será el rostro de los noventa.

Aquello constituía toda una novedad. Que una chica de aspecto étnico, con el cabello negro como el carbón, una nariz grande y unos labios carnosos fuera elegida como la imagen de una casa puntera de modas, algo que yo siempre había asociado con una mujer blanca y delgada, me resultaba increíble. Yo observé la fotografía mientras Shirlene delineaba mis labios con un lápiz marrón pálido, me aplicaba pintalabios de color rosa mate, espolvoreaba mis mejillas con colorete y realzaba mis pestañas con dos capas de máscara.

Shirlene me dio un espejo de mano y yo contemplé el resultado final. Debo admitir que el cambio que había experimentado gracias al nuevo corte de pelo y al maquillaje me sobresaltó. No era el tipo de belleza que siempre había deseado, pues yo nunca sería la clásica norteamericana rubia de ojos azules, pero aquélla era mi propia imagen. Ante mí tenía una muestra de la persona en la que podía convertirme algún día y, por primera vez en mi vida, sentí una oleada de orgullo por mi aspecto.

Lucy y su madre se acercaron y me observaron con tal intensidad que, avergonzada, incliné la cabeza.

—¡Oh... Dios... mío! —exclamó Lucy—. No escondas la cara, déjame contemplarte. Eres tan... —Lucy sacudió la cabeza, como si no lograra encontrar la palabra adecuada—. ¡Serás la chica más guapa de toda la escuela!

—No exageres —contesté con timidez mientras enrojecía hasta la raíz del cabello. Yo nunca pensé que podía pasarme algo así y me sentí incómoda más que entusiasmada. Entonces toqué la muñeca de Lucy, clavé la mirada en sus resplandecientes ojos y susurré—: Gracias.

—Disfrútalo —respondió ella con cariño mientras su madre charlaba con Shirlene—. No estés nerviosa, sigues siendo tú, cariño. Simplemente, eres tú.

5

Lo sorprendente de una transformación no es cómo te sientes después, sino la forma tan distinta en que te tratan los demás. Yo estaba acostumbrada a recorrer los pasillos de la escuela sin que nadie se fijara en mí y me sentí totalmente desconcertada cuando, al recorrer los mismos pasillos, descubrí que los chicos me miraban, recordaban mi nombre y caminaban a mi lado. También esperaban a mi lado mientras yo intentaba introducir la llave en la cerradura de mi taquilla y se sentaban junto a mí en las clases y en el comedor. Las bromas que se me ocurrían con tanta facilidad cuando estaba con mis amigas se esfumaban en el aire cuando estaba con aquellos chicos expectantes, pero mi timidez no parecía desanimarlos a pedirme que saliera con ellos.

Yo acepté una cita con el que menos me intimidaba de todos ellos, un chico pecoso y más o menos de mi misma altura que estaba en el mismo curso que yo y que se llamaba Gill Mincey. Coincidíamos en la clase de naturales. Cuando nos eligieron para realizar juntos un trabajo sobre fitoextracción, o sea la utilización de las plantas para eliminar la contaminación del suelo, Gill me invitó a realizarlo en su casa. La vivienda de los Mincey era una bonita casa victoriana de tejado de zinc, recién pintada y restaurada y con habitaciones de formas diversas y curiosas.

El primer día, mientras estudiábamos rodeados de montones de libros sobre jardinería, química y bioingeniería, Gill se inclinó hacia mí y me dio un beso suave y cálido en los labios. Después se apartó y esperó para ver mi reacción.

—Es un experimento —declaró como si quisiera justificarse.

Al ver que yo me echaba a reír, me besó otra vez. Animada por sus poco exigentes besos, yo aparté a un lado los libros de naturales y rodeé sus estrechos hombros con mis brazos.

A aquella primera cita de estudio, le siguieron otras que incluyeron pizza, conversación y más besos. Yo enseguida me di cuenta de que nunca me enamoraría de él, y Gill debió de percibirlo, porque nunca intentó ir más lejos. Yo deseaba sentir pasión por él, deseaba que aquel chico tímido y amistoso fuera quien llegara a aquella parte íntima de mi corazón que yo atesoraba con tanto ahínco.

Más adelante, descubrí que, a veces, la vida encuentra la forma de darnos lo que necesitamos, aunque no de la manera que esperamos.

Si el embarazo de mi madre constituía un ejemplo de lo que yo tendría que pasar algún día, decidí que no me compensaba tener hijos. Mi madre me aseguró que, cuando estaba embarazada de mí, se sintió mejor de lo que se había sentido nunca, y afirmó que debía de estar embarazada de un niño, porque aquella experiencia era totalmente distinta a la que había experimentado conmigo. O la diferencia quizá se debía a que ahora era bastante más mayor. Fuera cual fuera la razón, su cuerpo parecía rebelarse contra el bebé que albergaba en su vientre como si fuera algo tóxico. Siempre se encontraba mal, apenas conseguía comer unos bocados y, cuando lo hacía, su cuerpo retenía tanto líquido que la más leve presión de un dedo dejaba una marca en su piel.

El malestar que experimentaba y las intensas subidas y bajadas hormonales la ponían de malhumor. Parecía que todo lo que yo hiciera la irritaba sobremanera. A fin de tranquilizarla, tomé prestados unos cuantos libros sobre el embarazo de la biblioteca para leerle los fragmentos que pudieran ayudarla.

—Según la revista de la Sociedad de Ginecología y Obstetricia, las náuseas matinales son buenas para el bebé. ¿Me escuchas, mamá? Las náuseas matinales ayudan a regular los niveles de insulina y ralentizan el metabolismo de las grasas, lo cual asegura la disponibilidad de más nutrientes para el bebé. ¿No te parece fantástico?

Mi madre respondió que, si no dejaba de leerle aquellos libros, me perseguiría con una vara, y yo le contesté que primero yo tendría que ayudarla a levantarse del sofá.

Después de las citas con el médico, mi madre regresaba a casa murmurando palabras preocupantes como «preeclampsia» e «hipertensión». No había entusiasmo en su voz cuando hablaba del bebé..., de cuándo llegaría..., del mes de mayo, que era la fecha esperada, o de la baja maternal. Cuando supimos que sería una niña, yo me sentí como si estuviera en las nubes, pero mi entusiasmo me pareció inadecuado dada la resignación que mostró mi madre.

Las únicas ocasiones en las que mi madre volvía a recuperar su antigua forma de ser era cuando venía a visitarnos Miss Marva. El médico de Miss Marva le había advertido que dejara de fumar si no quería morir de un cáncer de pulmón, y sus aseveraciones la habían asustado tanto que ella le hizo caso. Desde entonces, Miss Marva, salpicada de parches de nicotina y con los bolsillos llenos de chicle con esencia de gaulteria, estaba siempre de malhumor y decía continuamente que tenía ganas de matar a alguien.

—No soy una compañía agradable —solía declarar Miss Marva cuando entraba en casa con una tarta o una fuente de algo bueno y se sentaba junto a mi madre en el sofá.

En aquellas ocasiones, mi madre y Miss Marva despotricaban acerca de todo y todos los que se habían cruzado con ellas aquel día y, al final, se echaban a reír.

Por las noches, después de terminar los deberes, yo me sentaba al lado de mi madre, le frotaba los pies y le preparaba vasos con agua de Seltz. Juntas veíamos la televisión, sobre todo culebrones acerca de gente rica con problemas interesantes, como encontrar a un hijo que ni siquiera sabían que tenían, padecer amnesia, acostarse con la persona equivocada o acudir a una fiesta elegante y caerse en la piscina. Yo miraba a hurtadillas el rostro absorto de mi madre y siempre descubría cierta tristeza en su boca. Entonces me daba cuenta de que ella sentía un tipo de soledad que yo nunca podría mitigar. Por mucho que yo quisiera formar parte de aquella experiencia, mi madre la estaba viviendo sola.

Un frío día de noviembre, me dirigí a la casa de Miss Marva para devolverle la fuente de una tarta. Una ola de frío sacudía la zona y las mejillas me escocían al recibir el embate de la brisa helada, que ni siquiera los muros, los edificios o los árboles de gran tamaño lograban atenuar. El invierno con frecuencia traía consigo lluvia e inundaciones repentinas, a las que los exasperados habitantes de Welcome, quienes llevaban tiempo quejándose al ayuntamiento por la mala gestión del sistema de alcantarillado, se referían como «flotadores de cagarros».

Sin embargo, aquel día era seco, y yo caminé jugando a esquivar las grietas del asfalto.

Cuando llegaba a la casa de Miss Marva, vi la camioneta de los Cates aparcada junto a la entrada. Hardy estaba cargando cajas llenas de objetos de artesanía en la parte trasera de la camioneta para llevarlas a la galería de arte de la ciudad. Miss Marva había vendido mucho últimamente, lo cual demostraba que la atracción de los tejanos por los adornos de lupino no debe subestimarse.

Yo disfruté de la visión de las marcadas facciones del perfil de Hardy y del contorno de su oscuro cabello. Una oleada de deseo y adoración recorrió mi cuerpo. Siempre que nos cruzábamos ocurría lo mismo. Al menos a mí. Mis tentativas con Gill Mincey habían despertado en mí una conciencia sexual que no sabía cómo satisfacer. Lo único que sabía era que no quería a Gill ni a ningún otro chico de la escuela. A quien quería era a Hardy. Lo quería más que al aire, el agua o la comida.

—¡Hola! —me saludó él de una forma desenfadada.

—¡Hola a ti también!

Yo pasé por su lado sin detenerme. Miss Marva estaba cocinando y me saludó con un gruñido, pues estaba inmersa en su tarea y no tenía tiempo para charlas.

Yo volví a salir y vi que Hardy me estaba esperando. Sus ojos eran de un azul tan insondable que podría haberme ahogado en ellos.

—¿Cómo va el baloncesto? —me preguntó.

Yo me encogí de hombros.

—Sigo haciéndolo fatal.

—Tienes que practicar más.

—¿Contigo? —pregunté como una tonta, pues me había cogido desprevenida.

Él sonrió.

—Sí, conmigo.

—¿Cuándo?

—Ahora, cuando me haya cambiado de ropa.

—¿Y qué ocurre con los objetos de Miss Marva?

—Los llevaré a la ciudad más tarde, pues he de encontrarme allí con alguien.

«Alguien.» ¿Sería una novia?

Yo titubeé mortificada por los celos y la inseguridad en mí misma. Me pregunté qué lo había inducido a ofrecerme ayuda con el baloncesto y si albergaba alguna idea errónea acerca de que podíamos ser amigos. Una sombra de desesperación debió de cruzar mi rostro, porque Hardy se acercó a mí con la frente arrugada bajo la sedosa textura de su cabello.

—¿Qué te ocurre? —me preguntó.

—Nada, sólo intentaba recordar si tenía deberes pendientes. —Yo llené mis pulmones con el cortante aire invernal—. Sí, necesito practicar más.

Hardy asintió con expresión seria.

—Ve a recoger la pelota, me reuniré en la cancha contigo dentro de diez minutos.

Cuando llegué, Hardy me estaba esperando. Los dos íbamos vestidos con pantalones de chándal, camiseta de manga larga y bambas viejas. Yo boté la pelota, se la pasé y él efectuó un impecable tiro libre. Hardy corrió hasta la canasta, recogió la pelota y me la pasó.

—No dejes que bote tan alto —me advirtió—. E intenta no mirarla mientras la haces botar. Se supone que tienes que estar atenta a los otros jugadores.

—Si no miro la pelota mientras la hago botar, se me escapará.

—Inténtalo de todos modos.

Yo lo intenté, y la pelota se me escapó.

—¿Lo ves?

Hardy se mostró paciente y relajado y se desplazó por la cancha como un felino mientras me enseñaba las nociones básicas de la táctica del juego. Mi tamaño me permitía esquivarlo con facilidad, pero él utilizaba su altura y sus largos brazos para desviar casi todos mis lanzamientos. Hardy, respirando con rapidez debido al ejercicio, sonrió al oír mi grito de frustración cuando desvió otro de mis tiros.

—Descansa un minuto y después te enseñaré a realizar una finta de tiro.

—¿Una qué?

—Es una técnica que distraerá a tu oponente y te permitirá realizar un tiro limpio.

—Estupendo.

Aunque la proximidad del crepúsculo hacía que el aire estuviera helado, el ejercicio había hecho que entrara en calor y estaba sudada, de modo que me arremangué las mangas de la camiseta y apoyé la mano en uno de mis costados, donde sentía un pinchazo.

—He oído decir que sales con alguien —declaró Hardy en tono despreocupado mientras hacía girar la pelota en el extremo de uno de sus dedos.

Yo le lancé una mirada rápida.

—¿Quién te lo ha contado?

—Bob Mincey. Me ha dicho que sales con Gill, su hermano pequeño. Una familia agradable, los Mincey. Podrías haber escogido mucho peor.

—Yo no estoy saliendo con Gill —declaré mientras realizaba en el aire el signo de las comillas al pronunciar la palabra «saliendo»—. Al menos no oficialmente, sólo estamos...

Me interrumpí al no encontrar la manera de explicar mi relación con Gill.

—En cualquier caso, ¿te gusta? —preguntó Hardy con la amable preocupación de un hermano mayor.

El tono de su voz me hizo sentir tan enojada como un gato al que arrastran por la cola a través de un seto.

—No puedo imaginarme a alguien a quien no le guste Gill —respondí con brusquedad—. Es muy agradable. Ya he recuperado el aliento, enséñame la finta de tiro.

—Sí, señora. —Hardy me indicó que me colocara a su lado y botó la pelota con las rodillas flexionadas—. Digamos que un defensa me está marcando y me impide realizar un lanzamiento. Yo tengo que librarme de él. Entonces le hago creer que voy a efectuar un tiro y, cuando me he desmarcado de él, realizo el tiro desde otro ángulo. —Hardy levantó la pelota hasta su esternón, hizo ver que iba a avanzar en determinada dirección y, cuando me lo creí, realizó un salto con tiro—. Muy bien, ahora inténtalo tú.

Yo boté la pelota mientras Hardy imitaba mis movimientos delante de mí. Como me había enseñado, yo lo miraba a los ojos en lugar de centrarme en la pelota.

—Él me besa —declaré sin dejar de botar la pelota con regularidad.

Tuve la satisfacción de ver cómo Hardy abría unos ojos como platos.

—¿Qué?

—Gill Mincey. Cuando estudiamos juntos. De hecho, me ha besado muchas veces.

Yo me desplazaba a uno y otro lado intentando esquivarlo, y Hardy seguía mis movimientos.

—Estupendo —respondió él con un deje extraño en la voz—. ¿Vas a lanzar la pelota o no?

—Además creo que es bastante bueno besando —continué yo mientras aceleraba el ritmo de los botes—. Pero hay un problema.

La atenta mirada de Hardy se clavó en la mía.

—¿Cuál es el problema?

—Que no siento nada. —Yo cogí la pelota con las manos, hice un amago de movimiento y lancé la pelota. Para mi sorpresa, ésta atravesó el aro con limpieza y rebotó en el suelo a un ritmo cada vez menor sin que ninguno de nosotros le hiciéramos ningún caso. Yo permanecí inmóvil mientras el aire frío escocía mi caliente garganta—. Me aburro. Me refiero a cuando me besa. ¿Es normal? A mí me parece que no. Gill no parece aburrirse y no sé si hay algo en mí que está mal o...

—Liberty. —Hardy se acercó y caminó despacio frente a mí, como si un anillo de fuego nos separara. Su rostro brillaba de sudor y parecía que le costara hablar—. No hay nada malo en ti. Si no hay química entre vosotros no es culpa tuya, ni suya. Sólo significa que otra persona encajaría mejor contigo.

—¿Tú tienes química con muchas chicas?

Él apartó la mirada y se frotó la nuca para liberar la tensión que atenazaba los músculos de su cuello.

—Ésa es una cuestión sobre la que tú y yo no vamos a hablar.

Ahora que había iniciado aquella vía, no podía dejarla.

—¿Si fuera mayor, sentirías química conmigo?

Hardy evitaba mirarme.

—Liberty —masculló—, no me hagas esto.

—Sólo estoy preguntando, eso es todo.

—No lo hagas. Algunas preguntas lo cambian todo. —Hardy soltó un suspiro vacilante—. Practica con Gill Mincey. Yo soy demasiado mayor para ti en más de un aspecto. Y tú no eres el tipo de chica que yo quiero.

Sin duda, no se refería al hecho de que fuera mexicana. Por lo que yo sabía de Hardy, no tenía ningún tipo de prejuicios. Nunca utilizaba términos racistas ni despreciaba a los demás por algo que no podían evitar.

—¿Y qué tipo de chica quieres? —pregunté con esfuerzo.

—Una a la que pueda dejar sin mirar atrás.

Así era Hardy, declarando sin reparos la pura y dura verdad, pero yo percibí en su afirmación que yo no era el tipo de chica que podría dejar con facilidad, y no pude evitar tomármelo como algo alentador, aunque ésa no era su intención.

Entonces Hardy me miró.

—Nada ni nadie me retendrá aquí, ¿lo comprendes?

—Lo comprendo.

Hardy inhaló de una forma entrecortada.

—Esta vida, este lugar... Últimamente, he comprendido qué volvió a mi padre tan loco y miserable como para que terminara en prisión. Y a mí también me sucedería.

—No —protesté yo con suavidad.

—Sí que me ocurriría. Tú no me conoces, Liberty.

Yo no podía impedir que él quisiera irse, de la misma forma que tampoco podía evitar quererlo.

Crucé la barrera invisible que nos separaba.

Sus manos se levantaron en un gesto defensivo, el cual resultaba cómico dada nuestra diferencia de tamaño. Yo toqué las palmas de sus manos y la tersa piel de sus muñecas, donde su pulso galopaba y pensé: «Si lo único que voy a tener de él es este momento, lo tomaré. Tómalo o arrepiéntete para siempre.»

De repente, Hardy me sujetó las muñecas y sus dedos formaron como unas esposas que me impidieron acercarme más a él. Yo contemplé su boca, aquellos labios que prometían ser tan suaves.

—Suéltame —le pedí con voz pastosa—. Suéltame.

Su respiración se había acelerado y Hardy sacudió ligeramente la cabeza. Los nervios chispeaban en todo mi cuerpo y los dos sabíamos lo que haría si él me soltaba.

De repente, sus manos se abrieron. Yo me acerqué y apreté mi cuerpo contra el de él. De un extremo a otro. Lo agarré por la nuca y, mientras percibía la firmeza de la musculatura de su cuello, bajé su cabeza hasta que sus labios se unieron a los míos. Sus manos seguían suspendidas en el aire. Su resistencia duró sólo unos segundos. Entonces se rindió y me rodeó con los brazos mientras exhalaba un suspiro ronco.

Lo que sentí fue tan distinto a lo que había experimentado con Gill... Hardy era infinitamente más fuerte y, aun así, mucho más suave. Una de sus manos se deslizó entre mi cabello y me sujetó la cabeza. Sus hombros se encorvaron sobre mí y a mi alrededor, y su brazo libre me cogió por la espalda y tiró de mí, como si quisiera meterme en su cuerpo. Hardy me besó una y otra vez, intentando descubrir todas las maneras en que nuestras bocas podían encajar. Una ráfaga de viento me heló la espalda, pero el calor brotaba en todas las zonas en las que nuestros cuerpos se tocaban.

Hardy saboreó el interior de mi boca, y yo sentí las oleadas de su ardiente aliento en mi mejilla. Su íntimo sabor me aturdió llenándome de deseo. Temblorosa, excitada y deseando que aquel momento no terminara nunca, me agarré a él con fuerza y me concentré con desesperación en todas las sensaciones que experimentaba para retenerlas tanto tiempo como me fuera posible.

Hardy separó mis brazos, que rodeaban su cuello, y me apartó de él con firmeza.

—¡Maldición! —susurró tembloroso. Hardy se apartó más de mí, se agarró al poste de la canasta de baloncesto y apoyó la frente en él, como si agradeciera el contacto del frío metal—. ¡Maldición! —masculló de nuevo.

Yo me sentía aturdida y me tambaleé ante la repentina ausencia del apoyo del cuerpo de Hardy. Me froté los ojos con las bases de las manos.

—Esto no volverá a suceder —declaró él con brusquedad todavía sin mirarme—. Lo digo en serio, Liberty.

—Lo sé. Y lo siento.

En realidad no lo sentía y no debí de sonar muy arrepentida, porque Hardy me lanzó una mirada sarcástica por encima del hombro.

—No volveremos a practicar más —afirmó él.

—Te refieres al baloncesto o a lo que acabamos de hacer.

—A ambos —soltó él.

—¿Estás enfadado conmigo?

—No, estoy furioso conmigo mismo.

—No deberías estarlo. Tú no has hecho nada malo. Yo quería que me besaras. He sido yo quien...

—Liberty —me interrumpió él mientras se volvía hacia mí. De repente, parecía cansado y frustrado y se frotó los ojos de la misma manera en que yo me había frotado los míos—. Cállate, cariño. Cuanto más hablas, peor me siento. Vete a casa.

Yo absorbí sus palabras y la inexorable resolución de su expresión.

—¿Quieres...? ¿Quieres acompañarme a casa?

Yo odié la timidez que reflejaba mi voz.

Hardy me lanzó una mirada infeliz.

—No, no me fío de mí cuando estoy contigo.

La pesadumbre se apoderó de mí y asfixió las chispas de deseo y euforia que sentía. No sabía cómo explicar todo aquello: la atracción que Hardy sentía por mí, el hecho de que no quisiera hacerla realidad, la intensidad de mi respuesta... y el convencimiento de que nunca más volvería a besar a Gill Mincey.

6

Hacía una semana que mi madre había salido de cuentas y, a finales de mayo, por fin se puso de parto.

La primavera es una estación preciosa en el sureste de Tejas. Algunos de sus paisajes primaverales son muy bonitos: los deslumbrantes campos cubiertos de lupinos, los castaños florecientes, los reverdecientes prados secos... Sin embargo, la primavera es también la época en la que las hormigas rojas inician su frenética actividad después de la tranquilidad del invierno, y el golfo genera tormentas que escupen granizo, relámpagos y tornados. Estos últimos azotaban nuestra región y cuando retrocedían sobre sus pasos constituían verdaderos ataques sorpresa. También se desplazaban con su movimiento de vaivén a través de los ríos, a lo largo de las calles principales de las ciudades y por otros lugares a los que se suponía que no debían ir. Y también estaban los tornados blancos, unos remolinos terribles que aparecían a la luz del día, bastante después de que la gente creyera que la tormenta había terminado.

Los tornados siempre han constituido una amenaza para el campamento Bluebonnet Ranch debido a una ley de la naturaleza según la cual los tornados se sienten irresistiblemente atraídos por los campamentos de casas prefabricadas. Los científicos afirman que se trata de una leyenda y que los tornados se sienten tan atraídos por los campamentos de casas prefabricadas como por cualquier otro lugar. Sin embargo, no se puede engañar a los habitantes de Welcome, pues cada vez que aparece un tornado cerca de la ciudad, se dirige hacia Bluebonnet Ranch o a otro barrio de Welcome llamado Colinas Felices. El origen del nombre Colinas Felices constituye un misterio, porque esa zona es tan plana como una tortilla mexicana y está situada a unos escasos sesenta centímetros por encima del nivel del mar.

Colinas Felices es un barrio nuevo de casas de dos plantas a las que el resto de los habitantes de Welcome, quienes tienen viviendas de una sola planta, llaman las «casas de pelo encrespado». Este barrio ha sido blanco de tantos tornados como Bluebonnet Ranch, hecho que algunas personas esgrimían como argumento de que los tornados arrasaban tanto los campamentos de casas prefabricadas como los barrios acomodados.

Sin embargo, al señor Clem Cottle, un residente de Colinas Felices, le asustó tanto un tornado blanco que pasó por el jardín de su casa que llevó a cabo ciertas investigaciones acerca de su propiedad y descubrió un secreto espeluznante: Colinas Felices había sido construido sobre los restos de un antiguo campamento de casas prefabricadas. Según Clem, se trataba de un acto de mala fe, porque él nunca habría comprado una casa construida sobre los terrenos de un antiguo campamento de casas prefabricadas. Aquello constituía una invitación al desastre, era tan malo como construir sobre un cementerio indio.

Atrapados en unas casas que eran auténticos imanes para los tornados, los habitantes de Colinas Felices unieron sus recursos y construyeron un refugio comunitario contra los tornados, una edificación de hormigón medio enterrada en el suelo y apuntalada con montones de tierra por todos los lados, de modo que por fin hubo una colina en Colinas Felices.

Sin embargo, en Bluebonnet Ranch nunca se construyó nada ni remotamente parecido a un refugio contra tormentas y, si un tornado atravesaba el campamento, eras hombre muerto. Este hecho hacía que tuviéramos una actitud fatalista respecto a los desastres naturales. Como en tantos otros aspectos de la vida, no estábamos preparados para el desastre y, cuando llegaba, simplemente intentábamos esquivarlo como podíamos.

Los dolores de parto de mi madre empezaron en mitad de la noche. Alrededor de las tres de la madrugada, oí que paseaba de un lado a otro de la casa, así que yo también me levanté. De todos modos, tampoco podía dormir, pues estaba lloviendo. Hasta que nos trasladamos a Bluebonnet Ranch, el sonido de la lluvia me parecía relajante, pero cuando llueve sobre el tejado de zinc de una casa prefabricada, el ruido compite con el volumen de los decibelios de un aeropuerto.

Yo utilicé el reloj del horno para cronometrar el tiempo que transcurría entre contracción y contracción y, cuando se produjeron cada ocho minutos, telefoneé al ginecólogo. A continuación telefoneé a Miss Marva para que nos llevara en coche al ambulatorio de Welcome, que era una delegación de un hospital de Houston.

Yo ya tenía el carnet de conducir, pero aunque, en mi opinión, era una conductora bastante buena, mi madre me dijo que se sentiría más tranquila si nos llevaba Miss Marva. Personalmente, yo creía que estaríamos más seguras conmigo al volante, pues la forma de conducir de Miss Marva era, en el mejor de los casos, creativa y, en el peor, un accidente al acecho. Miss Marva conducía de una forma sinuosa, cambiaba de dirección desde el carril erróneo, aceleraba o reducía la velocidad al ritmo de la conversación y apretaba a fondo el pedal del acelerador cuando el semáforo se ponía en ámbar. Yo habría preferido que nos llevara Bobby Ray, pero Miss Marva había roto con él un mes antes bajo sospecha de infidelidad. Ella le dijo que podía volver cuando decidiera bajo qué techo quería resguardarse. Desde la separación, Miss Marva y yo íbamos a la iglesia solas. Ella conducía, y yo rezaba todo el camino de ida y vuelta.

Mi madre estaba tranquila, pero no dejaba de hablar acerca del día en que yo nací.

—Tu padre estaba tan nervioso que tropezó con la maleta y casi se rompió una pierna. Y, camino del hospital, conducía tan deprisa que yo le grité que, si no aminoraba la marcha, conduciría yo misma... Él no entró en la sala de partos, creo que no quería molestar, y, cuando te vio, se echó a llorar y dijo que eras el amor de su vida. Yo nunca lo había visto llorar antes...

—Es una historia preciosa, mamá —declaré mientras cogía la lista de las cosas que teníamos que llevarnos para asegurarme de que había puesto en la bolsa todo lo que necesitaríamos.

Había preparado la maleta un mes antes y la había comprobado cientos de veces, pero todavía me preocupaba que me hubiera olvidado de algo.

La tormenta había empeorado y los truenos hacían temblar toda la casa. Aunque eran las siete de la mañana, estaba oscuro como si fuera medianoche.

—¡Mierda! —exclamé mientras pensaba que ir en el coche de Miss Marva con aquel tiempo era arriesgar nuestras vidas.

Con toda seguridad, habría inundaciones, y su Pinto de chasis bajo no conseguiría llegar al ambulatorio.

—Liberty —declaró mi madre sorprendida y en tono recriminatorio—, no te había oído maldecir nunca, espero que tus amigas del colegio no sean una mala influencia para ti.

—Lo siento —me disculpé yo mientras miraba al exterior a través de la cortina de agua que cubría el cristal de la ventana.

Las dos dimos un brinco cuando oímos el repentino estruendo del granizo que caía en el tejado, un auténtico chaparrón de piedras de hielo blanco. Parecía que alguien estuviera volcando un camión de monedas sobre nuestra casa. Yo corrí hacia la puerta, la abrí y examiné las piedras de granizo que rebotaban en el suelo.

—Son grandes como canicas —expliqué—. Y algunas como pelotas de golf.

—¡Mierda! —exclamó mi madre mientras rodeaba su tensa barriga con los brazos.

El teléfono sonó, y mi madre descolgó el auricular.

—¿Sí? Hola, Marva, yo... ¿Que tú qué? ¿Justo ahora? —Mi madre escuchó durante unos instantes—. De acuerdo. Sí, es probable que tengas razón. Muy bien, te veremos allí.

—¿Qué ocurre? —pregunté con exasperación cuando colgó—. ¿Qué ha dicho?

—Dice que es probable que la carretera principal esté inundada y que su Pinto no pueda pasar, de modo que ha telefoneado a Hardy, y él nos recogerá con su camioneta. Como sólo hay espacio para tres personas, Hardy nos dejará en el ambulatorio y regresará para recoger a Marva.

—¡Gracias a Dios! —declaré yo totalmente aliviada.

La camioneta de Hardy sortearía cualquier obstáculo.

Yo esperé junto a la puerta entreabierta y observé el exterior a través de la rendija. La granizada había cesado, pero la lluvia continuaba y a veces caía en ráfagas laterales y frías que entraban por la estrecha abertura de la puerta. De vez en cuando, me volvía para mirar a mi madre, quien se había dejado caer en uno de los extremos del sofá. Se notaba que los dolores eran cada vez más intensos, porque había dejado de hablar y estaba centrada en su interior, en el inexorable proceso que se había apoderado de su cuerpo.

Oí que susurraba el nombre de mi padre y una punzada de dolor atravesó mi pecho. Pronunciaba el nombre de mi padre mientras iba a dar a luz al hijo de otro hombre...

La primera vez que ves a uno de tus padres en una situación de desamparo, resulta impactante. En aquel momento, mi madre estaba bajo mi responsabilidad. Mi padre no estaba allí para cuidar de ella, y yo sabía que él habría querido que yo lo hiciera. Y no les fallaría a ninguno de los dos.

La camioneta azul de los Cates se detuvo delante de la casa, y Hardy llegó hasta la puerta en pocas zancadas. Llevaba puesto un impermeable con un forro interior de borreguillo y con una pantera, que era el logo del colegio, impresa en la espalda. Se veía grande y capaz y después de entrar en la casa cerró la puerta con firmeza. Escudriñó mi rostro con detenimiento y me besó en la mejilla mientras yo parpadeaba sorprendida. Después se acercó a mi madre, se acuclilló frente a ella y le preguntó con amabilidad:

—¿Qué le parece dar un paseo en camioneta, señora Jones?

Ella soltó una risita débil.

—Creo que aceptaré tu ofrecimiento, Hardy.

Él se puso de pie y se volvió hacia mí.

—¿Quieres que lleve algo a la camioneta? He puesto el toldo en la parte trasera, de modo que no se mojará.

Yo enseguida fui a buscar la bolsa y se la entregué, y él se dirigió a la puerta.

—¡No, espera! —exclamé mientras cogía más cosas—. Necesitamos el casete... Y esto.

Le entregué un cilindro con un alargo que parecía un destornillador.

Hardy contempló el objeto con inquietud.

—¿Qué es esto?

—Una bomba de mano.

—¿Para qué? No, es igual, no me lo digas.

—Es para la pelota del parto. —Yo entré en mi dormitorio y salí con una pelota de plástico enorme medio inflada—. Lleva esto también. —Al ver su expresión de desconcierto, añadí—: La acabaremos de inflar cuando estemos en el ambulatorio. Utiliza la gravedad para facilitar el parto y cuando te sientas en ella, ejerce presión en el...

—Lo capto —me interrumpió Hardy con rapidez—. No es necesario que me lo expliques. —Hardy llevó las cosas a la camioneta y regresó enseguida—. La tormenta ha amainado, será mejor que nos pongamos en camino antes de que vuelva a caer otro chaparrón. ¿Señora Jones, tiene un impermeable?

Mi madre negó con la cabeza. En su estado era imposible que su viejo impermeable la cubriera. Sin decir una palabra, Hardy se quitó la chaqueta de los Panthers e introdujo los brazos de mi madre en las mangas, como si se tratara de una niña. La chaqueta no le tapaba del todo la barriga, pero sí lo suficiente.

Hardy acompañó a mi madre a la camioneta y yo los

seguí con los brazos cargados de toallas. Mi madre todavía no había roto aguas y creí que sería mejor estar preparada.

—¿Para qué son las toallas? —preguntó Hardy después de ayudar a mi madre a sentarse.

Teníamos que gritar para oírnos por encima del fragor de la tormenta.

—Uno nunca sabe cuándo podría necesitar unas toallas —le contesté, pues pensé que, si le explicaba la razón, lo pondría nervioso de una forma innecesaria.

—Cuando mi madre tuvo a Hannah y a mis hermanos, lo único que se llevó fue una bolsa de papel, un cepillo de dientes y un camisón.

—¿Para qué era la bolsa de papel? —pregunté yo con preocupación—. ¿Crees que debería ir a buscar una?

Hardy se echó a reír y me ayudó a sentarme al lado de mi madre.

—Era para poner dentro el cepillo de dientes y el camisón. Vamos, guapa.

Las inundaciones habían convertido Welcome en una cadena de islas. El truco para desplazarse de una a otra consistía en conocer bien las carreteras y saber cuáles eran transitables y cuáles no. Sólo se necesitan sesenta centímetros de agua para que un coche pierda el agarre al suelo. Hardy era un experto en desplazarse por Welcome y tomó una carretera secundaria para evitar el terreno bajo. Condujo por caminos rurales, atravesó zonas de aparcamiento y cruzó corrientes de agua mientras el agua salía a borbotones por las llantas de las ruedas.

Yo me sentía impresionada por la presencia de ánimo de Hardy, por la falta de tensión visible y por la forma en que daba conversación a mi madre para distraerla. El único signo de esfuerzo era una arruga en su entrecejo. No hay nada que guste más a un texano que enfrentarse a los elementos. Los tejanos sienten una especie de orgullo altanero por el espantoso clima del estado: tormentas épicas, calor abrasador, vientos que amenazan con arrancarte la piel, la interminable variedad de tornados y huracanes...

No importa el mal tiempo que haga o el grado de dureza climatológica existente, los tejanos lo reciben con variaciones de la misma pregunta: ¿puedo soportar este calor?, ¿puedo soportar este grado de humedad?, ¿puedo soportar esta sequedad ambiental? Etcétera, etcétera.

Yo contemplé las manos de Hardy sobre el volante, la ligereza y la firmeza con que lo agarraban, las manchas de lluvia en las mangas de su camisa... ¡Lo quería tanto! Quería su audacia, su fuerza e incluso la ambición que algún día lo alejaría de mí.

—Sólo faltan unos minutos —murmuró Hardy al percibir mi mirada en él—. Os llevaré hasta allí sanas y salvas.

—Estoy convencida de que lo harás —respondí yo mientras los limpiaparabrisas luchaban con impotencia contra la cortina de agua que golpeaba el cristal.

En cuanto llegamos al ambulatorio, se llevaron a mi madre en una silla de ruedas para prepararla, y Hardy y yo transportamos nuestras pertenencias a la sala de partos. Ésta estaba llena de máquinas y monitores y había una incubadora que parecía una nave espacial para bebés. Sin embargo, las cortinas de tela, el papel de la pared ribeteado con una cenefa de gansos y patitos y el sillón mecedora forrado con un tejido a cuadros suavizaban el aspecto de la habitación.

Una enfermera adusta y de cabello gris se movía por la sala comprobando el equipo y ajustando la altura de la cama. Cuando Hardy y yo entramos, declaró con severidad:

—Sólo se permite la entrada a la sala de partos a las parturientas y a sus maridos. Tendréis que ir a la sala de espera que hay al final del pasillo.

—No existe ningún marido —repliqué yo un poco a la defensiva mientras ella arqueaba las cejas—. Yo me quedaré a ayudar a mi madre.

—Comprendo, pero tu novio tiene que irse.

Yo me sonrojé.

—Él no es mi...

—Ningún problema —interrumpió Hardy con desparpajo—. Créame, señora, no tengo ninguna intención de molestar.

La severa expresión de la enfermera se relajó hasta convertirse en una sonrisa. Hardy producía ese efecto en las mujeres.

Yo saqué una carpeta amarilla del interior de la bolsa y se la tendí a la enfermera.

—Le agradecería que leyera esto.

Ella contempló con recelo la carpeta de color amarillo, en la que yo había escrito «Plan del nacimiento» y que había decorado con pegatinas de biberones y cigüeñas.

—¿Qué es esto?

—He anotado nuestras preferencias respecto al parto —le expliqué—. Queremos una luz tenue y tanta paz y silencio como sea posible. Y pondremos un casete con sonidos de la naturaleza. También queremos que mi madre pueda desplazarse con libertad hasta que le pongan la epidural. En cuanto a los calmantes, el Demorol está bien, pero queríamos preguntarle al doctor si podía ponerle Nubain. Y, por favor, no olvide leer las indicaciones acerca de la episiotomía.

La enfermera cogió la carpeta con aspecto tenso y desapareció.

Yo le di la bomba de mano a Hardy y enchufé el casete.

—Hardy, ¿podrías inflar la pelota antes de irte? No del todo, un ochenta por ciento será lo mejor.

—Claro —respondió él—. ¿Algo más?

Yo asentí con la cabeza.

—En la bolsa hay un calcetín lleno de arroz. Te agradecería que averiguaras si tienen un microondas y lo calentaras durante dos minutos.

—Desde luego.

Mientras se inclinaba para inflar la pelota, vi que una sonrisa se dibujaba en sus labios.

—¿Qué es lo que te parece tan divertido? —le pregunté, pero él sacudió la cabeza y no me contestó, sólo obedeció mis instrucciones, pero sin dejar de sonreír.

Cuando trajeron a mi madre, la luz estaba graduada

de una forma satisfactoria y los sonidos de la selva amazónica inundaban la habitación. Éstos consistían en el repiqueteo tranquilizador de la lluvia salpicado por el croar de las ranas de San Antonio y el grito ocasional de unos guacamayos.

—¿Qué son estos sonidos? —preguntó mi madre mientras examinaba la habitación con desconcierto.

—Es una cinta de la selva amazónica —contesté yo—. ¿Te gusta? ¿Te resulta relajante?

—Supongo que sí —respondió ella—. Aunque si empiezo a oír a elefantes y monos aulladores tendrás que apagarla.

Yo hice una imitación contenida del grito de Tarzán, y mi madre se echó a reír.

La enfermera de pelo gris ayudó a mi madre a levantarse de la silla de ruedas.

—¿Su hija se quedará aquí durante todo el parto? —preguntó la enfermera a mi madre.

Algo en el tono de su voz me produjo la impresión de que deseaba que la respuesta fuera que no.

—Así es —respondió mi madre con firmeza—. No podría hacerlo sin ella.

A las siete de la tarde nació Carrington. Yo había escogido el nombre de uno de los culebrones que a mi madre y a mí nos gustaba ver. La enfermera la lavó, la envolvió como a una momia en miniatura y la colocó en mis brazos mientras el médico se ocupaba de mi madre y cosía los tejidos que mi hermana había desgarrado.

—Siete libras, siete onzas —declaró la enfermera, y sonrió al ver la expresión de mi rostro.

Durante el parto, nuestra relación había mejorado un poco. Yo no había molestado tanto como ella esperaba. Además, ante el milagro de una nueva vida, resultaba difícil no sentirse conectado, al menos temporalmente.

«Siete, el número de la suerte», pensé yo mientras contemplaba a mi hermana pequeña. Hasta entonces, yo no había tenido mucho contacto con bebés, y nunca había sostenido en brazos a un recién nacido. El rostro de Carrington era de un rosa intenso y estaba arrugado y sus ojos eran de un gris azulado y muy redondos. Tenía la cabeza cubierta de pelo, el cual me recordaba a las pálidas plumas de un polluelo mojado. Pesaba, más o menos, como un saquito de azúcar, y resultaba frágil y blanda al tacto. Yo intenté que se sintiera cómoda y la levanté con torpeza hasta que quedó apoyada en mi hombro. La bola redonda de su cabeza encajó a la perfección en mi cuello. Noté que su espalda se hinchaba, exhaló un suspiro de gatito y después se quedó quieta.

—Dentro de un minuto tendré que llevármela —declaró la enfermera, y sonrió al ver mi expresión—. Tienen que examinarla y lavarla.

Yo no quería soltar a mi hermana, y una oleada de posesividad recorrió mi cuerpo. Me sentía como si fuera mi bebé..., una parte de mi cuerpo..., como si estuviera atada a mi alma. Emocionada hasta el punto de estar a punto de llorar, volví el rostro hacia ella y le susurré:

—Eres el amor de mi vida, Carrington. El amor de mi vida.

Miss Marva trajo un ramo de rosas de color rosa y una caja de cerezas cubiertas de chocolate para mi madre y una manta de lana ribeteada con una franja de ganchillo, que ella misma había confeccionado, para Carrington. Después de admirar y acunar a mi hermana durante unos minutos, Miss Marva me la devolvió y centró de nuevo su atención en mi madre: fue a buscar un vaso de hielo picado, pues la enfermera tardaba mucho; reguló los mandos de la cama y la ayudó a ir al lavabo.

Yo me sentí muy aliviada cuando Hardy apareció al día siguiente con un sedán que le había prestado un vecino para acompañarnos a casa. Mientras mi madre firmaba unos papeles y recibía de la enfermera una carpeta con instrucciones para después del parto, yo vestí a Carrington con su ropa de calle, que consistía en un vestido azul de manga larga. Hardy estaba a mi lado, junto a la cama del ambulatorio, y me observó mientras yo intentaba pasar las diminutas manos de Carrington por el interior de las mangas del vestido. Sus deditos cogían y agarraban la tela sin cesar y resultaba difícil vestirla.

—Es como intentar pasar un espagueti hervido por una pajita —comentó Hardy.

Carrington gemía y refunfuñaba, pero al final conseguí pasar su mano por la manga. Cuando me centré en el otro brazo, ella sacó de nuevo la mano de la primera manga. Yo solté un resoplido de desesperación, y Hardy se rio por lo bajo.

—A lo mejor es que no le gusta el vestido —declaró él.

—¿Quieres intentarlo tú? —le pregunté.

—¡Demonios, no! Yo soy bueno quitándoles el vestido a las chicas, no poniéndoselo.

Hardy nunca había hecho aquel tipo de comentarios en mi presencia y no me gustó.

—No sueltes palabrotas delante del bebé —declaré con severidad.

—Sí, señora.

El enfado que sentía me hizo ser menos delicada con Carrington y por fin conseguí vestirla. Después le recogí el pelo en la parte superior de la cabeza y se lo até con una cinta. Hardy, con mucho tacto, se volvió de espaldas mientras yo le cambiaba los pañales, que eran del tamaño de una servilleta de aperitivo.

—Ya estoy lista —declaró la voz de mi madre a mis espaldas.

Yo cogí a Carrington en brazos.

Mi madre estaba sentada en una silla de ruedas, llevaba puesto un vestido azul nuevo y unos zapatos a juego y sostenía en su regazo las flores que Marva le había regalado.

—¿Quieres que yo lleve las flores y tú llevas a Carrington? —le pregunté con poco convencimiento.

Ella negó con la cabeza.

—Llévala tú, cariño.

La silla para bebés del coche tenía suficientes correas para sujetar a un piloto de caza. Yo coloqué con cuidado el escurridizo cuerpo de Carrington en el asiento y, cuando empecé a atar las correas a su alrededor, ella se puso a berrear.

—Es un sistema de cinco puntos de sujeción —le expliqué—. La revista *Consumer Reports* dice que es el mejor del mercado.

—Supongo que ella no ha leído ese ejemplar —declaró Hardy mientras subía al coche por el otro lado para ayudarme.

Yo estuve tentada de contestarle que no se hiciera el jodido listo conmigo, pero recordé mi regla de no hablar mal delante de Carrington y guardé silencio. Hardy me sonrió.

—Vamos allá —declaró mientras desenredaba una de las correas—. Sujeta esta hebilla en tu lado y pásame la otra correa.

Juntos conseguimos atar a Carrington en la silla de una forma segura. Ella berreaba cada vez más y se retorcía ante la indignidad de verse atada. Yo coloqué mi mano sobre su agitado pecho.

—Está bien... —murmuré—. Está bien, Carrington, no llores.

—Intenta calmarla cantándole algo —sugirió Hardy.

—Yo no sé cantar —respondí mientras trazaba círculos sobre el pecho de Carrington con los dedos—. Hazlo tú.

Él sacudió la cabeza.

—Ni pensarlo. Cuando canto parezco un gato atropellado por una apisonadora.

Yo intenté cantar el tema principal de la serie *Mister Rogers' Neighborhood*, que había visto todos los días cuando era una niña. Cuando llegué a la última frase de la canción, Carrington había dejado de llorar y me miraba con ojos maravillados y miopes.

Hardy rio en voz baja, sus dedos se deslizaron sobre los míos y, durante unos instantes, permanecimos de aquella forma, con nuestras manos apoyadas levemente sobre Carrington. Yo contemplé su mano y pensé que no podía confundirse con ninguna otra. Sus dedos ásperos debido al trabajo estaban salpicados de diminutas cicatrices de forma estrellada, resultado de sus encuentros con martillos, clavos y alambre de espino. Sus dedos eran tan fuertes que podrían doblar con facilidad un clavo de grandes dimensiones.

Yo levanté la cabeza y vi que Hardy había bajado los párpados para ocultar sus pensamientos. Parecía estar absorbiendo la sensación de mis dedos debajo de los suyos.

De repente, Hardy retiró la mano, salió del coche y acudió a ayudar a mi madre a subir al asiento del copiloto. Yo me quedé lidiando con la omnipresente fascinación que sentía por él y que parecía haberse convertido en una parte de mí con tanta certeza como un pie o una mano. En cualquier caso, aunque Hardy no me quisiera, o no se permitiera quererme, yo ahora tenía a alguien en quien volcar todo mi afecto. Mantuve mi mano sobre el pecho de Carrington durante todo el trayecto a casa mientras absorbía el ritmo de su respiración.

7

Durante las seis primeras semanas de vida de Carrington, desarrollamos hábitos que, después, nos resultó imposible cambiar. Algunos incluso los conservaríamos durante toda la vida.

Mi madre se recuperó con lentitud, tanto espiritual como físicamente. El nacimiento del bebé la había agotado de una forma que yo no podía comprender. Ella todavía reía y sonreía, todavía me abrazaba y me preguntaba cómo me había ido el día en el colegio. Su peso disminuyó hasta que casi tuvo la misma figura que tenía antes. Sin embargo, algo no iba bien. Y yo no lograba averiguar de qué se trataba. Se trataba de la desaparición sutil de algo que antes estaba allí.

Miss Marva me explicó que mi madre, simplemente, estaba cansada. Cuando estabas embarazada, tu cuerpo experimentaba cambios durante nueve meses y se necesitaba, al menos, el mismo período de tiempo para volver a la normalidad.

Lo más importante, declaró Miss Marva, era que mi madre recibiera mucha ayuda y comprensión.

Yo quería ayudar, no sólo por ella, sino porque quería a Carrington de una forma apasionada. Todo en ella me encantaba: su piel sedosa de bebé, sus rizos plateados, la forma en que chapoteaba en la bañera, como si fuera una sirenita... Sus ojos habían adquirido el mismo tono azul verdoso de la pasta de dientes Aquafresh. Su mirada me seguía a todas partes mientras su mente estaba llena de pensamientos que todavía no podía expresar.

Mis amigas y mi vida social no me interesaban tanto como mi hermana. Yo sacaba a Carrington de paseo en su carrito, la alimentaba, jugaba con ella y le cambiaba los pañales. Esto no siempre me resultaba fácil, pues Carrington era bastante inquieta y le faltaba muy poco para padecer de cólico del lactante.

El pediatra nos explicó que, para realizar un diagnóstico oficial de cólico del lactante, el bebé tenía que llorar tres horas al día. Carrington lloraba unas dos horas cincuenta y cinco minutos y el resto del día estaba muy nerviosa. El farmacéutico nos preparó una mezcla de algo que él llamaba «agua de retortijones», que consistía en un líquido de aspecto lechoso que olía a regaliz. Administramos a Carrington unas gotas de aquel líquido antes y después del biberón y pareció ayudar un poco.

Como su cuna estaba en mi dormitorio, en general, yo era la primera en oírla durante la noche y era yo quien la consolaba. Carrington se despertaba tres o cuatro veces durante la noche y pronto aprendí que lo mejor era preparar todos sus biberones nocturnos y guardarlos en el refrigerador antes de acostarme. También aprendí a dormir de una forma superficial, con una oreja pegada a la almohada y la otra esperando cualquier señal de Carrington. En cuanto la oía resoplar o gimotear, saltaba de la cama, corría a calentar uno de los biberones en el microondas y se lo daba. Era mejor cogerla nada más empezar, pues cuando lloraba a pleno pulmón, costaba un poco tranquilizarla.

Yo me sentaba en la mecedora e inclinaba el biberón para que Carrington no tragara aire mientras sus deditos tamborileaban sobre los míos. Por la noche, me sentía tan cansada que casi desvariaba, y Carrington también, de modo que ambas deseábamos introducir la mezcla del biberón en su estómago lo antes posible para volver a dormir. Cuando había bebido unos ciento veinte mililitros, yo la incorporaba en mi regazo y la apoyaba en mi mano, y su cuerpo se amoldaba a ésta como un muñeco relleno de bolitas de poliestireno. En cuanto eructaba, yo volvía a acostarla en la cuna y me arrastraba hasta mi cama como un animal herido. Nunca sospeché que podría alcanzar un grado de agotamiento que, materialmente, me produjera dolor o que dormir se convirtiera en algo tan preciado que habría vendido mi alma a cambio de otra hora de sueño.

Como es lógico, cuando las clases volvieron a empezar, mis notas no fueron ninguna maravilla. No lo hice mal en las materias que siempre me habían resultado fáciles, como el inglés, la historia y las ciencias sociales, pero en matemáticas era un auténtico desastre. Cada día retrocedía un poco más y cada laguna en mis conocimientos provocaba que las siguientes lecciones me resultaran mucho más difíciles, hasta que, al final, asistía a las clases de matemáticas con náuseas y el pulso de un chihuahua. A mitad de semestre nos sometían a un examen de aptitud. Estaba segura de que lo suspendería, con lo cual tampoco podría aprobar el segundo semestre.

El día antes del examen, yo estaba destrozada. Mi ansiedad contagió a Carrington, quien lloraba cada vez que la cogía en brazos y berreaba cuando la dejaba en la cuna. Aquel día, las compañeras de trabajo de mi madre la habían invitado a cenar fuera, lo cual significaba que no regresaría hasta las ocho o las nueve. Aunque yo había planeado pedirle a Miss Marva que cuidara de Carrington un par de horas más, cuando regresé del colegio ella me recibió en la puerta de su casa con una bolsa de hielo en la cabeza. Según me contó, tenía una migraña terrible y, en cuanto yo me llevara a mi hermana, se tomaría un medicamento y se metería en la cama.

No tenía salvación. Claro que, aunque hubiera tenido tiempo de estudiar, tampoco habría resuelto nada. Desesperada y hundida en una sensación de frustración insoportable, sostuve a Carrington contra mi pecho mientras ella berreaba junto a mi oreja. Yo quería que se callara y estuve tentada de taparle la boca con la mano. Habría hecho cualquier cosa para que dejara de llorar.

—¡Cállate! —exclamé furiosa con los ojos ardientes y llenos de lágrimas—. ¡Cállate ahora mismo!

La rabia de mi voz hizo que Carrington berreara todavía más, hasta que se atragantó. Yo estaba convencida de que nuestros gritos se oían desde el exterior y que cualquiera que pasara por allí pensaría que la estaba matando.

Alguien llamó a la puerta. Yo me acerqué a trompicones mientras rezaba para que se tratara de mi madre, para que la cena se hubiera cancelado y ella hubiera regresado antes de lo previsto. Abrí la puerta con mi hermana retorciéndose en mis brazos y, a través de las lágrimas que empañaban mis ojos, vi la alta figura de Hardy Cates en el umbral. ¡Oh, Dios mío! No sabía si él era la persona que más quería ver en aquellos momentos o la última.

—Liberty... —Hardy entró y me miró con desconcierto—. ¿Qué ocurre? ¿Tu hermana está bien? ¿Os habéis hecho daño?

Yo negué con un movimiento de la cabeza e intenté hablar, pero, de repente, rompí a llorar con tanta intensidad como Carrington. Cuando Hardy la tomó de mis brazos, gimoteé aliviada. Él la apoyó en su hombro, y Carrington se tranquilizó enseguida.

—Decidí pasar por aquí para ver qué tal os iba —declaró él.

—¡Oh, estamos muy bien! —afirmé yo mientras me secaba los ojos con el revés de la manga.

Hardy me abrazó con su brazo libre y me acercó a él.

—Cuéntamelo —murmuró junto a mi cabello—. Cuéntame qué te ocurre, guapa.

Entre respingos y con voz entrecortada, yo le conté lo de las matemáticas, lo del bebé y lo de la falta de sueño mientras Hardy me acariciaba la espalda con lentitud. No parecía en absoluto desconcertado por el hecho de tener a dos mujeres llorosas en sus brazos, sólo nos sostuvo hasta que la casa quedó en silencio.

—Tengo un pañuelo en el bolsillo trasero —declaró Hardy mientras deslizaba los labios por mi mejilla húmeda.

Yo lo busqué y me sonrojé cuando mi mano rozó la superficie firme de su espalda. Me soné de una forma ruidosa y, a continuación, Carrington soltó un eructo sonoro. Yo sacudí la cabeza con impotencia y demasiado cansada para avergonzarme por el hecho de que mi hermana y yo fuéramos desagradables, molestas y estuviéramos por completo fuera de control.

Hardy rio entre dientes, levantó mi barbilla y contempló mis ojos enrojecidos.

—Tienes un aspecto horrible —declaró con franqueza—. ¿Estás enferma o sólo cansada?

—Cansada —contesté con voz ronca.

Él me acarició el cabello.

—Ve a dormir un rato.

Su propuesta sonaba tan bien, y tan imposible, que tuve que contener otra oleada de sollozos.

—No puedo..., el bebé..., el examen de matemáticas...

—Ve a dormir —repitió él con dulzura—. Te despertaré dentro de una hora.

—Pero...

—No discutas. —Hardy me empujó en dirección al dormitorio—. Vamos.

La sensación que me produjo delegar la responsabilidad en otra persona, permitir que Hardy asumiera el control, constituyó para mí un alivio que no podría definir con palabras. Yo me dirigí con esfuerzo al dormitorio, como si avanzara entre arenas movedizas, y me dejé caer en la cama. Mi agotada mente insistía en que no debía traspasar mi carga a Hardy. Como mínimo, debería haberle explicado cómo preparar los biberones y dónde estaban los pañales y las toallitas. Sin embargo, tan pronto como mi cabeza descansó en la almohada, caí dormida.

Cuando sentí la mano de Hardy en el hombro me pareció que apenas habían transcurrido cinco minutos desde que me había echado en la cama. Yo gruñí, levanté la cabeza y lo miré con cara de sueño. Todos los nervios de mi cuerpo se quejaban ante la necesidad de levantarme.

—Ya ha pasado una hora —susurró Hardy.

Se lo veía tan despejado y sereno. Irradiaba vitalidad y parecía disponer de una fuerza inagotable. Yo deseé poseer aunque sólo fuera un poco de aquella fuerza.

—Te ayudaré a estudiar —declaró él—. Soy muy bueno en matemáticas.

Yo le contesté en un tono huraño, como un niño al que han castigado:

—No te preocupes, nadie puede ayudarme.

—No es cierto —replicó él—. Cuando hayamos terminado, sabrás todo lo que necesitas saber.

Entonces me di cuenta de que la casa estaba silenciosa, demasiado silenciosa, y levanté la cabeza.

—¿Dónde está Carrington?

—Está con Hannah y mi madre. La cuidarán durante un par de horas.

—Ellas... ellas... Pero ¡no pueden!

La idea de que mi desapacible hermana estuviera al cuidado de la señora «la letra con sangre entra» Cates era suficiente para provocarme un infarto. Yo me incorporé en la cama de un salto.

—Claro que pueden —replicó Hardy—. Les he dejado a Carrington con un paquete de pañales y dos biberones. Tu hermana estará bien. —Hardy sonrió al ver mi expresión—. No te preocupes, Liberty, una tarde con mi madre no la matará.

Debo admitir, avergonzada, que Hardy tuvo que convencerme con paciencia, e incluso amenazarme un par de veces, para que me levantara de la cama. Sin lugar a dudas, pensé con amargura, estaba más acostumbrado a meter a chicas en la cama que a sacarlas de ella. Yo me tambaleé hasta la mesa del salón y me dejé caer en una silla. Hardy puso delante de mí una pila de libros, un montón de papeles cuadriculados y tres lápices recién afilados. Después se dirigió a la cocina y regresó con una taza de café con mucho azúcar y crema de leche. A mi madre le gustaba el café, pero yo no podía soportarlo.

—A mí no me gusta el café —refunfuñé.

—Esta noche sí —replicó él—. Empieza a beber.

La combinación de la cafeína, el silencio y la inquebrantable paciencia de Hardy produjeron en mí un milagro. Hardy repasó conmigo, de una forma metódica, las lecciones que entraban en el examen, resolvió problemas para que yo viera cómo se solucionaban y respondió a mis preguntas una y otra vez. Yo aprendí en una tarde más de lo que había aprendido durante semanas de clases de matemáticas. De una forma gradual, la maraña de conceptos que me había agobiado tanto me resultó más y más comprensible.

A media tarde, Hardy se tomó un descanso para realizar un par de llamadas telefónicas. La primera fue para encargar una pizza de tamaño familiar de salchichón que nos traerían al cabo de cuarenta y cinco minutos. La segunda resultó mucho más interesante. Yo me incliné sobre un libro y una hoja de papel milimetrado simulando estar absorta en la resolución de un logaritmo mientras Hardy se alejaba de la mesa y hablaba en voz baja.

—... Esta noche no puedo. No, estoy seguro. —Hardy guardó silencio mientras la persona que había al otro lado de la línea contestaba—. No, no puedo explicártelo. Es importante... Tendrás que aceptar mi palabra...

Su interlocutora debió de expresar alguna que otra queja, porque Hardy añadió algo con voz tranquilizadora y dijo «cariño» un par de veces.

Cuando finalizó la llamada, Hardy regresó a mi lado con una deliberada expresión de hermetismo en el rostro. Yo sabía que debería sentirme culpable por truncar sus planes para la noche, sobre todo si incluían una chica, pero no me sentía mal por ello. De hecho, reconocí para mis adentros que era una persona ruin y despreciable, pues no podía sentirme mejor por cómo evolucionaban las cosas.

Continuamos con las matemáticas con las cabezas muy juntas. Estábamos a cubierto en la casa mientras la oscuridad se desplegaba en el exterior. Me resultaba extraño que mi hermana no estuviera cerca, pero al mismo tiempo constituía un alivio.

Cuando nos trajeron la pizza, la comimos deprisa doblando los humeantes triángulos para evitar que se cayeran los viscosos hilos de queso.

—Por cierto —declaró Hardy de una forma demasiado casual—, ¿todavía sales con Gill Mincey?

Yo no había hablado con Gill desde hacía meses, no porque tuviera algo contra él, sino porque nuestra frágil relación se había desvanecido al inicio del verano. Yo sacudí la cabeza.

—No, ahora sólo somos amigos. ¿Y tú? ¿Sales con alguien?

—Con nadie en especial. —Hardy bebió un trago de té helado y me miró de una forma pensativa—. Liberty, ¿has hablado con tu madre acerca del tiempo que pasas con tu hermana?

—¿Qué quieres decir?

Él me lanzó una mirada reprobatoria.

—Ya sabes a qué me refiero: al tiempo que dedicas a cuidarla, al hecho de que te levantes con ella por las noches... Parece que sea tu hija en lugar de tu hermana. Es mucho trabajo para ti y necesitas tiempo para ti misma... Divertirte, salir con tus amigas... y amigos. —Hardy alargó el brazo y acarició mi ruborizada mejilla con el pulgar—. ¡Se te ve tan cansada! —murmuró—. Hace que sienta deseos de...

Hardy se interrumpió y se tragó las últimas palabras.

Una oleada de silencio surgió entre nosotros, agitación en la superficie y mar de fondo en las profundidades. ¡Quería contarle tantas cosas! El preocupante distanciamiento entre mi madre y mi hermana y la culpabilidad que sentía mientras me preguntaba si era yo quien había alejado a Carrington de mi madre o si sólo estaba ocupando un vacío. Quería hablarle de mis ardientes deseos y del miedo que experimentaba al pensar que nunca amaría a nadie como a él.

—Ya es hora de ir a buscar a tu hermana —declaró Hardy.

—Está bien. —Yo lo observé mientras él se dirigía a la puerta—. Hardy...

—¿Qué?

Él se detuvo sin volverse a mirarme.

—Yo... —Mi voz tembló y tuve que inhalar hondo para poder continuar—. No siempre seré demasiado joven para ti.

Él continuó de espaldas a mí.

—Cuando seas bastante mayor para mí, ya me habré ido.

—Te esperaré.

—No quiero que me esperes.

La puerta se cerró con un suave «clic».

Yo tiré a la basura la caja vacía de la pizza y los vasos de plástico y limpié la mesa y las encimeras de la cocina. Volvía a sentirme cansada, pero ahora tenía razones para creer que sobreviviría al día siguiente.

Hardy regresó con Carrington, quien estaba tranquila y bostezaba. Yo corrí a cogerla.

—¡Cariño! ¡Mi pequeña y dulce Carrington! —la arrullé.

Ella adoptó su postura habitual sobre mi hombro y sentí el dulce peso de su cabeza junto al cuello.

—Se encuentra bien —declaró Hardy—. Probablemente necesitaba descansar de ti tanto como tú de ella. Mi madre y Hannah la han bañado y le han dado un biberón y ahora está lista para dormir.

—¡Estupendo! —exclamé de corazón.

—Tú también necesitas dormir. —Hardy me acarició el rostro y deslizó el pulgar por el arco de mi ceja—. El examen te saldrá bien, guapa. Sólo tienes que estar tranquila. Resuelve los problemas paso a paso y lo conseguirás.

—Gracias —respondí yo—. No tenías por qué hacer todo esto. No sé por qué lo has hecho. Yo...

Él apoyó con ligereza las yemas de los dedos en mis labios.

—Liberty —susurró—, ya sabes que yo haría cualquier cosa por ti.

Yo tragué saliva con dificultad.

—Pero... te mantienes alejado de mí.

Hardy sabía lo que yo quería decir.

—Eso también lo hago por ti.

Hardy bajó con lentitud la cabeza y su frente se apoyó en la mía mientras Carrington permanecía entre ambos.

Yo cerré los ojos y pensé: «Permíteme quererte, Hardy, sólo deja que te quiera.»

—Si alguna vez necesitas ayuda, llámame —susurró Hardy—. Puedo estar para ti de esta forma, como amigo.

Yo volví el rostro hasta que mis labios rozaron la piel rasurada de su mejilla. Él contuvo el aliento y no se movió. Yo deslicé la boca por su piel suave y por su firme mandíbula disfrutando de su textura. Permanecimos de aquella manera durante unos segundos, sin llegar a besarnos, envueltos cada uno en la cercanía del otro. Yo nunca había experimentado nada parecido con Gill ni con ningún otro chico. Mis huesos se convirtieron en gelatina y mi cuerpo se estremeció con unos anhelos que no tenían punto previo de referencia. Querer a Hardy era distinto a querer a cualquier otra persona.

Perdida en el momento, reaccioné con lentitud cuando oí que la puerta se abría. Mi madre había regresado. Hardy se separó de mí con rostro inexpresivo, aunque el aire estaba cargado de emoción.

Mi madre entró en la casa con la chaqueta, las llaves y una caja del restaurante en los brazos. Con una sola mirada, captó la escena y sonrió.

—Hola, Hardy. ¿Qué haces aquí?

Yo intervine antes de que él pudiera responder.

—Me ha ayudado a estudiar para el examen de matemáticas. ¿Cómo ha ido la cena, mamá?

—Bien. —Mi madre dejó las cosas en la encimera de la cocina y se acercó para coger a Carrington, quien, cabeceando y con la cara sonrosada, protestó por el cambio de brazos—. ¡Chsss! —siseó mi madre, y la meció hasta que Carrington se calló.

Hardy susurró un adiós y se dirigió hacia la puerta.

Mi madre declaró con un tono de voz cuidadosamente estudiado:

—Hardy, te agradezco que hayas venido a ayudar a Liberty con el examen, pero creo que no deberías estar a solas con mi hija.

Yo contuve el aliento. ¡Que mi madre obstaculizara, de una forma deliberada, mi relación con Hardy cuando no habíamos hecho nada malo me pareció un acto descomunal de hipocresía dado que provenía de una mujer que acababa de tener a una hija sin padre! Yo quería decirle aquello y cosas peores, pero Hardy se me adelantó mientras clavaba una mirada sombría en los ojos de mi madre.

—Creo que tiene usted razón.

Y salió de la casa.

Yo quería gritarle a mi madre y lanzarle palabras como dardos. Era una egoísta y quería que yo pagara la infancia de Carrington con la mía propia. Ella tenía celos de que alguien cuidara de mí mientras en su vida no había ningún hombre. Y no era justo que saliera tanto con sus amigas, cuando debería desear quedarse en casa con su hija recién nacida. Yo tenía tantas ganas de decirle todo aquello que casi me atraganté por todas aquellas palabras no expresadas. Sin embargo, guardarme la rabia para mí siempre ha formado parte de mi manera de ser, como una lagartija que se muerde su propia cola.

—Liberty... —empezó mi madre con dulzura.

—Me voy a la cama —la interrumpí yo. No quería oír su opinión acerca de lo que era mejor para mí—. Mañana tengo un examen.

Me dirigí a mi habitación con pasos largos y cerré la puerta con un cobarde medio portazo, aunque tendría que haber tenido suficiente coraje para dar un portazo en toda regla. Pero al menos experimenté una fugaz aunque maliciosa satisfacción al oír que Carrington lloraba.

8

Conforme el año avanzaba, empecé a medir el paso del tiempo no por las señales de mi crecimiento, sino por las del de Carrington: la primera vez que giró sobre sí misma, la primera vez que se sentó sola, la primera vez que comió sémola de arroz con zumo de manzana, su primer corte de pelo, su primer diente... Yo siempre era la primera a la que daba la bienvenida con los brazos levantados y un beso húmedo y pegajoso. Al principio mi madre se sentía entre divertida y desconcertada, pero al final todo el mundo aceptó su predilección por mí como algo natural.

El vínculo entre Carrington y yo era más íntimo que el de unas hermanas; se parecía más al vínculo entre madre e hija. Pero no era el resultado de una elección o algo intencionado, simplemente era así. Resultaba lógico que yo fuera con mi madre y Carrington a las citas con el pediatra, pues yo estaba más familiarizada con los problemas y costumbres de mi hermana. Cuando tenían que vacunarla, mi madre se retiraba a un rincón de la habitación mientras yo sujetaba los brazos y las piernas de Carrington en la camilla del doctor.

—Hazlo tú, Liberty —pedía mi madre—. Ella no se resistirá tanto si tú la sujetas.

Yo contemplaba con fijeza los ojos llorosos de mi hermana y me estremecía al oír sus gritos escandalosos mientras la enfermera inyectaba la vacuna en su muslo pequeño y regordete. Entonces colocaba mi cabeza junto a la suya y susurraba en su enrojecida oreja:

—Ojalá pudiera cambiarme por ti. Ojalá pudieran pincharme a mí en lugar de a ti. Si fuera posible, aceptaría que me pincharan cien veces.

Después, la consolaba y la apretaba contra mi pecho hasta que dejaba de sollozar y enganchaba, de una forma ceremoniosa, una pegatina que decía «He sido una buena paciente» en el centro de su camiseta.

Nadie, ni siquiera yo, podía decir que mi madre no era una buena madre para Carrington. Ella siempre se mostraba atenta y afectuosa con mi hermana. Se aseguraba de que fuera bien vestida y tuviera todo lo que necesitaba. Sin embargo, el inquietante distanciamiento entre ambas continuaba y a mí me preocupaba que mi madre no sintiera tanto cariño por Carrington como yo.

Le conté a Miss Marva mis preocupaciones y su respuesta me sorprendió.

—Esto no es nada extraño, Liberty.

—¿Ah, no?

Miss Marva removió la cera aromatizada de una olla que estaba calentando en el fogón de la cocina para verterla en una serie de frascos de boticario.

—No es cierto eso que dicen de que una madre quiere a todos sus hijos por igual —declaró con placidez—. Eso es mentira. Siempre hay un favorito y tú eres la favorita de tu madre.

—Pues yo quiero que Carrington sea su favorita.

—Tu madre la querrá más y más con el tiempo. No siempre se trata de un amor a primera vista. —Miss Marva sumergió un cucharón de acero inoxidable en la olla y lo sacó rebosante de cera azul cielo—. A veces, tienen que irse conociendo.

—¡Pues no debería tardar tanto tiempo! —protesté yo.

Miss Marva se echó a reír y sus mejillas temblaron.

—A veces se tarda toda una vida, Liberty.

Por primera vez, su risa no fue un signo de alegría. Sin preguntárselo, supe que Miss Marva estaba pensando en su propia hija, una mujer llamada Marisol que vivía en Dallas y que nunca venía a visitarla. En cierta ocasión, Miss

Marva me describió a Marisol, quien era el producto de un antiguo y breve matrimonio. Miss Marva me contó que era un alma atormentada, con tendencia a las adicciones, las obsesiones y las relaciones con hombres de carácter débil.

—¿Qué fue lo que la hizo ser así? —le pregunté a Miss Marva cuando me contó cómo era su hija.

Yo esperaba que expusiera unas razones lógicas con la misma precisión con la que colocaba la masa de las galletas en la bandeja del horno.

—Dios la hizo ser así —respondió Miss Marva con sencillez y sin amargura.

De su respuesta y de otras conversaciones que mantuvimos, deduje que, frente al dilema de si el carácter de una persona era una cuestión de nacimiento o de educación, ella estaba completamente a favor de la primera opción. En cuanto a mí, yo no estaba tan segura.

Siempre que sacaba a Carrington de paseo, las personas con las que nos cruzábamos creían que era hija mía, a pesar de que yo tenía la piel tostada y el cabello negro y ella era clara como los pétalos de una margarita.

—¡Qué jóvenes empiezan! —oí que exclamaba una mujer detrás de mí un día mientras yo empujaba el carrito de Carrington por el centro comercial de Welcome.

Una voz masculina contestó con un desagrado patente:

—¡Mexicanas! ¡Tendrá una docena antes de cumplir los veinte! ¡Y todos vivirán a costa de nuestros impuestos!

—¡Chsss, no hables tan alto! —le reprendió la mujer.

Yo aceleré el paso y entré en la primera tienda que me encontré con el rostro ardiendo de rabia y de vergüenza. Aquél era el estereotipo que nos aplicaban: las mexicanas teníamos relaciones sexuales tempranas y frecuentes, criábamos como conejas, teníamos un carácter tormentoso y nos encantaba cocinar. De vez en cuando, en las estanterías de la entrada del supermercado había unas circulares con la fotografía y la descripción de varias mujeres mexicanas a las que ofrecían como futuras esposas. «A estas preciosas damas les encanta ser mujeres —explicaba la circular—. No están interesadas en competir con los hombres. Una esposa mexicana, con sus valores tradicionales, les pondrá a usted y a su carrera por encima de todo. A diferencia de sus congéneres norteamericanas, las mexicanas se sienten satisfechas con un estilo de vida modesto, siempre que no se las maltrate.»

Y se pensaba lo mismo de las texanas de ascendencia mexicana que vivíamos cerca de la frontera. Yo esperaba que ningún hombre cometiera el error de creer que yo me sentiría feliz poniéndolos a él y a su profesión por encima de todo lo demás.

Mi penúltimo año de instituto transcurrió con rapidez. La actitud de mi madre había mejorado de una forma considerable gracias a los antidepresivos que el doctor le había prescrito. Recuperó su figura y su buen humor y el teléfono volvió a sonar con frecuencia. Eran raras las ocasiones en las que mi madre traía a casa a sus citas y casi nunca pasaba una noche fuera. Sin embargo, continuaron aquellas extrañas desapariciones en las que estaba fuera un día entero y regresaba sin dar la menor explicación. Después de estas escapadas, mi madre siempre estaba tranquila y extrañamente relajada, como si acabara de volver de unos días de ayuno y oración. A mí no me importaba que se fuera, pues parecía sentarle bien y yo podía cuidar de Carrington sola.

Intenté depender de Hardy lo menos posible, porque vernos nos producía más frustración e infelicidad que placer. Hardy había decidido tratarme como si fuera su hermana menor y yo intenté cumplir con sus expectativas, pero aquel fingimiento me resultaba incómodo y difícil.

Hardy estaba ocupado limpiando terrenos y realizando otros trabajos manuales que endurecieron su cuerpo y su espíritu. El pícaro brillo de sus ojos había dado paso a una mirada apagada y rebelde. La falta de expectativas, el hecho de que los otros chicos de su edad fueran a la universidad, mientras que él no parecía ir a ninguna parte, lo estaban consumiendo. Los chicos que se encontraban en la situación de Hardy tenían pocas alternativas después de terminar el colegio: o encontraban un empleo en la industria petroquímica, en Sterling o Valero, o trabajaban de peones camineros.

Cuando yo me graduara, mis opciones no serían mucho mejores. Yo no tenía ninguna habilidad especial que me permitiera conseguir una beca para una universidad y, hasta entonces, ni siquiera había trabajado durante los veranos, de modo que no disponía de ningún tipo de experiencia que pudiera hacer constar en mi currículum.

—Eres buena con los niños —dijo mi amiga Lucy—. Podrías trabajar en un parvulario o como ayudante de profesora en un colegio de primaria.

—Sólo soy buena con Carrington —respondí yo—. No creo que me gustara cuidar a los niños de otras personas.

Lucy había analizado mis posibles profesiones futuras y había decidido que tenía que estudiar estética.

—Te encanta maquillar y peinar —argumentó Lucy.

En esto tenía razón, pero estudiar estética resultaba caro y me pregunté cómo reaccionaría mi madre si le pidiera miles de dólares para mi formación. También me pregunté qué planes o ideas tenía ella para mi futuro, si es que tenía alguno. Lo más probable era que no tuviera ningún plan, pues mi madre vivía al momento, de modo que aparqué aquella idea y la guardé para cuando mi madre estuviera bien predispuesta hacia el tema.

Llegó el invierno y empecé a salir con un chico llamado Luke Bishop, que era hijo del dueño de un concesionario automovilístico. Luke jugaba en el equipo de fútbol, de hecho ocupaba el puesto de defensa que Hardy había dejado el año anterior, cuando se lesionó la rodilla. Pero Luke no pensaba utilizar el fútbol para continuar con sus estudios, pues la situación financiera de su familia le permitiría acceder a cualquier universidad que eligiera. Luke era atractivo, moreno y de ojos azules y físicamente se parecía tanto a Hardy que enseguida me sentí atraída por él.

Conocí a Luke en una fiesta de Santa Claus justo antes de Navidad. La fiesta formaba parte de la campaña anual que el departamento de policía organizaba a fin de recolectar juguetes para las familias pobres. Durante la mayor parte del mes de diciembre, se recogían y se clasificaban los juguetes y el 21 de diciembre se envolvían durante una fiesta que se celebraba en la comisaría local. Todo el mundo podía presentarse como voluntario para colaborar. El entrenador de fútbol había ordenado a los jugadores que participaran en lo que pudieran, ya fuera recolectando juguetes, envolviéndolos durante la fiesta o entregándolos a los niños el día antes de Navidad.

Yo asistí a la fiesta con mi amiga Moody y su novio, Earl Jr., el hijo del carnicero. En la fiesta debía de haber, como mínimo, cien personas y había montañas de juguetes colocadas alrededor de las mesas. De fondo sonaba una música navideña. En un rincón había unos termos de acero inoxidable llenos de café y cajas de galletas espolvoreadas con azúcar. De pie en una hilera de personas que envolvían paquetes y con un gorro de Santa Claus que alguien me había colocado en la cabeza, yo me sentía como un elfo de Navidad.

Había tanta gente cortando papel y rizando cinta de envolver que las tijeras que nos habían proporcionado resultaban insuficientes. En cuanto alguien dejaba unas en la mesa, enseguida otra persona se lanzaba a cogerlas. Yo esperaba con impaciencia mi oportunidad junto a un montón de juguetes sin envolver y con un rollo de papel de rayas rojas y blancas. Alguien dejó unas tijeras en la mesa y yo alargué el brazo para cogerlas, pero otra persona se me adelantó y, sin querer, mis dedos agarraron la mano masculina que había sido más rápida que yo. Levanté la mirada y me encontré con unos sonrientes ojos azules.

—¡Primero! —exclamó el chico y con la mano libre apartó de mi rostro el extremo del gorro de Santa Claus.

Nos pasamos el resto de la noche juntos, hablando,

riendo y señalando los juguetes que creíamos que le gustarían al otro. Él escogió una muñeca repollo con el pelo rizado para mí y yo elegí una nave de combate de la Guerra de las Galaxias para él. Hacia el final de la noche, Luke me había pedido una cita.

Luke tenía muchas cosas buenas. Estaba en un término medio en el buen sentido: era inteligente, pero no un empollón, atlético, pero sin ser demasiado musculoso. Tenía una sonrisa bonita, aunque no era la de Hardy; sus profundos ojos azules no tenían la expresividad de los de Hardy y su cabello oscuro era áspero y rizado, en lugar de suave como la piel del visón, que era como lo tenía Hardy. Luke tampoco era fornido ni de espíritu inquieto, como Hardy, pero, en otros aspectos se parecían, pues ambos eran altos, físicamente seguros de sí mismos y muy masculinos.

En aquella época, yo me sentía especialmente vulnerable a las atenciones masculinas. Todas las demás personas, en el pequeño mundo de Welcome, parecían estar emparejadas. Incluso mi madre tenía más citas que yo. Y allí estaba aquel chico, parecido a Hardy, pero sin su complejidad, y estaba disponible.

Luke y yo empezamos a vernos a menudo, de modo que los demás chicos consideraron que formábamos una pareja y dejaron de pedirme para salir. A mí me gustaba la seguridad que proporcionaba estar en pareja. Me gustaba tener a alguien con quien encontrarme entre clase y clase, alguien con quien comer, alguien que me llevara a tomar una pizza después del partido de los viernes por la noche.

La primera vez que Luke me besó, me decepcionó descubrir que sus besos no tenían nada que ver con los de Hardy. Luke acababa de acompañarme a casa después de una cita y, antes de que yo bajara del coche, se inclinó hacia mí y presionó su boca contra la mía. Yo le devolví la presión mientras intentaba experimentar algún tipo de sensación, pero no sentí ni calor ni excitación, sólo la humedad de su boca y su lengua en el interior de la mía. Mi cerebro se mantuvo al margen de lo que le ocurría a mi cuerpo. Yo me sentí culpable e incómoda a causa de mi frialdad e intenté compensarla rodeando la nuca de Luke con mis brazos y besándolo con más intensidad.

A medida que íbamos saliendo, se produjeron más besos, abrazos y tentativas exploratorias. De una forma gradual, dejé de comparar a Luke con Hardy. Entre nosotros no había una magia misteriosa ni una conexión invisible de pensamientos y sensaciones. Luke no era el tipo de chico que pensara en profundidad y no tenía ningún interés en los lugares recónditos de mi corazón.

Al principio, mi madre no aprobó que saliera con un chico de último curso, pero cuando conoció a Luke le encantó.

—Parece un buen chico —me comentó después de conocerlo—. Estoy de acuerdo en que salgas con él, siempre que, por las noches, vuelvas como máximo a las once y media.

—Gracias, mamá. —Yo me sentía agradecida por el hecho de que me hubiera otorgado su permiso, pero una rebeldía interior me impulsó a añadir—: Sólo es un año menor que Hardy, ¿sabes?

Ella comprendió mi velada insinuación.

—No es lo mismo.

Yo sabía a qué se refería.

Con diecinueve años, Hardy era más hombre de lo que muchos serían en toda su vida. Al no contar con la presencia de un padre, Hardy había asumido la responsabilidad de cuidar de su familia, mantenía a su madre y a sus hermanas y trabajaba duro para garantizar su supervivencia. Luke, por su parte, era un chico mimado y protegido y tenía plena confianza en que las cosas siempre le resultarían fáciles.

Si no hubiera conocido a Hardy antes, es posible que Luke me hubiera atraído más, pero ya era demasiado tarde para esto. Mis emociones se habían amoldado a Hardy como el cuero mojado que se ha dejado secar y endurecer al sol, por lo que cualquier intento de cambiarlo de forma lo rompería.

Una noche, Luke me llevó a una fiesta que se celebraba en la casa de un chico cuyos padres estaban fuera durante el fin de semana. La casa estaba llena de chicos y chicas de último curso y busqué en vano un rostro que me resultara familiar.

El rock duro de Stevie Ray Vaughan retumbaba en el patio a través de los altavoces y unos vasos de plástico con un líquido naranja en su interior corrían de mano en mano. Luke me dio uno de esos vasos y me advirtió, medio riendo, que no me lo bebiera demasiado deprisa. Sabía a alcohol de noventa y seis grados aromatizado. Yo tomé los sorbos más pequeños posibles y los labios me escocieron al contacto con el cáustico licor. Mientras Luke charlaba con sus amigos, yo le pregunté dónde estaba el lavabo.

Con el vaso de plástico en la mano, entré en la casa simulando no ver a las parejas que se besuqueaban en las sombras y por los rincones. Encontré el lavabo, el cual, de una forma milagrosa, no estaba ocupado, y tiré la bebida en el retrete.

Cuando salí del lavabo, decidí tomar una ruta distinta para volver al jardín. Me resultaría más fácil, por no decir menos embarazoso, salir por la puerta principal y rodear la casa que volver a cruzarme con todas aquellas parejas amorosas. Pasé junto a la escalera de la entrada y vi un par de cuerpos entrelazados en las sombras.

Cuando reconocí a Hardy, quien rodeaba con los brazos a una rubia de largas extremidades, me sentí como si me hubieran atravesado el corazón con un cuchillo. Ella estaba sentada encima de uno de los muslos de Hardy y llevaba puesto un top ajustado de terciopelo negro que dejaba al descubierto su espalda y sus hombros. Hardy le había cogido el cabello con una mano y tiraba de él hacia atrás mientras deslizaba con lentitud los labios por un costado de su garganta.

Dolor, celos, deseo... Yo no sabía que se podían sentir tantas cosas al mismo tiempo y con tanta intensidad. Necesité toda mi voluntad para ignorarlos y continuar mi camino. Las piernas me flaquearon, pero yo seguí adelante.

Por el rabillo del ojo vi que Hardy levantaba la cabeza y me quise morir cuando me di cuenta de que me había visto. Yo giré, con mano temblorosa, el frío pomo de bronce de la puerta y salí de la casa.

Yo sabía que Hardy no vendría detrás de mí, pero aceleré el paso y al final me encontré corriendo y resoplando en dirección al jardín trasero. Quería olvidar lo que acababa de ver, pero la imagen de Hardy con la chica rubia quedaría grabada en mi memoria para siempre. Me sorprendió la rabia que sentí hacia él, la ardiente sensación de haber sido traicionada. No me importaba que él no me hubiera prometido nada, que no me debiera nada, Hardy era mío y así lo sentía en todas las células de mi cuerpo.

Al final conseguí encontrar a Luke entre la multitud del jardín y él me miró con una sonrisa inquisitiva; era imposible que no percibiera mis mejillas encendidas.

—¿Qué te ocurre, muñeca?

—Se me ha caído la bebida —contesté con voz grave.

Él se echó a reír y me rodeó los hombros con su sólido brazo.

—Te traeré otra.

—No, yo... —Me puse de puntillas y le susurré cerca del oído—: ¿Te importa si nos vamos ya?

—¿Ya?, pero si acabamos de llegar.

—Quiero estar a solas contigo —susurré con desesperación—. ¡Por favor, Luke! Llévame a otro lugar. A donde sea.

La expresión de Luke cambió. Yo sabía que se preguntaba si mi repentino deseo de estar a solas con él significaba lo que él creía que significaba.

Y la respuesta era que sí. Yo quería besarlo, abrazarlo y hacer con él todo lo que Hardy estaba haciendo con aquella chica en aquel momento. No como resultado del deseo, sino por despecho y dolor. Yo no podía recurrir a nadie más. Mi madre consideraría que mis sentimientos eran infantiles, y quizá lo fueran, pero no me importaba; nunca había sentido una rabia devoradora como aquélla antes y mi única ancla era el peso del brazo sólido de Luke.

Luke me llevó al parque público, en el que había un estanque artificial y varios bosquecillos. En uno de los lados del estanque había una glorieta destartalada con unos bancos de madera astillada. Las familias solían ir allí de picnic, pero en aquel momento la glorieta estaba vacía y a oscuras. El aire estaba cargado con los sonidos nocturnos; se oía una orquesta de ranas entre las aneas, el canto de los cenzontes y el aleteo de las garzas.

Justo antes de irnos de la fiesta, me bebí de un trago lo que quedaba del tequila sunrise de Luke. La cabeza me daba vueltas y me tambaleaba entre oleadas de vértigo y náuseas. Luke extendió su chaqueta encima de uno de los bancos de la glorieta, me sentó en su regazo y me besó con labios húmedos y ansiosos. Yo percibí la intención de su beso, el mensaje de que aquella noche iría tan lejos como yo se lo permitiera.

Luke deslizó su suave mano por debajo de mi camisa y a lo largo de mi espalda y tiró del cierre de mi sujetador. Éste se aflojó alrededor de mi pecho. Sin perder tiempo, Luke movió la mano hacia delante, encontró la blanda curvatura de uno de mis pechos y lo apretó con impaciencia. Yo hice un gesto de dolor y él aflojó un poco la mano mientras se disculpaba con una risa nerviosa:

—Lo siento, muñeca, es que... eres tan guapa que me vuelves loco.

Luke frotó con el pulgar la punta de mi pecho y pellizcó y restregó mis pezones con insistencia mientras nuestras bocas se movían juntas en unos besos largos e ininterrumpidos. Mis pezones enseguida estuvieron irritados y escocidos. Yo abandoné toda esperanza de sentir placer e intenté simularlo. Si algo iba mal, era culpa mía, porque Luke era un chico experimentado.

Luke me tumbó encima de su chaqueta mientras yo me sentía como una espectadora, seguramente a causa del tequila. El impacto de la madera contra mis hombros desató una sensación de pánico en mi estómago, pero la ignoré y me relajé.

Luke me desabrochó los pantalones, los bajó por mis

caderas y me sacó una pernera. Yo vislumbré un trozo de cielo más allá del tejado de la glorieta. Era una noche nebulosa, sin luna ni estrellas. La única luz que se percibía era el distante resplandor azul de una farola que parpadeaba entre una nube de mariposas de la luz.

Como cualquier adolescente, Luke apenas sabía nada acerca de las sutiles zonas erógenas del cuerpo de una mujer. Yo todavía sabía menos que él y, como era demasiado tímida para explicarle lo que me gustaba y lo que no, permití que hiciera lo que quisiera. Yo no tenía ni idea de dónde poner las manos. Noté que Luke deslizaba la mano por dentro de mis bragas, donde el vello estaba caliente y aplastado. Luke volvió a restregar mi piel y frotó con aspereza unas cuantas veces la zona más sensible, hasta que yo di un brinco. Él confundió mi incomodidad con placer y soltó una risita de excitación.

Luke se echó sobre mí con su cuerpo grande y pesado y mis piernas rodearon las suyas con rigidez. Luke se desabrochó los tejanos y utilizó ambas manos para realizar algo a toda prisa. Yo oí el crujido de un plástico y noté que Luke tiraba de algo y se lo colocaba. Después sentí su miembro tenso y cabeceante contra la zona interior de mi muslo.

Luke arrugó mi camisa y mi sujetador por debajo de mi barbilla y succionó mi pecho con nerviosismo. Yo pensé que habíamos ido demasiado lejos para detenerlo, que, llegados a aquel punto, no tenía derecho a decir que no y deseé que todo aquello acabara, que Luke terminara pronto. Mientras tenía estos pensamientos, la presión que sentía entre mis piernas se volvió dolorosa. Yo me puse en tensión, apreté los dientes y miré a Luke a los ojos. Él no me devolvió la mirada, estaba concentrado en lo que estaba haciendo, no en mí. Yo me había convertido en el mero instrumento que iba a proporcionarle alivio. El miembro de Luke presionó con fuerza mi resistente carne y un sonido de dolor escapó de mis labios.

Tras unos cuantos empujones dolorosos y con el condón mojado de sangre, Luke se dejó caer sobre mí con un estremecimiento y soltó un gemido.

—¡Oh, cariño, ha sido fantástico!

Yo continué abrazándolo, pero sentí una oleada de repulsión cuando él me besó en el cuello y noté el calor de su aliento en mi piel. Ya tenía bastante. Él ya me había tenido bastante, y yo necesitaba volver a pertenecerme a mí misma. Cuando Luke se separó de mí, me sentí aliviada más allá de toda medida. La carne me escocía y estaba al rojo vivo.

Nos vestimos en completo silencio. Yo había mantenido los músculos tan tensos, que cuando por fin me relajé me puse a temblar y los dientes me castañetearon.

Luke me acercó a él y me dio unas palmaditas en la espalda.

—¿Te arrepientes? —me preguntó en voz baja.

Él no se esperaba que le dijera que sí y no lo hice. En cierta manera, me parecía de mala educación y, además, no cambiaría nada. Lo que estaba hecho, hecho estaba. Pero quería irme a casa. Quería estar sola. Sólo entonces podría clasificar los cambios que se habían producido en mí.

—No —mascullé junto a su hombro.

Él me dio unas cuantas palmaditas más en la espalda.

—La próxima vez será mejor, te lo prometo. Mi última novia también era virgen y no le gustó hasta después de unas cuantas veces.

Yo me puse un poco en tensión. A ninguna chica le gustaría oír hablar a su pareja de su antigua novia en un momento como aquél. Y aunque no me sorprendió que Luke hubiera practicado el sexo con una chica virgen antes, me dolió. Parecía desvalorizar lo que yo le había dado. Como si para él ser el primer amante de una chica fuera algo habitual; Luke, el chico sobre el que se lanzaban las chicas vírgenes.

—Por favor, llévame a casa. ¡Estoy tan cansada! —declaré.

—¡Claro, cariño!

Durante el trayecto a Bluebonnet Ranch Luke condujo con una mano y sostuvo la mía con la otra mientras le daba pequeños y ocasionales apretones. Yo no estaba segura de si me estaba reconfortando o si me estaba pidiendo que lo reconfortara, de modo que yo le devolví el apretón en todas las ocasiones. Luke me preguntó si quería cenar con él al día siguiente y le contesté que sí de una forma automática.

Charlamos un poco, aunque me sentía demasiado aturdida para saber qué decía. Pensamientos aleatorios cruzaron mi mente de una forma rápida y entrecortada. Estaba aterrorizada al pensar en lo mal que me iba a sentir cuando el aturdimiento desapareciera e intentaba convencerme en silencio de que no existía ninguna razón para que me sintiera así. Otras chicas de mi edad se acostaban con sus novios. Lucy lo había hecho, y Moody estaba considerando seriamente esa posibilidad; por tanto, ¿qué pasaba si yo lo había hecho? Yo seguía siendo la misma, me repetía una y otra vez. La misma.

Ahora que lo habíamos hecho una vez, ¿lo haríamos siempre? ¿Luke esperaría que todas nuestras citas terminaran en sexo? Yo literalmente me encogí sólo de pensarlo. Sentía escozor y temblores en lugares insospechados y tensión en los muslos. «Con Hardy habría sido igual —me dije a mí misma—; el dolor, los olores, las reacciones corporales... habrían sido los mismos».

El coche se detuvo delante de mi casa y Luke me acompañó hasta la puerta. Parecía querer quedarse un rato. Yo, desesperada por librarme de él, desplegué grandes muestras de afecto: lo abracé con fuerza, lo besé en los labios, y también en la mandíbula y la mejilla. Mis muestras de afecto parecieron restaurar su autoconfianza. Luke sonrió y nos despedimos.

—Adiós, muñeca.

—Adiós, Luke.

Mi madre había dejado encendida una de las luces del salón, pero, afortunadamente, ella y Carrington estaban dormidas. Yo cogí mi pijama, lo llevé al lavabo y me tomé la ducha más caliente que pude soportar. Mientras permanecía debajo del chorro de agua hirviendo, froté con fuerza las manchas rojas de mis piernas. El calor calmó los dolores debidos a la tensión y dejé que el agua cayera sobre mí hasta que ya no quedó ningún rastro de Luke sobre mi piel. Cuando salí de la ducha, parecía que me hubieran dado un hervor.

Me puse el pijama y me fui a la habitación, donde Carrington empezaba a agitarse en la cuna. Yo, con una sensación de ardor entre las piernas, corrí a preparar un biberón. Cuando regresé al dormitorio, Carrington ya estaba despierta, aunque en esta ocasión no lloraba, sino que me esperaba con paciencia, como si supiera que yo necesitaba algo de tolerancia. Camino de la mecedora, ella alargó sus rechonchos bracitos y me rodeó el cuello con ellos.

Carrington olía a champú y a crema para bebés. Olía a inocencia. Su cuerpecito se acomodó al mío con exactitud y sus dedos tamborilearon sobre la mano con la que yo sujetaba el biberón. Sus ojos verdeazulados se fijaron en los míos y yo balanceé la mecedora con lentitud, como a ella le gustaba. Con cada balanceo, la tensión que experimentaba en el pecho, en la garganta y en la cabeza se fue desvaneciendo y las lágrimas brotaron por los bordes de mis párpados. Nadie más en la Tierra, ni mi madre, ni siquiera Hardy, podría haberme consolado como lo hizo Carrington. Agradecida por el alivio que me proporcionaban las lágrimas, seguí llorando mientras alimentaba a mi hermana.

En lugar de volver a dejar a Carrington en la cuna, la metí en la cama conmigo, en el lado de la pared. Miss Marva me había advertido que no hiciera esto nunca, pues, según ella, Carrington nunca más querría dormir sola en la cuna.

Como de costumbre, Miss Marva tenía razón. Desde aquella noche, Carrington insistió en dormir conmigo y estallaba en berridos cada vez que yo intentaba ignorar su petición. La verdad es que a mí me encantaba dormir con ella; las dos abrazadas debajo de la colcha estampada con rosas. Yo pensé que, si yo la necesitaba a ella y ella me necesitaba a mí, como hermanas teníamos derecho a consolarnos la una a la otra.

9

Luke y yo no dormíamos juntos con frecuencia, tanto por la falta de oportunidades, pues ninguno de los dos disponía de casa propia, como por el hecho de que resultaba obvio que, por mucho que disimulara, yo no disfrutaba. Sin embargo, nunca hablábamos de esta cuestión de una forma directa. Siempre que nos acostábamos, Luke intentaba cosas distintas, pero nada de lo que hacía daba resultado. Yo no podía explicarle, ni a él ni a mí misma, por qué era un fracaso en la cama.

—Es curioso —comentó Luke una tarde mientras estábamos echados en su cama después de las clases. Sus padres se habían ido a pasar el día a San Antonio y la casa estaba vacía—, eres la chica más guapa y más sexy de todas con las que he estado, y no entiendo por qué no puedes...

Luke se interrumpió y apoyó la mano en mi cadera desnuda.

Yo sabía a qué se refería.

—Esto es lo que te ocurre por salir con una mexicana baptista —respondí yo.

Luke se rio y su pecho se agitó junto a mi oreja.

Yo le había confiado mi problema a Lucy, quien hacía poco que había roto con su novio y ahora salía con el subencargado de la cafetería.

—Tienes que salir con chicos más mayores —me aconsejó ella con determinación—. Los chicos del colegio no tienen ni idea. ¿Sabes por qué rompí con Tommy? Siempre me retorcía los pezones como si intentara encontrar una buena cadena de radio. ¡Háblame a mí de tíos malos en la cama! Dile a Luke que quieres salir con otros chicos.

—No será necesario, se va a Baylor dentro de quince días.

Luke y yo habíamos decidido que quizá resultaría poco práctico continuar saliendo de una forma exclusiva mientras él estudiaba en la universidad. En realidad no se trataba de una separación total, pues habíamos acordado que podía venir a verme cuando volviera a casa, durante las vacaciones.

Yo experimentaba sentimientos encontrados respecto a la marcha de Luke. Una parte de mí deseaba la libertad que recuperaría. Los fines de semana volverían a pertenecerme y no tendría que acostarme con él. Por otro lado, me sentiría sola sin él.

Decidí que volcaría toda mi atención y energías en Carrington y en los deberes escolares. Sería la mejor hermana, hija, amiga, estudiante..., el ejemplo perfecto de una joven responsable.

El Día del Trabajo fue un día húmedo. El cielo de la tarde se veía apagado por el vapor que se levantaba de la tierra abrasadora. Sin embargo, el calor no influyó en el número de asistentes al rodeo y la exhibición anual de ganado. El campo ferial estaba abarrotado de gente y contaba con un amplio despliegue de casetas de artesanía y de cuchillería y escopetas. Se podía montar en poni, contemplar las competiciones de caballos de tiro, ver los distintos modelos de tractores o pasear entre las numerosas hileras de casetas de comida. El rodeo tendría lugar a las ocho en una arena al aire libre.

Mi madre, Carrington y yo llegamos a las siete. Habíamos planeado cenar allí e ir a ver a Miss Marva, quien había alquilado una caseta para vender sus objetos de artesanía. Yo empujaba el carrito de Carrington por el polvoriento terreno y me reía al ver cómo ella movía la cabeza de un lado a otro mientras seguía con la mirada las ristras de luces de colores que se extendían por el interior de la carpa central de la comida.

Los asistentes a la feria iban vestidos con tejanos, cinturones pesados y camisas vaqueras de puños anchos, bolsillos con solapa y presillas de nácar. Al menos la mitad de los hombres llevaban puestos bonitos sombreros vaqueros blancos o negros de las marcas Stetson, Miller o Resistol. Las mujeres vestían tejanos ajustados o faldas con flecos y botas de piel labrada. Mi madre y yo nos habíamos decidido por los tejanos y habíamos vestido a Carrington con unos shorts tejanos que se abrochaban en la parte interior de las piernas. Yo le había comprado un sombrerito de vaquera rosa con una cinta que se ataba debajo de la barbilla, pero ella no dejaba de quitárselo para morder el ala con las encías.

Una mezcla de olores flotaba en el aire: colonia, olores corporales, tabaco, cerveza, fritos, animales, heno húmedo, polvo y maquinaria.

Mi madre y yo decidimos comer maíz frito, pincho de cerdo y patatas fritas. Otras casetas ofrecían encurtidos fritos, jalapeños fritos o bacon rebozado y frito. A los tejanos no se les ocurre que algunas cosas no tienen por qué pincharse en un palillo y freírse.

Yo le di a Carrington compota de manzana que llevaba en un frasco. De postre, mi madre compró pastelitos, que eran congelados, rebozados y fritos en aceite muy caliente hasta que el interior quedaba blando y medio derretido.

—Esto debe de tener un millón de calorías —declaró mi madre mientras daba un bocado al crujiente y dorado recubrimiento.

El relleno se desbordó y mi madre se echó a reír y se limpió la barbilla con una servilleta de papel.

Cuando terminamos de comer, nos limpiamos las manos con toallitas de bebé y nos dirigimos a la caseta de Miss Marva. Su cabello encarnado brillaba como una antorcha en la creciente oscuridad. Sus velas de lupino y las casetas para pájaros pintadas a mano no se vendían mucho, aunque sí con regularidad. Esperamos con calma a que terminara de darle el cambio a un cliente.

Oímos una voz a nuestras espaldas.

—¡Eh, hola!

Mi madre y yo nos dimos la vuelta y la expresión se me heló en el rostro cuando vi a Louis Sadlek, el propietario de Bluebonnet Ranch. Iba vestido con unos tejanos, unas botas de piel de serpiente y una corbata de cordón con un broche en forma de punta de flecha. Yo siempre me había mantenido a distancia de él, lo cual me resultó fácil, porque, en general, la oficina estaba vacía. Sadlek no sabía lo que era un horario regular de trabajo y se pasaba el tiempo bebiendo y holgazaneando por la ciudad. Si alguno de los residentes del campamento le pedía que arreglara algo, como un conducto de aguas residuales atascado o un bache en la calle principal del campamento, él prometía cuidarse de ello, pero nunca hacía nada al respecto. Quejarse a Sadlek constituía una pérdida de aliento.

Sadlek iba siempre bien arreglado, pero estaba hinchado y tenía pequeños capilares rotos por las crestas de sus mejillas, que eran como el entramado de grietas diminutas que hay en la superficie de las tazas de porcelana antiguas. Exhibía suficiente atractivo para que uno sintiera lástima por su belleza perdida.

Se me ocurrió que Sadlek era una versión adulta de los chicos a los que había conocido en las fiestas a las que Luke me había llevado. De hecho, Sadlek me recordaba un poco al mismo Luke, pues ambos despedían esa sensación de privilegio llovido del cielo.

—¡Hola, Louis! —respondió mi madre, quien había cogido a Carrington en brazos e intentaba soltar sus deditos de un mechón largo de su cabello.

Mi madre estaba tan guapa, con sus brillantes ojos verdes y su amplia sonrisa... que sentí un estremecimiento de malestar al ver la reacción de Sadlek.

—¿Quién es esta gordita? —preguntó él con un acento tan exagerado que casi no pronunció las consonantes.

Sadlek le hizo cosquillas a Carrington en la barbilla y ella sonrió abiertamente. Al ver el dedo de Sadlek junto a la piel inmaculada de mi hermana, sentí deseos de cogerla y salir corriendo como una exhalación—. ¿Ya habéis comido? —preguntó Sadlek a mi madre.

—Sí, ¿y tú? —contestó ella sin dejar de sonreír.

—Estoy lleno como una garrapata —contestó él mientras daba unas palmaditas en su abultado estómago.

Aunque no había nada ni remotamente gracioso en su comentario, para mi sorpresa mi madre se echó a reír y lo miró de una forma que envió un escalofrío por mi espalda. Su mirada, su postura, la forma en que colocó un mechón de su cabello detrás de su oreja..., todo constituía una invitación.

Yo no podía creerlo. Mi madre conocía la reputación de Sadlek tan bien como yo. Incluso se había reído de él delante de mí y de Miss Marva diciendo que era un campesino sureño y reaccionario que creía que era un gran partido. Mi madre no podía sentirse atraída por Sadlek, resultaba evidente que él no era bastante bueno para ella. Claro que tampoco lo era Flip, ni ninguno de los otros hombres con los que yo la había visto. Me pregunté cuál era el común denominador de todos ellos, el misterio que atraía a mi madre hacia los hombres equivocados.

En las zonas boscosas del este de Tejas, las plantas carnívoras atraen a los insectos con su reclamo de hojas amarillas con manchas rojas en forma de trompeta. Las trompetas están llenas de un líquido dulce que atrae a los insectos, pero cuando éstos entran en la trompeta, no pueden volver a salir. Una vez atrapados en el interior, los insectos se ahogan en el líquido dulzón y las plantas los digieren. Mientras contemplaba a mi madre y a Louis Sadlek, percibí el mismo tipo de alquimia, el falso reclamo, la atracción y el peligro posterior.

—Pronto empezará la monta de toros —explicó Sadlek—. Yo he reservado un palco en primera fila, ¿por qué no venís a verlo conmigo?

—No, gracias —respondí yo de inmediato.

Mi madre me lanzó una mirada reprobatoria. Yo sabía que mi respuesta había sido ruda, pero no me importaba.

—Nos encantará —respondió mi madre—, si el bebé no te molesta.

—Demonios, no, ¿cómo podría molestarme un bomboncito como éste?

Sadlek jugó con Carrington y le pellizcó el lóbulo de la oreja haciéndola reír y soltar gorgoritos.

Mi madre, quien normalmente era muy exigente con el lenguaje, no dijo nada respecto a que hubiera soltado una palabrota delante de mi hermanita.

—Yo no quiero ver la monta de toros —solté.

Mi madre exhaló un soplido exasperado.

—Liberty, si estás de mal humor, no la tomes con los demás. ¿Por qué no vas a ver si encuentras a alguna de tus amigas?

—Estupendo, me llevaré a Carrington.

Enseguida me di cuenta de que no tenía que haberlo dicho de aquella manera, con un deje posesivo en la voz. Si se lo hubiera pedido, mi madre me lo habría permitido. Sin embargo, ella entornó los ojos y declaró:

—Carrington estará bien conmigo. Ve tú. Nos encontraremos aquí dentro de una hora.

Yo me alejé de allí echando humo.

En el aire flotaba el agradable sonido de la batería y los instrumentos de cuerda de una banda que se preparaba para tocar en una pista cubierta cercana. Hacía una noche estupenda para bailar. Yo observé con el ceño fruncido a las parejas que se dirigían al entoldado enlazadas por la cintura o los hombros.

Deambulé por los tenderetes contemplando el despliegue de frascos de confituras, salsas, camisetas decoradas con bordados y lentejuelas y demás artículos y me detuve frente a un puesto de joyería. Las bandejas forradas de fieltro estaban llenas de colgantes y resplandecientes cadenas de plata.

Las únicas joyas que yo poseía eran unos pendientes de perlas de mi madre y una pulsera fina de oro que Luke me había regalado por Navidad. Yo dudaba entre varios colgantes: un pájaro con una turquesa engastada, una reproducción del estado de Tejas, la cabeza de un ciervo, una bota vaquera..., hasta que un armadillo de plata llamó mi atención.

Los armadillos han sido siempre mis animales favoritos. Son una auténtica plaga, excavan galerías en los jardines y junto a los cimientos de las casas. Además, son mudos. Lo mejor que se puede decir de su aspecto es que son tan feos que hacen gracia. El cuerpo de los armadillos es de diseño prehistórico. Están protegidos por un caparazón articulado y su diminuta cabeza asoma por delante como si alguien la hubiera pegado allí en el último momento. La evolución sencillamente se olvidó de los armadillos.

Pero no importa la insistencia con que son perseguidos y acosados, no importa lo mucho que las personas intentan atraparlos, ellos siguen saliendo, noche tras noche, a escarbar en busca de larvas y gusanos. Y, si no encuentran larvas o gusanos, se alimentan de plantas y bayas. Los armadillos constituyen el ejemplo perfecto de la perseverancia frente a la adversidad.

No hay maldad en los armadillos, sus dientes son todos molares y nunca se les ocurriría morder a alguien aunque pudieran hacerlo. Algunas personas de edad todavía los llaman «los cerdos de Hoover», por aquellos tiempos difíciles en los que el gobierno había prometido carne para todos y la gente se tuvo que conformar con lo que encontraba. Según me han dicho, la carne del armadillo sabe como la del cerdo, aunque yo no pienso comprobarlo.

Yo cogí el armadillo de plata y le pregunté a la vendedora cuánto costaba junto con una cadena para el cuello. Ella me contestó que costaba veinte dólares. Antes de que pudiera sacar el monedero, alguien, detrás de mí, le tendió a la vendedora un billete de veinte dólares.

—Yo lo pagaré —oí que decía una voz que me resultaba familiar.

Yo me di la vuelta tan deprisa que él tuvo que sujetarme por los codos para que no perdiera el equilibrio.

—¡Hardy!

La mayoría de los hombres, incluso los de aspecto mediocre, se parecen al hombre de Marlboro cuando van vestidos con unas botas vaqueras, unos tejanos que les sientan bien y un sombrero vaquero blanco. Esta combinación tiene el mismo efecto transformador que un esmoquin. Pero en un hombre como Hardy, este atuendo puede cortarte el aliento como un golpe en el pecho.

—No tienes por qué comprármelo —protesté yo.

—Hacía mucho tiempo que no te veía —comentó Hardy mientras cogía la cadena con el armadillo que le tendía la vendedora.

Hardy negó con la cabeza cuando ella le preguntó si quería un recibo y me indicó que me diera la vuelta. Yo le obedecí y levanté mi cabello. Los nudillos de sus dedos rozaron mi nuca y un estremecimiento de placer recorrió mi piel.

Gracias a Luke, yo estaba iniciada en el ámbito sexual, aunque no despierta. Había entregado mi inocencia con la esperanza de obtener consuelo, afecto, conocimiento..., pero mientras estaba allí con Hardy, comprendí la locura que constituía pretender sustituirlo por otro hombre. Luke no se parecía en nada a Hardy, salvo por una leve similitud física. Yo me pregunté con amargura si Hardy eclipsaría mis relaciones con los hombres durante el resto de mi vida, si me perseguiría como un fantasma. No sabía cómo dejarlo. ¡Ni siquiera lo había tenido nunca!

—Hannah me contó que ahora vives en la ciudad —comenté yo mientras tocaba el armadillo de plata que colgaba en el hueco de mis clavículas con los dedos.

Él asintió con la cabeza.

—He alquilado un piso de un dormitorio. No es mucho, pero por primera vez en mi vida dispongo de intimidad.

—¿Has venido con alguien?

Él volvió a asentir con la cabeza.

—Con Hannah y mis hermanos, están viendo el campeonato de caballos de tiro.

—Yo he venido con Carrington y mi madre.

Sentí el impulso de decirle que nos habíamos encontrado con Louis Sadlek y que a mí me daba rabia que mi madre le diera hasta la hora, pero me pareció que, siempre que veía a Hardy, le contaba mis problemas y, por una vez, decidí no hacerlo.

El color del cielo se había oscurecido de lavanda a violeta y el sol se ponía a tanta velocidad que pensé que iba a rebotar en el horizonte. La pista de baile estaba iluminada con grandes bombillas de luz blanca conectadas en serie y la banda tocaba una canción de pasos rápidos.

—¡Eh, Hardy!

Hannah apareció de repente con Rick y Kevin, sus dos hermanos pequeños. Los niños estaban sucios, tenían la cara pegajosa y exhibían una amplia sonrisa mientras gritaban, brincaban y pedían que les dejaran participar en la persecución de becerros.

La persecución de becerros siempre tenía lugar antes del rodeo. Los niños se apelotonaban en el ruedo y perseguían a tres ágiles becerros que tenían una cinta amarilla atada a la cola. Los niños que conseguían coger la cinta recibían un premio de cinco dólares.

—¡Hola, Liberty! —exclamó Hannah, y se volvió hacia su hermano antes de que yo pudiera responderle—. Hardy, se mueren por participar en la persecución de becerros. Está a punto de empezar, ¿puedo llevarlos?

Hardy sacudió la cabeza y contempló al trío con una mueca de reticencia.

—Está bien, pero id con cuidado, chicos.

Los niños gritaron de alegría y salieron a la carrera con Hannah pisándoles los talones. Hardy rio mientras los veía desaparecer entre la multitud.

—Mi madre me arrancará la piel a tiras cuando los lleve a casa oliendo a caca de vaca.

—Los niños tienen que ponerse hechos un asco de vez en cuando.

Hardy esbozó una sonrisa atribulada.

—Eso le digo yo a mi madre. A veces tengo que influir

en ella para que sea más tolerante, para que los deje correr y ser niños. Desearía...

Hardy titubeó y arrugó el entrecejo.

—¿Qué? —pregunté yo con suavidad.

El término «desearía» acudía con frecuencia y naturalidad a mis labios, pero nunca se lo había oído decir a Hardy.

Empezamos a caminar sin una meta fija. Hardy contenía sus pasos para ajustarlos a los míos.

—Desearía que se hubiera casado con otro hombre después de que encerraran a mi padre para siempre —explicó Hardy—. Ella tiene todo el derecho del mundo a divorciarse y, si hubiera encontrado a un hombre decente, la vida le habría resultado más fácil.

Yo no sabía por qué habían encerrado a su padre y sopesé la posibilidad de preguntárselo.

—¿Ella todavía lo ama? —le pregunté, por fin, intentando parecer sabia y adulta.

—No, le tiene un miedo terrible. Cuando bebe, mi padre es peor que un saco lleno de serpientes. Y la mayor parte del tiempo está bebido. Hasta donde me alcanza la memoria, siempre ha estado entrando y saliendo de la cárcel. Venía a casa cada uno o dos años, golpeaba a mi madre, la dejaba embarazada y se marchaba con todo el dinero que teníamos. Yo intenté detenerlo en una ocasión, cuando tenía once años; así es cómo me rompí la nariz. Sin embargo, la siguiente vez que volvió, yo ya era mayor y pude plantarle cara. No volvió a molestarnos nunca más.

Yo me estremecí al imaginarme a la alta y escuálida señora Judie siendo golpeada una y otra vez.

—¿Por qué no se divorcia de él? —pregunté yo.

Hardy sonrió con tristeza.

—El pastor de nuestra iglesia le dijo a mi madre que, si se divorciaba de mi padre, por muy agresivo que fuera, ella no podría seguir siendo una sierva de Dios. Le dijo que no debía anteponer su felicidad a la devoción por Jesucristo.

—No opinaría lo mismo si fuera a él a quien golpearan.

—Yo fui a verlo para explicarle nuestro caso, pero él no quiso cambiar de opinión y al final me fui para no retorcerle el pescuezo.

—¡Oh, Hardy! —exclamé mientras sentía una punzada de compasión en el pecho. No pude evitar acordarme de Luke, de lo fácil que había sido su vida hasta entonces y de lo distinta que era de la de Hardy—. ¿Por qué la vida es tan difícil para algunas personas y tan fácil para otras? ¿Por qué algunas personas tienen que luchar tanto?

Él se encogió de hombros.

—La vida nunca es siempre fácil para nadie. Tarde o temprano Dios nos hace pagar por nuestros pecados.

—Deberías de venir a la iglesia del Cordero de Dios, la de la calle Sur —le aconsejé yo—. Allí Dios es mucho más amable y pasa por alto algunos de tus pecados si llevas pollo frito a las comidas comunitarias de los domingos.

Hardy sonrió abiertamente.

—¡Pequeña blasfema! —Nos detuvimos delante del entoldado de la pista de baile—. Supongo que la congregación del Cordero de Dios también aprueba el baile.

Yo incliné la cabeza en señal de culpabilidad.

—Me temo que sí.

—¡Dios todopoderoso, prácticamente eres una metodista! ¡Vamos!

Hardy me tomó de la mano y me condujo al borde de la pista, donde unas cuantas parejas se deslizaban al ritmo que marcaba la banda: dos pasos rápidos, dos pasos lentos. Se trataba de un baile recatado en el que se mantenía una distancia prudente entre los bailarines, a menos que el chico deslizara la mano por tu cintura y te hiciera girar hasta que tu cuerpo quedara pegado al de él. Entonces el baile se convertía en algo totalmente distinto. Sobre todo si la música era lenta.

Yo seguí los movimientos deliberados de Hardy, quien sostenía mi mano con suavidad, mientras mi corazón latía a una velocidad de vértigo. Me sorprendió que quisiera bailar conmigo cuando, en el pasado, siempre había dejado claro que no permitiría que nuestra relación fuera más allá de la amistad. Yo tuve la tentación de preguntarle a qué se debía aquel cambio, pero guardé silencio, pues deseaba bailar con él con todas mis fuerzas.

Cuando Hardy me acercó a él, casi me mareé.

—Esto podría ser una mala idea, ¿no crees? —le pregunté.

—Así es. Apoya la mano en mí.

Apoyé la mano en la dura curvatura de su hombro. Su pecho subía y bajaba a un ritmo irregular. Contemplé la hermosa severidad de su rostro y me di cuenta de que se concedía un raro momento de indulgencia. Sus ojos tenían una expresión alerta pero resignada, como un ladrón que sabe que lo van a atrapar.

De una forma vaga, fui consciente de la agridulce canción de Randy Travis que interpretaba la banda, una canción melancólica y desgarrada como sólo una canción country triste puede ser. La presión de las manos de Hardy me guiaba y nuestros muslos se rozaban, separados, sólo, por el tejido de los pantalones. Más que bailar, parecía que nos desplazáramos a la deriva. Seguíamos la corriente que marcaban las otras parejas en un deslizamiento lento que era más sexual que cualquiera de las cosas que había hecho con Luke. Yo no tenía que pensar en dónde tenía que poner el pie o en qué dirección tenía que girar.

La piel de Hardy olía a humo y a sol. Deseé deslizar la mano por debajo de su camisa y explorar los rincones más recónditos de su cuerpo, sentir las variaciones de la textura de su piel. Quería cosas que no sabía ni cómo nombrar.

La banda tocó una canción todavía más lenta y el baile se convirtió en un abrazo con un leve balanceo. El cuerpo de Hardy estaba totalmente pegado al mío y la agitación invadió todas mis células. Entonces apoyé la cabeza en su hombro y sentí el roce de su boca en mi mejilla. Sus labios eran secos y suaves. Yo me quedé inmóvil y en silencio. Él me acercó todavía más a su cuerpo, apoyó una mano sobre mi cadera y presionó con suavidad. Yo sentí su excitación y mis muslos y mis caderas se pegaron a él con avidez.

Un lapso de tiempo de tres o cuatro minutos resulta insignificante en el orden del universo. Las personas desperdician cientos de minutos en cosas triviales todos los días. Sin embargo, en ese fragmento de tiempo puede suceder algo que recuerdes el resto de tu vida. Bailar en los brazos de Hardy mientras permanecía inmersa en su cercanía constituyó para mí un acto más íntimo que el mismo sexo. Incluso ahora, cuando lo rememoro, siento aquella conexión absoluta y todavía me ruborizo.

Cuando la música cambió a un nuevo ritmo, Hardy me sacó de la pista de baile. Me cogió por el codo y murmuró un aviso cuando cruzamos por encima de unos cables eléctricos que estaban extendidos por el suelo como serpientes desenroscadas. Nos alejamos del recinto ferial, aunque yo no tenía ni idea de adónde nos dirigíamos. Llegamos a una valla construida con vigas de cedro rojo. Hardy me cogió por la cintura, me levantó con una facilidad asombrosa y me sentó en la viga superior de modo que quedamos de frente y a la misma altura, aunque separados por mis piernas, que yo mantenía juntas.

—No dejes que me caiga —declaré.

—No te caerás.

Hardy me cogió con firmeza por las caderas y el calor de sus manos atravesó la fina tela veraniega de mis pantalones. Me invadió una necesidad casi incontrolable de separar las piernas y tirar de él hasta colocarlo entre ellas, pero las mantuve cerradas mientras el corazón me latía con intensidad. El trémulo brillo de las luces de la feria se extendía detrás de Hardy y me resultaba difícil ver su rostro.

Hardy sacudió la cabeza con lentitud, como si se enfrentara a un problema que no sabía cómo resolver.

—Liberty, tengo que contarte que... me voy pronto.

—¿Te vas de Welcome?

A mí me costaba hablar.

—Sí.

—¿Cuándo? ¿Adónde?

—Dentro de un par de días. Me han aceptado en uno de los trabajos para los que había presentado una solicitud. Tardaré en volver.

—¿En qué trabajarás?

—Trabajaré como soldador en una compañía petrolífera. Empezaré en una plataforma marina situada en el golfo, pero a los soldadores los trasladan con mucha frecuencia. —Al ver mi expresión, Hardy se interrumpió. Sabía que mi padre había fallecido en una plataforma petrolífera. Los trabajos mar adentro estaban muy bien pagados, pero eran peligrosos. Uno tiene que estar loco o tener instintos suicidas para trabajar en una plataforma petrolífera con un soplete en la mano. Hardy pareció leer mis pensamientos—. Intentaré no provocar demasiadas explosiones.

Si pretendía hacerme sonreír, su intento constituyó un auténtico fracaso. Estaba bastante claro que aquélla sería la última vez que vería a Hardy Cates. No tenía sentido preguntarle si volvería algún día a buscarme. Tenía que dejarlo ir, aunque sabía que el dolor de su ausencia me perseguiría durante el resto de mi vida.

Reflexioné acerca de su futuro, acerca de los océanos y los continentes que cruzaría, lejos de todos los que lo conocían y lo querían, lejos del alcance de las oraciones de su madre. Entre las mujeres que amaría en el futuro, una conocería sus secretos, daría a luz a sus hijos y presenciaría los cambios que los años producirían en él. Y yo no sería aquella mujer.

—Buena suerte —declaré con voz grave—. Seguro que te irá bien. Estoy convencida de que conseguirás todo lo que quieres, de que tendrás más éxito del que nadie podría esperar.

—¿Qué estás haciendo, Liberty? —preguntó él con voz calmada.

—Sólo te digo lo que quieres oír. Buena suerte. Que tengas una vida feliz. —Lo empujé con las rodillas—. Déjame bajar.

—Todavía no. Primero quiero que me cuentes por qué

estás enfadada, cuando yo lo único que he hecho es intentar no hacerte daño.

—Porque, de cualquier modo, me lo has hecho. —Yo no podía controlar las palabras que escapaban de mi garganta—. Y, si alguna vez me hubieras preguntado qué era lo que yo quería, te habría contestado que quería estar contigo tanto como me fuera posible y aceptar el dolor que eso implicara. Pero lo único que he obtenido son esas... estúpidas... —me detuve mientras intentaba, en vano, encontrar una palabra más adecuada—, estúpidas excusas acerca de que no quieres hacerme daño, cuando, en realidad, eres tú el que tiene miedo de sufrir. Tienes miedo de querer tanto a alguien que después no puedas marcharte y tengas que renunciar a tus sueños y quedarte a vivir en Welcome durante el resto de tu vida. Tienes miedo...

Hardy me cogió por los hombros y me dio una ligera sacudida y yo solté un leve jadeo. Aunque la sacudida fue muy ligera, llegó a todas las células de mi cuerpo.

—Para ya —declaró él con aspereza.

—¿Sabes por qué salí con Luke Bishop? —le pregunté con una incontenible desesperación—. Porque te quería a ti y no podía tenerte, y él era lo más parecido a ti que pude encontrar. Y cada vez que hacía el amor con él, deseaba que fueras tú. Y te odio por esto aun más de lo que me odio a mí misma.

Mientras mis labios pronunciaban estas palabras, un sentimiento amargo de aislamiento me hizo querer apartarme de él, de modo que incliné la cabeza y me rodeé con los brazos intentando ocupar el menor espacio posible.

—Es culpa tuya —continué.

Aquellas palabras me producirían una vergüenza infinita en el futuro, pero en aquellos momentos estaba demasiado exaltada para darme cuenta.

Hardy aumentó la presión de sus manos en mis caderas hasta que empecé a sentir dolor.

—Yo nunca te prometí nada.

—Sigue siendo culpa tuya.

—¡Maldita sea! —Hardy vio que una lágrima resbalaba por mi mejilla y dio un respingo—. ¡Maldita sea, Liberty! Esto no es justo.

—Nada es justo.

—¿Qué quieres de mí?

—Quiero que admitas, aunque sólo sea una vez, lo que sientes por mí. Quiero saber si me echarás de menos, aunque sólo sea un poco. Quiero saber si te acordarás de mí y si te arrepientes de algo.

Hardy me cogió por el cabello y tiró de él hasta que levanté la cabeza.

—¡Cielos! —susurró—. Quieres que esto resulte lo más difícil posible, ¿no es así? No puedo quedarme ni puedo llevarte conmigo. ¿Y quieres saber si me arrepiento de algo? —Yo sentí las cálidas oleadas de su aliento en mi mejilla. Hardy me rodeó con los brazos impidiendo cualquier movimiento por mi parte. Su corazón latía con fuerza junto a mis pechos—. Vendería mi alma para tenerte. Tú siempre serás lo que más he querido en toda mi vida, pero no tengo nada para darte, y no me quedaré aquí para volverme como mi padre. La tomaría contigo y te haría daño.

—No es cierto. Tú nunca podrías ser como tu padre.

—¿Eso crees? Entonces tienes mucha más fe en mí que yo. —Hardy cogió mi cabeza entre sus manos—. Yo quería matar a Luke Bishop por tocarte y a ti por permitírselo. —Noté que Hardy se estremecía—. Eres mía —continuó él—. Y tienes razón en una cosa, lo único que ha impedido que te hiciera mía es saber que entonces nunca podría irme de aquí.

Lo odié por considerarme parte de una trampa de la que tenía que escapar. Hardy inclinó la cabeza para besarme y el sabor salado de mis lágrimas se evaporó entre sus labios. Me puse tensa, pero él me obligó a abrir los labios, me besó con más intensidad y, entonces, estuve perdida.

Hardy desarmó todas mis defensas con una gentileza diabólica, mientras absorbía con la lengua todas las sensaciones, como si se tratara de miel. Su mano se deslizó entre mis muslos y los separó y, antes de que yo pudiera cerrarlos de nuevo, Hardy se colocó entre ellos. Mientras murmuraba palabras dulces, Hardy levantó mis brazos hasta su nuca y sus labios volvieron a besar los míos con una lentitud cautivadora. Yo me retorcía sin parar intentando acercarme más y más a él. Quería sentir todo su peso sobre mí, quería sentir una posesión absoluta y una rendición también absoluta. Eché su sombrero hacia atrás y hundí mis dedos en su cabello mientras empujaba su boca contra la mía cada vez con más fuerza.

—Tranquila —susurró Hardy mientras levantaba la cabeza y apretaba mi agitado cuerpo contra el de él—. Tranquila, cariño...

Intenté recuperar el aliento. La viga de madera se clavaba en mis nalgas y mis rodillas apretaron las caderas de Hardy. Él no volvió a besarme hasta que me tranquilicé y entonces lo hizo con suavidad y sus labios absorbieron los sonidos que salían de mi garganta. Sus manos acariciaron mi espalda de una forma repetitiva. Poco a poco, Hardy deslizó una mano hasta uno de mis pechos y lo acarició por encima de la camisa. Su dedo pulgar encontró mi turgente pezón y mis brazos perdieron su fuerza. Pesaban demasiado para mantenerlos levantados y me apoyé en él como un borracho un viernes por la noche.

Entonces me di cuenta de cómo sería hacer el amor con él, de lo distinto que sería de hacerlo con Luke. Hardy parecía captar todos los matices de mi respuesta, todos mis sonidos..., mis estremecimientos y mi respiración. Me sostuvo como si mi peso fuera algo precioso entre sus brazos. Perdí la noción del tiempo mientras nos besábamos. Su boca se mostraba suave y ansiosa de una forma alternativa. La tensión fue en aumento hasta que unos gemidos leves surgieron de mi garganta y mis dedos recorrieron su camisa en un intento desesperado por sentir el tacto de su piel. Hardy separó su boca de la mía y hundió el rostro en mi cabello mientras se esforzaba por dominar su respiración.

—No —protesté yo—. No pares, no...

—Tranquila, cariño, tranquila.

Yo no podía dejar de temblar y me resistía a que me dejara así, sin más. Hardy me abrazó contra su pecho y me acarició la espalda intentando que me calmara.

—Está bien, preciosa, todo está bien... —susurró.

Pero nada estaba bien. Yo pensé que, cuando Hardy se fuera, nada volvería a proporcionarme placer. Esperé hasta que consideré que mis piernas soportarían mi peso y me deslicé hasta el suelo, donde casi perdí el equilibrio. Hardy alargó los brazos para sostenerme, pero yo me aparté de él. Apenas podía verlo a través de las lágrimas que empañaban mis ojos.

—No me digas adiós, por favor —le pedí.

Él pareció comprender que esto era lo último que podía hacer por mí y permaneció en silencio.

Yo sabía que rememoraría aquella escena infinidad de veces en los años venideros y que cada vez se me ocurrirían cosas distintas que debería haber dicho o hecho, pero lo único que hice fue alejarme sin volver la vista atrás.

Muchas veces, en mi vida, me he arrepentido de las cosas que he dicho sin pensar.

Pero nunca me he arrepentido tanto de las cosas que dije como de las cosas que callé.

10

La visión de un adolescente con aspecto sombrío es habitual en cualquier parte del mundo. Los adolescentes desean las cosas con mucha intensidad, pero en general no las consiguen y, para empeorarlo todo, los demás banalizan sus sentimientos por el mero hecho de que son unos adolescentes. Dicen que el tiempo cura los corazones rotos y, con frecuencia, es así, pero no respecto a lo que yo sentía por Hardy. Durante meses, a lo largo de las vacaciones invernales e incluso después, yo cumplí con los formalismos de mi vida de una forma ausente y pesarosa, sin estar disponible para nadie, ni siquiera para mí misma.

La otra cuestión que fomentaba mi pesaroso estado de ánimo era la floreciente relación de mi madre con Louis Sadlek. El hecho de que salieran juntos provocaba en mí una confusión y un resentimiento infinitos. Nunca vi que disfrutaran de un momento de paz juntos y la mayor parte del tiempo, se comportaban como dos gatos en un mismo saco.

Louis sacaba los peores instintos de mi madre. Ella bebía cuando estaba con él, y mi madre nunca había bebido antes. Actuaba de una forma brusca con él, lo empujaba, le daba bofetones y codazos..., cosas que nunca había hecho antes, pues mi madre siempre había exigido un respeto hacia su propio espacio. Sadlek despertaba en ella una vena salvaje, y se suponía que las madres no tenían una vena salvaje. Yo llegué a desear que no fuera rubia y guapa, que fuera el tipo de madre que lleva delantal y asiste a las reuniones de la iglesia.

Lo que más me molestaba era saber que las discusiones, las peleas y las situaciones de celos que se producían entre ellos constituían una especie de estimulación erótica. Por suerte, Louis apenas venía a nuestra casa, pero tanto yo como los demás habitantes de Bluebonnet Ranch sabíamos que mi madre, de vez en cuando, dormía en la casa de ladrillos rojos de la entrada. A veces, mi madre regresaba de allí con los brazos amoratados, el rostro alicaído debido a la falta de sueño y el cuello y las mejillas encarnados por el roce de una mandíbula sin afeitar. ¡Y se suponía que las madres tampoco debían regresar a casa de esa forma!

Yo no sé en qué medida la relación de mi madre con Louis Sadlek constituía para ella un placer o un autocastigo. Creo que mi madre veía en él a un hombre fuerte. Y bien sabe Dios que ella no era la primera en confundir fuerza con brutalidad. Quizá cuando una mujer ha estado valiéndose por sí misma durante tanto tiempo como lo había hecho mi madre, someterse a alguien, aunque esa persona no sea amable, constituye un alivio. Yo también me he sentido así más de una vez, y en esas ocasiones el peso de la responsabilidad ha constituido para mí una carga tal que he deseado que cualquier otra persona se hiciera cargo de mí salvo yo misma.

Debo admitir que Louis sabía ser encantador. Incluso los peores tejanos tienen un lado amable, una forma de hablar suave que atrae a las mujeres y una gran facilidad para contar historias. A Louis parecían gustarle de verdad los niños pequeños, y ellos creían sin titubear todo lo que él les contaba. Carrington sonreía y soltaba gorgoritos cuando Louis estaba cerca, con lo que desacreditaba la teoría de que los niños saben, de una forma instintiva, quién es digno de confianza.

Yo, sin embargo, no le caía nada bien a Louis. Yo era el único bastión de resistencia en nuestra casa. No soportaba las cosas que tanto parecían impresionar a mi madre:

las poses varoniles, los continuos gestos que indicaban que nada le importaba mucho porque él tenía de todo... Louis contaba con un armario lleno de botas confeccionadas a medida, de esas para las que el zapatero trazaba el contorno de tu pie sobre un papel. Incluso tenía unas confeccionadas con piel de elefante de Zimbabwe. Aquellas botas eran la comidilla de Welcome.

En una ocasión, mi madre, Louis y otras dos parejas fueron a bailar a un local de Houston. Los guardas de seguridad de la puerta no le dejaban entrar con su petaca de licor, de modo que Louis entró en un callejón y, con una navaja, cortó la piel de una de sus botas para esconder la petaca en su interior. Cuando, más tarde, mi madre me lo contó, me dijo que aquello había constituido un acto estúpido y un despilfarro de dinero, pero durante los meses siguientes lo mencionó tantas veces que me di cuenta de que, en realidad, admiraba la ostentosidad de aquel acto.

Así era Louis, quien hacía todo lo que fuera preciso para aparentar riqueza, aunque, en realidad, era tan pobre como cualquiera de nosotros. Era todo apariencia. Nadie parecía saber de dónde sacaba el dinero, pues sin duda gastaba más de lo que obtenía con el campamento. Corrían rumores de que, de una forma ocasional, traficaba con drogas. Como Welcome está muy cerca de la frontera, esta actividad resulta relativamente fácil para quien quiera asumir los riesgos que conlleva. Yo no creo que Louis fumara o esnifara drogas. En realidad, prefería el alcohol, aunque tampoco creo que sintiera ningún escrúpulo por suministrar veneno a los universitarios que volvían a casa durante las vacaciones o a los habitantes de Welcome que buscaban una válvula de escape más potente que una botella de Johnnie Walker.

Cuando no estaba preocupada por Louis y mi madre, yo estaba centrada en Carrington, quien había dejado de ser un bebé y se tambaleaba como un borracho en miniatura. Carrington intentaba introducir los deditos en los enchufes, en los sacapuntas y en la abertura de las latas de Coca-Cola; cogía bichos, colillas de cigarrillo y Cheerios petrificados del suelo y se los llevaba a la boca. Cuando empezó a comer sola, se ensuciaba tanto que a veces tenía que sacarla afuera y lavarla con el agua de la manguera. Los días que hacía bueno, la dejaba jugar y chapotear en un recipiente de plástico de gran tamaño que guardaba en el patio trasero.

Cuando empezó a hablar, en lugar de pronunciar mi nombre, decía: «BeeBee» y así me llamaba siempre que quería algo. Carrington quería mucho a mamá y se iluminaba como una luciérnaga cuando estaba con ella, pero cuando se encontraba mal, estaba de mal humor o tenía miedo, me buscaba a mí y yo la buscaba a ella. Mi madre y yo nunca hablábamos ni pensábamos mucho en esto, simplemente, lo dábamos por sentado: Carrington era mi bebé.

Miss Marva nos animaba a visitarla con frecuencia, si no, sus días eran demasiado tranquilos. No había vuelto a acoger a Bobby Ray y, según decía, no tendría más novios, pues los hombres de su edad tenían un aspecto lastimoso, se volvían tontos o ambas cosas a la vez. Los miércoles por la tarde yo la acompañaba a la iglesia del Cordero de Dios, pues ella participaba como cocinera voluntaria en el programa de distribución ambulante de comidas, el cual era de fama reconocida. Con Carrington apoyada en una de mis caderas, yo ayudaba a Miss Marva a pesar los ingredientes y a remover el contenido de los cuencos y las ollas mientras ella me enseñaba las nociones básicas de la comida de Tejas.

Siguiendo sus instrucciones, yo desgranaba las mazorcas hervidas, freía los granos en manteca de cerdo y añadía una mezcla de nata y leche. A continuación, removía la mezcla hasta que el aroma hacía que la boca se me hiciera agua. Aprendí a preparar pechugas de pollo fritas con una salsa blanca elaborada con su propio jugo, quingombó rebozado en maíz y frito en manteca bien caliente, judías pintas hervidas con un hueso de jamón, y hojas de nabo con una salsa de pimienta. Incluso aprendí los secretos del pastel de terciopelo rojo de Miss Marva, y ella me advirtió que no lo preparara para ningún hombre a menos que quisiera que él me propusiera matrimonio.

El plato que me costó más aprender fue el caldo de pollo con pasta fresca de Miss Marva, pues no tenía ninguna receta para prepararlo. Este plato era tan rico y sabroso que casi te hacía llorar. Miss Marva formaba una montañita de harina sobre la encimera de la cocina, añadía sal, huevos y mantequilla y lo amasaba todo con los dedos. A continuación, extendía la masa hasta formar una hoja fina y la cortaba en tiras largas que hervía en un caldo de pollo. El caldo de pollo con pasta puede curar casi todas las enfermedades. Miss Marva preparó una olla para mí cuando Hardy Cates se fue de Welcome, y la sopa casi alivió temporalmente mi dolor.

Yo ayudaba a distribuir la comida de la iglesia mientras Miss Marva cuidaba de Carrington.

—¿No tienes deberes, Liberty? —me preguntaba ella, y yo siempre negaba con la cabeza.

Pocas veces hacía los deberes y asistía al mínimo de clases para que no me acusaran de absentismo escolar y tampoco tenía planes para cuando terminara el colegio. Pensaba que, si a mi madre ya no le preocupaba mi educación y el desarrollo de mi mente, a mí tampoco.

Durante un tiempo, cada vez que Luke Bishop regresaba de Baylor, me pedía para salir, pero yo siempre rehusaba y, al final, dejó de telefonearme. Yo sentía que algo dentro de mí se había apagado desde que Hardy se había marchado y no sabía cómo ni cuándo volvería a encenderse. Había experimentado el sexo sin amor y el amor sin sexo, y en aquel momento no me interesaba ninguno de los dos. Miss Marva me aconsejó que viviera según mis propias luces, pero en aquel momento no entendí qué me quería decir.

Cuando mi madre y Louis llevaban un año saliendo, mi madre rompió con él. Mi madre era muy tolerante con las trifulcas, pero incluso ella tenía límites. Ocurrió en un bar al que acudían a bailar de vez en cuando. Mientras Louis estaba en el lavabo, un vaquero borracho, un vaquero auténtico que trabajaba en un pequeño rancho de unos diez mil acres de terreno situado en las afueras de la ciudad, invitó a mi madre a un chupito de tequila.

Los tejanos son más territoriales que la mayoría de los hombres. Los habitantes de este estado construyen cercas para proteger sus propiedades y duermen con una escopeta apoyada en la mesilla de noche para defender sus hogares. Acercarse a la mujer de otro hombre constituye una causa justificada de homicidio, de modo que el vaquero tendría que habérselo pensado bien antes de invitar a una copa a mi madre, aunque estuviera borracho. En opinión de muchos, estaba justificado que Louis le diera una paliza.

Sin embargo, Louis se ensañó con él de una forma brutal. Lo golpeó en el aparcamiento hasta convertirlo en un amasijo de carne ensangrentada y lo pateó con los talones de dos centímetros de sus botas. Después fue a su camioneta en busca de su pistola, seguramente para rematarlo, y sólo la intervención de dos amigos de Louis impidió que éste cometiera un asesinato. Según me contó mi madre más tarde, lo extraño de aquella situación fue que el vaquero era mucho más corpulento que Louis y, en teoría, Louis no debería haberlo vencido. En ocasiones, la maldad vence al músculo. Después de ver de qué era capaz Louis, mi madre rompió con él. Aquél fue el día más feliz de mi vida, desde que Hardy se había ido.

Aunque no duró mucho. Louis no la dejó, mejor dicho, no nos dejó tranquilas. Empezó a telefonear a mi madre a todas horas, tanto de día como de noche, hasta que los oídos nos zumbaban y Carrington estaba irascible debido al sueño continuamente interrumpido. Louis seguía a mi madre en su coche cuando iba de camino al trabajo, salía a comer o iba de compras. Con frecuencia, aparcaba la camioneta delante de nuestra casa y nos espiaba. En cierta ocasión, entré en el dormitorio para cambiarme y justo antes de quitarme la camiseta lo vi observándome a través de la ventana que daba al terreno de una granja vecina.

Resulta curioso la cantidad de personas que todavía piensan que el acoso es una etapa del cortejo. Ciertas personas le contaron a mi madre que lo que hacía Louis no se consideraba acoso a menos que fueras una celebridad. Cuando, por fin, mi madre acudió a la policía, ellos se mostraron reacios a actuar. Para ellos se trataba sólo de dos personas que no se llevaban bien. Ella se sintió incómoda y avergonzada, como si fuera culpable de algo.

Lo peor de todo fue que la táctica de Louis funcionó. Agotó tanto a mi madre que a ella le pareció que volver con él era lo más fácil que podía hacer. Incluso intentó convencerse de que en realidad quería estar con él. Para mí su relación no consistía en que salían juntos, sino en la toma de un rehén.

Sin embargo, después de aquello, la relación sufrió un cambio abismal. Louis podía tener a mi madre en el aspecto físico, pero ella no era suya como lo había sido antes. Él y todo el mundo sabían que, si ella hubiera podido elegir, que si hubiera tenido la seguridad de que él no la molestaría más, mi madre seguramente lo habría dejado enseguida. Y digo «seguramente» porque mi madre parecía sufrir una terrible escisión y una parte de ella todavía lo quería, estaba enganchada a él, igual que el tambor de una cerradura está enganchado al extremo de la llave.

Una noche, cuando acababa de dejar a Carrington en la cuna, oí que alguien llamaba a la puerta. Mi madre había salido con Louis a cenar y asistir a un espectáculo en Houston.

No sé por qué, pero cuando la policía llama a la puerta suena distinto a cuando lo hacen las demás personas y el sonido de sus nudillos le pone a uno las vértebras en tensión. La tenebrosa autoridad que denotaba aquella llamada enseguida hizo que me diera cuenta de que algo no iba bien. Abrí la puerta y vi a dos agentes de la policía. Aún hoy no puedo recordar sus rostros, sólo sus uniformes: la camisa azul claro, los pantalones azul marino y el escudo bordado con el planeta Tierra cruzado por dos franjas rojas.

Mi mente se trasladó al último instante en que había visto a mi madre aquella noche. Yo me había mostrado silenciosa e irritable mientras la observaba dirigirse hacia la puerta vestida con unos tejanos y unos zapatos de tacón alto. Efectuamos algunos comentarios irrelevantes. Mi madre me dijo que quizá no volvería hasta la mañana siguiente y yo me encogí de hombros y le contesté: «Como quieras.» Siempre me ha perseguido la normalidad de aquella conversación. Uno piensa que la última vez que ve a alguien debería decir algo significativo, pero mi madre salió de mi vida con una sonrisa breve y la advertencia de que cerrara la puerta con llave cuando ella saliera.

La policía me contó que el accidente había tenido lugar en la autovía del este. El hecho ocurrió antes de que la I-10 estuviera construida. Los camiones circulaban por la autovía a la velocidad que querían. En cualquier momento del día, una cuarta parte de los vehículos que transitaban por la autovía eran camiones que iban a recoger o entregar su carga a las cervecerías o las plantas químicas. Tampoco ayudaba que los carriles fueran estrechos y el campo de visión casi inexistente.

Louis se saltó el semáforo en rojo de una carretera que desembocaba en la autovía y chocó con un camión. El conductor del camión sufrió lesiones sin importancia, pero tuvieron que cortar la carrocería del coche de Louis con un soplete para sacarlo y llevarlo al hospital, donde murió una hora más tarde a causa de una hemorragia interna.

Mi madre falleció en el acto.

Los policías me explicaron que ella no llegó a saber qué había ocurrido y su explicación me habría reconfortado, pero... aunque sólo fuera durante un segundo, ella debió de darse cuenta, ¿no? Durante un instante ella debió de verlo todo borroso, debió de tener la sensación de que el mundo explotaba, de que sufría un daño mayor del que un cuerpo humano podía soportar. Me pregunté si, después, ella flotó en el aire sobre la escena y vio lo que le había ocurrido. Yo quería creer que una escolta de ángeles había acudido a recibirla, que la promesa de ir al cielo reemplazó el dolor de dejarnos a Carrington y a mí y que, cuando quisiera, ella podría asomarse entre las nubes para ver cómo nos iban las cosas. Sin embargo, la fe nunca ha sido mi fuerte. De lo único de lo que estaba segura era de que mi madre se había ido a un lugar al que yo no podía seguirla.

Y por fin comprendí lo que Miss Marva me había dicho acerca de que debía vivir según mis propias luces. Cuando caminas a través de la oscuridad, no puedes depender de que algo o alguien ilumine tu camino, sino que debes guiarte por las chispas que brillan en tu interior. Si no, te pierdes, y esto es lo que le había ocurrido a mi madre.

Yo sabía que, si permitía que a mí me ocurriera lo mismo, no quedaría nadie para cuidar de Carrington.

11

Mi madre no tenía seguro de vida y apenas contaba con unos pocos ahorros, lo cual me dejaba a mí con una casa prefabricada, unos cuantos muebles, un coche y una hermana de dos años de edad. Tendría que mantener todo aquello con un título de graduado escolar y ninguna experiencia laboral. Había dedicado las tardes y las vacaciones escolares a cuidar de Carrington, de modo que las únicas referencias laborales que tenía eran de alguien que, hasta hacía muy poco, iba en carrito.

El estado de shock es un estado compasivo, pues te permite superar las desgracias manteniendo cierta distancia entre tú y tus sentimientos y así puedes hacer lo que tienes que hacer. Lo primero que tuve que hacer fue organizar el funeral. Yo nunca había entrado en una funeraria y siempre había imaginado que éstas eran tristes y espeluznantes. Aunque le dije que no necesitaba ayuda, Miss Marva me acompañó. Según me contó, en el pasado ella había salido con el señor Ferguson, el director de la funeraria, que ahora era viudo, y quería ver cuánto pelo le quedaba después de todos aquellos años.

La verdad es que no le quedaba mucho. Sin embargo, el señor Ferguson era uno de los hombres más agradables que he conocido nunca, y el interior de la funeraria, con paredes de obra vista y columnas blancas, estaba limpio, iluminado y decorado como una confortable sala de estar. La zona de espera estaba amueblada con sofás de *tweed* azul, mesitas con álbumes de recortes y cuadros de paisajes. Comimos galletas de una fuente de porcelana y bebimos café de un termo grande de acero inoxidable. Mientras hablábamos, el señor Ferguson empujó con discreción hacia mí una caja de Kleenex por encima de la mesita. Yo no lloraba, pues mis emociones todavía estaban suspendidas en hielo, pero Miss Marva utilizó la mitad de los Kleenex.

El señor Ferguson tenía el rostro amable, sabio y de mejillas caídas de basset hound, y sus ojos eran marrones, como el chocolate fundido. Me entregó un folleto titulado: «Las diez reglas del dolor» y con mucho tacto me preguntó si mi madre había mencionado alguna vez que hubiera planificado su funeral.

—No, señor —contesté con toda seriedad—. Mi madre no era del tipo de personas que planifican el futuro. Incluso tardaba una eternidad en decidir la comida que quería en la cafetería.

Las arrugas de las comisuras de los ojos del señor Ferguson se acentuaron.

—Mi mujer también era así —declaró—. A algunas personas les gusta planificar las cosas, y otras viven el día a día. Ninguna de las dos formas es peor que la otra. Yo, personalmente, soy de los que planifican el futuro.

—Yo también —declaré, aunque no era cierto en absoluto.

Yo siempre había seguido el ejemplo de mi madre y vivía el momento, pero quería cambiar. Tenía que cambiar.

El señor Ferguson abrió una libreta de precios de hojas plastificadas y me introdujo en la cuestión del presupuesto del funeral.

Había una larga lista de gastos que tenían que afrontarse: impuestos, costes del cementerio, notas necrológicas, embalsamamiento, peinado y cosméticos, encementado interior de la tumba, alquiler del coche funerario, música y una lápida.

¡Dios mío, aquello costaba una barbaridad!

Para pagarlo, emplearía casi todo el dinero que había dejado mi madre, a menos que quisiera pagarlo a crédito. Pero yo desconfiaba de los pagos a plazos, pues había visto lo que les ocurría a las personas que tomaban esa autopista al desastre: la mayoría de las veces no podían abandonarla. Además, en Tejas no había programas o centros de acogida que pudieran proporcionarnos una vida decente. La única posibilidad de salvación eran los familiares, y yo era demasiado orgullosa para buscar a nuestros parientes, unos desconocidos para nosotras, y pedirles dinero. Entonces me di cuenta de que el funeral de mi madre tendría que realizarse con poquísimo dinero, y esta idea hizo que sintiera un nudo en la garganta y ardor en los ojos.

Le conté al señor Ferguson que mi madre no había sido una practicante, de modo que no quería una ceremonia religiosa.

—No puedes celebrar un funeral no religioso —protestó Miss Marva saliendo de un trance lloroso—. Eso no existe en Welcome.

—Te sorprendería saber la cantidad de humanistas que hay en Welcome, Marva —le informó el señor Ferguson—, aunque no suelen admitirlo en público para evitar que el portal de sus casas se llene de montones de folletos e invitaciones a actos religiosos.

—¿Te has convertido en un pagano, Arthur? —preguntó Miss Marva.

Él sonrió.

—No, querida, pero he aprendido a aceptar que algunas personas prefieren no ser salvadas.

Después de comentar algunas sugerencias para el funeral humanista de mi madre, entramos en la sala de los ataúdes, en la que había al menos treinta modelos colocados en varias filas. Yo nunca pensé que hubiera tantas opciones. No sólo podías elegir los materiales de la caja en sí, sino que el forro interior podía ser de terciopelo o de satén y prácticamente en cualquier color. Me desconcertó averiguar que también podías elegir la firmeza del lecho interior, como si esto influyera en la comodidad del difunto.

Algunos de los modelos más elegantes, como el confeccionado con madera de roble con un acabado a mano de estilo provenzal o el de acero con acabados de bronce pulido y la cabecera interior bordada, costaban cuatro o cinco mil dólares. El del extremo más lejano de la habitación era el ataúd más llamativo que yo podría haber imaginado nunca. Estaba pintado a mano y reproducía un paisaje de Monet con su río, sus flores y un puente, todo realizado en tonos amarillos, azules, verdes y rosas. El interior estaba acolchado y forrado de satén azul y contaba con una almohada y un edredón a juego.

—Digno de admirar, ¿no es cierto? —comentó el señor Ferguson con una sonrisa y algo avergonzado—. Uno de nuestros proveedores intentó promocionar este tipo de ataúdes artísticos este año, pero me temo que son demasiado atrevidos para los gustos de una ciudad pequeña como Welcome.

Yo lo quería para mi madre. No me importaba que fuera tremendamente hortera y ostentoso y que, cuando estuviera bajo tierra, nadie volviera a verlo nunca más. Si vas a dormir para siempre en algún lugar, deberías poder hacerlo sobre almohadas de satén azul y en un jardín secreto escondido bajo tierra.

—¿Cuánto cuesta? —pregunté.

El señor Ferguson tardó mucho tiempo en contestar y cuando habló lo hizo en voz baja.

—Seis mil quinientos dólares, señorita Jones.

Yo sólo podía pagar cerca de una décima parte de aquella cifra.

La gente pobre tiene pocas alternativas en la vida. La mayor parte del tiempo no piensas en esta realidad, sólo intentas conseguir la mejor opción posible y, cuando no la consigues, sigues adelante sin ella con la esperanza de que no surja algo que no puedas controlar y acabe contigo. Pero, a veces, cuando deseas algo con toda tu alma y sabes que no puedes conseguirlo de ningún modo, la renuncia duele.

Yo me sentí así respecto al ataúd de mi madre, y me di cuenta de que aquello era un augurio de lo que me esperaba en el futuro. Una casa, aparatos dentales y ropa para

Carrington, colegios y otras cosas que nos ayudarían a cruzar la frontera entre ser pobres o pertenecer a la clase media..., todas estas cosas requerían más dinero del que yo era capaz de ganar. No sabía cómo no me había dado cuenta antes de lo apremiante que era nuestra situación, incluso cuando mi madre estaba viva. ¿Por qué había sido tan despreocupada e irreflexiva hasta entonces? Y al ser consciente de mi realidad me sentí realmente enferma.

Con rigidez, seguí al señor Ferguson hasta el extremo de la sala donde estaban los ataúdes económicos y encontré uno de pino barnizado y con el interior forrado en tafetán por seiscientos dólares. Después nos situamos frente a un muestrario de lápidas y placas conmemorativas y escogí una placa rectangular para ponerla encima de la tumba. Algún día, me prometí en silencio, la cambiaría por una lápida de mármol.

En cuanto la noticia del accidente se extendió, un montón de personas encendieron el horno. Incluso personas a las que no conocíamos, o sólo de una forma superficial, nos trajeron tartas, guisos y pasteles. Recipientes envueltos en papel de aluminio se amontonaron en todas las superficies disponibles de la casa: las encimeras, las mesas, el horno, la nevera... En Tejas, la pérdida de un ser querido constituye una oportunidad para preparar las mejores recetas. Muchas personas las pegaron a la lámina de plástico o de papel de aluminio que cubría sus platos, lo cual no era habitual, pero supongo que todos creían que yo necesitaría de toda la ayuda que pudieran ofrecerme. Todas las recetas constaban, como máximo, de cuatro o cinco ingredientes y eran del tipo de comida que se encuentra en los centros de beneficencia o en las comidas organizadas por las iglesias: empanada de tamale, pastel de queso, estofado de pollo con tortillas y queso, estofado de carne con Coca-Cola, ensalada de gelatina...

A mí me supo muy mal que nos regalaran tanta comida al mismo tiempo, sobre todo cuando, en aquellos momentos, comer era lo último que me apetecía. Guardé las recetas en un sobre y llevé la mayor parte de la comida a la casa de los Cates. Por primera vez me sentí agradecida de que la señora Judie fuera tan reservada, pues sabía que, por mucha compasión que sintiera hacia mí, no me hablaría de la cuestión emocional.

Me resultó difícil ver a la familia de Hardy, pues yo lo quería con toda mi alma. Necesitaba que volviera y me rescatara, que cuidara de mí. Quería que me abrazara con fuerza y llorar en sus brazos. Le pregunté a la señora Judie si tenía noticias de él, pero ella me respondió que todavía no, que estaba muy ocupado y que, seguramente, tardaría en escribir o telefonear.

El consuelo de las lágrimas llegó la segunda noche después de que mi madre muriera, cuando me tumbé en la cama junto al rollizo cuerpecito de Carrington. Ella se arrimó en sueños a mí y exhaló un diminuto suspiro y aquel sonido rompió la coraza que rodeaba mi corazón.

Como sólo tenía dos años de edad, Carrington no entendía qué era la muerte. Aquello escapaba a su conocimiento y me preguntaba una y otra vez cuándo volvería mamá y, cuando intenté explicarle que ella estaba en el cielo, Carrington me escuchó sin comprender y me interrumpió para pedirme un helado.

Aquella noche yo la abracé mientras me preguntaba qué sería de nosotras, si algún asistente social se presentaría para llevársela, qué haría si ella caía enferma de gravedad o cómo la prepararía para la vida cuando yo sabía tan poco sobre ésta. Hasta entonces, yo nunca había pagado una cuenta. No sabía dónde estaban nuestras tarjetas de la seguridad social y me preocupaba que Carrington se olvidara para siempre de nuestra madre. Entonces me di cuenta de que no podía compartir los recuerdos que tenía acerca de mi madre con nadie y las lágrimas brotaron de mis ojos como ríos. Y seguí llorando durante un rato, hasta que empecé a hacerlo con tanta intensidad que tuve que irme al lavabo. Llené la bañera, me senté dentro y lloré hasta que la calma y el embotamiento se apoderaron de mí.

—¿Necesitas dinero? —me preguntó mi amiga Lucy sin rodeos mientras contemplaba cómo me vestía para el funeral. Ella cuidaría de Carrington hasta que yo regresara de la ceremonia—. Mi familia podría prestártelo. Y dice mi padre que puedes ir a trabajar a la tienda a tiempo parcial.

Durante los días que siguieron al accidente de mi madre, yo no podría haber salido adelante sin Lucy. Ella me preguntó si podía hacer algo por mí y, aunque yo le contesté que no, ella lo hizo de todas maneras. Lucy insistió en llevarse a Carrington a su casa una tarde a la semana para que yo pudiera realizar llamadas telefónicas y limpiar la casa con tranquilidad.

Otro día, Lucy acudió a mi casa con su madre y entre ambas empacaron las cosas de mi madre en unas cajas de cartón. Yo no podría haberlo hecho sola. La chaqueta favorita de mi madre, su vestido blanco estampado con margaritas, la camisa azul, el pañuelo de gasa rosa con el que se cubría el cabello..., estas y otras cosas contenían el recuerdo de mi madre en cada uno de sus pliegues. Por las noches, me acostumbré a dormir con una camiseta de mi madre que aún no había lavado. Todavía conservaba el olor de su piel y de su colonia. Yo no sabía qué hacer para que aquel olor no se desvaneciera. Un día, cuando ya hubiera desaparecido, desearía volver a sentir el olor de mi madre y éste sólo existiría en mi memoria.

Lucy y la señora Reyes llevaron las cosas de mi madre a un guardamuebles y me dieron la llave. La señora Reyes me dijo que la tienda de empeño se haría cargo de la cuota mensual y que podía dejar las cosas allí de una forma indefinida.

—Cuando quieras puedes trabajar en la tienda de mis padres —insistió Lucy.

Yo negué con la cabeza. Estaba casi segura de que no necesitaban ayuda en la tienda y que me ofrecían aquel trabajo por compasión. Y, aunque yo apreciaba su amabilidad más de lo que ellos pudieran pensar, es un hecho que los amigos duran más cuanto menos recurres a ellos.

—Da las gracias a tus padres —respondí yo—, pero lo

más probable es que necesite un empleo a tiempo completo. Todavía no he decidido qué voy a hacer.

—Yo siempre he pensado que deberías estudiar belleza y peluquería. Serías una peluquera increíble. Yo te veo algún día con tu propio centro de belleza.

Lucy me conocía bien, la idea de trabajar en un centro de belleza y todo lo relacionado con ese campo me atraía más que cualquier otro trabajo. Sin embargo...

—Tardaría entre nueve meses y un año, con dedicación exclusiva, en conseguir el título —declaré con pesar—. Además no tengo con qué pagar el curso.

—Podrías pedirlo prestado...

—No. —Yo me puse un top negro acrílico y sin mangas y lo introduje por dentro de mi falda—. No puedo empezar esta etapa de mi vida pidiendo dinero prestado, o seguiré así el resto de mi vida. Si no puedo costeármelo, esperaré hasta que haya ahorrado el dinero suficiente.

—Quizá nunca llegues a ahorrar el dinero suficiente. —Lucy me contempló con una expresión de exasperación en el rostro—. Amiga mía, si esperas que aparezca un hada madrina con un vestido y una carroza para ti, no creo que llegues a la fiesta.

Yo cogí un cepillo de mi tocador y me recogí el pelo en una cola de caballo baja.

—No estoy esperando a nadie. Puedo salir adelante yo sola.

—Lo único que digo es que aceptes toda la ayuda que puedas conseguir. No tienes por qué hacerlo todo por la vía difícil.

—Ya lo sé. —Yo contuve mi enojo y conseguí esbozar una sonrisa. Lucy se preocupaba por mí y esto hacía que su autoritarismo fuera más fácil de sobrellevar—. Y no soy tan tozuda como parece. Después de todo permití que el señor Ferguson me cambiara el ataúd, ¿no?

El día antes del funeral, el señor Ferguson me telefoneó y me dijo que tenía una oferta para mí. Pareció escoger las palabras con cuidado y me contó que el fabricante de ataúdes había rebajado el precio de los modelos artísticos y que el de Monet estaba a un precio muy reducido. Como el precio de venta original era de seis mil quinientos dólares, yo le contesté que dudaba que pudiera pagarlo incluso a un precio rebajado.

—Prácticamente, los está regalando —insistió el señor Ferguson—. De hecho, el modelo de Monet cuesta ahora exactamente lo mismo que el de pino que usted eligió. Puedo ofrecérselo sin ningún coste adicional.

Yo estaba tan sorprendida que casi me quedé sin palabras.

—¿Está seguro?

—Sí, señorita.

Yo sospeché que la generosidad del señor Ferguson tenía algo que ver con el hecho de que hubiera salido a cenar con Miss Marva dos días antes, de modo que fui a preguntarle a Miss Marva qué había sucedido en su cita.

—Liberty Jones —respondió ella con indignación—, ¿estás sugiriendo que me acosté con él para que te rebajara el precio del ataúd?

Avergonzada, le respondí que no pretendía ofenderla y que, evidentemente, no pensaba una cosa así.

Todavía indignada, Miss Marva me explicó que, si se hubiera acostado con Arthur Ferguson, sin duda él me habría regalado el ataúd.

El funeral fue muy bonito, aunque un poco escandaloso para las normas imperantes en Welcome. El señor Ferguson dirigió la ceremonia y habló un poco acerca de mi madre, de su vida y de cuánto la echarían de menos sus amigos y sus dos hijas. No mencionó para nada a Louis. Sus parientes habían trasladado su cuerpo a Mesquite, el condado donde nació y donde vivía la mayoría de sus familiares, y contrataron a un gerente para Bluebonnet Ranch, un joven holgazán llamado Mike Mendeke.

Una de las mejores amigas de mi madre, una mujer regordeta y de cabello oscuro que trabajaba con ella, leyó un poema:

No vayas a llorar junto a mi tumba,
no estoy allí, no estoy durmiendo.
Soy miles de vientos que soplan,
soy los reflejos diamantinos en la nieve,
soy el sol en los cereales maduros,
soy la suave lluvia otoñal.
Cuando te despiertes en el silencio matutino,
soy la corriente veloz que eleva el espíritu
de los pájaros silenciosos que vuelan en círculo.
Soy las tenues estrellas que brillan en la noche.
No vayas a llorar junto a mi tumba,
no estoy allí; no he muerto.

Quizá no se tratara de un poema religioso, pero cuando Deb acabó de leerlo, había lágrimas en muchos ojos.

Yo dejé dos rosas amarillas sobre el ataúd, una por Carrington y otra por mí. Es posible que las rosas rojas sean las preferidas en el resto del mundo, pero en Tejas son las amarillas. El señor Ferguson me prometió que enterrarían las flores con el ataúd.

Al final de la ceremonia, pusimos la canción *Imagine*, de John Lennon, lo cual provocó más de una sonrisa y bastantes más ceños fruncidos, y después soltamos cuarenta y dos globos blancos, uno por cada año de edad de mi madre, los cuales se elevaron hacia el cálido cielo azul.

Aquél fue el funeral perfecto para Diana Truitt Jones. Creo que a mi madre le habría encantado. Cuando la ceremonia terminó, sentí la urgente y repentina necesidad de volver junto a Carrington. Quería abrazarla durante largo tiempo y acariciar los rubios tirabuzones que tanto me recordaban a los de mi madre. Carrington nunca me había parecido tan frágil, tan vulnerable a cualquier tipo de daño.

Me volví hacia la hilera de coches que había junto a la puerta y vi una limusina negra con los cristales ahumados aparcada a cierta distancia. No se puede decir que Welcome sea una ciudad de limusinas, de modo que me sorprendió ver aquélla allí aparcada. El diseño de la carrocería era moderno, las puertas y las ventanas estaban cerradas herméticamente y su contorno era aerodinámico y tan perfecto como el de un tiburón.

Aquel día no se celebraba ningún otro funeral, de modo que la persona que estaba sentada en la limusina conocía a mi madre y había querido presenciar el funeral a cierta distancia. Yo permanecí inmóvil mientras contemplaba con fijeza el vehículo. Mis piernas se movieron, supongo que me dirigía a preguntarle si él o ella quería venir al cementerio, pero cuando avancé hacia la limusina, ésta se puso en marcha y se alejó con lentitud.

Me inquietó pensar que nunca averiguaría de quién se trataba.

Poco después del funeral, una guardiana *ad litem* o defensora del menor nos visitó para determinar si yo era adecuada para ser la tutora legal de mi hermana. Los honorarios de la guardiana que nos visitó ascendían a ciento cincuenta dólares, y a mí me parecieron excesivos, teniendo en cuenta que estuvo con nosotras menos de una hora. Por suerte, el tribunal nos dispensó del pago, pues no teníamos dinero suficiente en la cuenta.

Carrington pareció darse cuenta de que era importante que se portara bien y, bajo la atenta mirada de la guardiana, construyó una torre con cubos, vistió a su muñeca favorita y cantó la canción del abecedario de principio a fin. Mientras la guardiana me formulaba preguntas acerca de la educación de mi hermana y mis planes para el futuro, Carrington se encaramó a mi falda y estampó unos cuantos besos apasionados en mi mejilla. Después de cada beso, miraba significativamente a la guardiana para asegurarse de que tomaba debida nota de sus actos.

La etapa siguiente del proceso fue sorprendentemente fácil. Acudí al juzgado de familia y entregué al juez unas cartas redactadas por Miss Marva, el pediatra y el pastor del Cordero de Dios. Todos ellos expresaban opiniones favorables acerca de mi carácter y mis habilidades parentales. El juez me comunicó su preocupación por el hecho de que no tuviera un empleo, me advirtió que debía encontrar uno de inmediato y me dijo que debía esperar la visita ocasional de los servicios sociales.

Cuando la audiencia terminó, un funcionario me pidió que extendiera un cheque de setenta y cinco dólares. Yo cogí un bolígrafo de color violeta fosforescente del fondo de mi bolso y extendí el cheque. Me entregaron una carpeta con una copia de los formularios que había tenido que rellenar y el certificado de la custodia. Yo me sentí como si acabara de comprar a Carrington y me estuvieran entregando el recibo.

Cuando salí del juzgado, Lucy me esperaba al pie de las escaleras con Carrington sentada en el carrito. Por primera vez desde hacía muchos días, me reí cuando vi las regordetas manos de Carrington sosteniendo un letrero que Lucy había preparado y en el que se leía: «PROPIEDAD DE LIBERTY JONES».

12

¡Vuele alto con TexWest!

¿Está preparado para un trabajo satisfactorio y orientado a las personas en el cielo? Viaje, aprenda, expanda sus horizontes como asistente de vuelo en TexWest, la aerolínea de vuelos nacionales de mayor crecimiento de la nación.

Los aspirantes deberán estar dispuestos a trasladarse a uno de los estados en los que están ubicadas nuestras oficinas: CA, UT, NM, AZ, TX. Se requiere título de graduado escolar y una estatura de entre 1,50 y 1,75 metros, sin excepciones. Preséntese en nuestras oficinas e infórmese más acerca de las fascinantes posibilidades que le ofrece TexWest.

Yo siempre he odiado volar. La mera idea me parece una afrenta a la naturaleza. Las personas tenemos que estar en el suelo. Dejé a un lado los clasificados y contemplé a Carrington, que estaba en su trona comiendo espaguetis.

La mayor parte de su cabello estaba recogido en forma de plumero en la parte superior de su cabeza y lo llevaba atado con un gran lazo rojo. Llevaba puestos unos pañales y nada más. Yo había descubierto que resultaba mucho más fácil lavarla después de las comidas si comía vestida sólo con los pañales.

Carrington me observó con solemnidad. Una mancha

enorme de salsa de espaguetis le rodeaba la boca y le cubría la barbilla.

—¿Qué te parecería si nos trasladáramos a Oregón? —le pregunté.

Su carita redonda se iluminó con una sonrisa mostrando una hilera de dientes blancos y separados.

—Okeydokey.

Ésta era su última expresión favorita, y la otra era «Ni hablar».

—Podrías quedarte en una guardería mientras yo sirvo botellines de Jack Daniel's a hombres de negocios malhumorados en un avión —continué yo—. ¿Qué te parece?

—Okeydokey.

Yo la contemplé mientras ella apartaba con cuidado un trocito de zanahoria hervida que yo había mezclado con la salsa de los espaguetis. Después de despojar uno de los espaguetis de tantos nutrientes como le fue posible, Carrington introdujo uno de sus extremos en su boca y lo succionó.

—Deja de quitar todos los trocitos de verdura o te prepararé un plato de brócoli —la regañé.

—Ni hablar —contestó ella con la boca llena de espaguetis.

Yo me eché a reír y examiné con detenimiento los anuncios de ofertas de trabajo para chicas con el graduado escolar y sin experiencia laboral. Por el momento parecía que estaba cualificada para trabajar como cajera en la cadena de supermercados Quick-Stop, como conductora de un camión del servicio de recogida de basuras, como niñera, como empleada de la compañía de limpieza Happy Helpers o como peluquera de gatos en una tienda de animales. En todos estos trabajos pagaban, más o menos, lo que yo había esperado, o sea, casi nada. El que menos me gustaba era el de niñera, porque significaba cuidar a los hijos de otras personas en lugar de a Carrington.

Sentada allí y rodeada de las páginas de los periódicos

que anunciaban mis limitadas opciones, me sentí pequeña e impotente. Yo no quería acostumbrarme a sentirme así. Necesitaba un empleo que pudiera conservar durante algún tiempo, pues no sería bueno ni para Carrington ni para mí que cambiara de trabajo con frecuencia. Además, sospechaba que no tendría muchas posibilidades de ascenso en la cadena Quick-Stop.

Al ver que Carrington dejaba los trocitos de zanahoria en el periódico que tenía delante, refunfuñé:

—¡Para ya de hacer eso, Carrington!

Cogí el periódico y empecé a arrugarlo, pero me detuve al ver el anuncio en tonos naranjas que había en una esquina.

> ¡Una profesión nueva en menos de un año!
>
> Una esteticista bien preparada siempre encontrará trabajo, tanto en los buenos tiempos como en los malos. Cada día millones de personas acuden a la peluquería para cortarse el pelo, recibir tratamientos de coloración u otros servicios cosméticos necesarios. Los conocimientos y las habilidades que adquirirá en la Academia East Houston de Cosmetología la capacitarán para desarrollar una carrera de éxito en cualquier especialidad de la estética que elija. Solicite una plaza en EHAC y empiece a labrar su futuro ya.
>
> Posibilidad de financiación.

En un campamento de casas prefabricadas se oye con frecuencia la palabra «trabajo». Los habitantes de Bluebonnet Ranch siempre estaban perdiendo trabajos, buscando trabajo, evitando trabajo, dando la lata a los demás para que les consiguieran un trabajo, pero yo no conocía a nadie que tuviera un título.

Yo deseaba tener un título de esteticista con tanta intensidad que apenas podía soportarlo. Había tantos centros en los que podría trabajar y había tantas cosas que quería aprender en este campo... Estaba convencida de que tenía el temperamento adecuado y el ímpetu necesario para desarrollar esta profesión. Lo tenía todo salvo el dinero.

Intentarlo constituía un disparate, sin embargo, contemplé mis manos como si pertenecieran a otra persona mientras limpiaban y recortaban el anuncio.

La directora de la academia, la señora Maria Vasquez, estaba sentada tras un escritorio de roble con forma de riñón en una habitación pintada de azul cielo. Unas fotografías de mujeres atractivas colgaban de las paredes a intervalos regulares. El olor que emanaba de las cabinas de prácticas, una mezcla de laca, champú y productos químicos para las permanentes llegaba hasta el área administrativa. La academia olía a centro de estética, y a mí me encantaba aquel olor.

Yo disimulé mi sorpresa al descubrir que la directora era hispana. Se trataba de una mujer esbelta, de hombros angulosos y facciones marcadas, y tenía el cabello teñido con mechas.

Me explicó que la academia había aceptado mi solicitud, pero que sólo podían ofrecer financiación a un número limitado de alumnos cada semestre. Si no podía costearme los estudios, podía apuntarme a la lista de espera y volver a solicitar la financiación el año siguiente.

—De acuerdo —respondí con el rostro tenso por la decepción y una sonrisa forzada.

Enseguida me di a mí misma un sermón: una lista de espera no era el fin del mundo. ¡Como si no tuviera nada que hacer mientras tanto!

La señora Vasquez me miró con expresión amable, me explicó que me telefonearía cuando llegara el momento de presentar de nuevo la solicitud y me dijo que esperaba verme de nuevo.

Camino de regreso a Bluebonnet Ranch, intenté imaginarme vestida con la camisa verde de la empresa de limpieza Happy Helpers. «No está tan mal», me dije a mí misma. Al fin y al cabo, ordenar y limpiar las casas de otras personas resultaba más fácil que hacerlo con la propia. Yo lo haría lo mejor posible. Sería la empleada de Happy Helpers más trabajadora del planeta.

Mientras hablaba conmigo misma, no me fijé en la dirección que tomaba con el coche. Estaba tan absorta en mis pensamientos que tomé la ruta larga en lugar de la corta y de repente me encontré en la carretera que pasaba junto al cementerio de Welcome. Una vez allí, reduje la marcha, entré en el recinto y aparqué pasadas las oficinas de la recepción. Después, caminé entre las lápidas: un jardín de mármol y granito que parecía brotar de la tierra.

La tumba de mi madre era la más reciente, un espartano montículo de tierra removida que interrumpía los metódicos pasillos de hierba. Me detuve a los pies de la tumba. De alguna manera, necesitaba una prueba de que realmente había muerto. Me costaba creer que el cuerpo de mi madre estuviera enterrado allí, en el ataúd de Monet, con la almohada de satén azul y el edredón a juego. Entonces experimenté una sensación de claustrofobia. Me desabotoné el cuello de la camisa y me sequé el sudor de la frente con la manga.

Los escalofríos de pánico desaparecieron cuando vislumbré una mancha amarilla junto a la placa de bronce que hacía de lápida. Rodeé la tumba y me acerqué a la placa para averiguar de qué se trataba. Era un ramo de rosas amarillas en un vaso de bronce que estaba enterrado en el suelo hasta el borde. Yo había visto vasos como aquél en la funeraria del señor Ferguson, pero costaban trescientos cincuenta dólares cada uno. Ni siquiera consideré la posibilidad de comprar uno y, aunque el señor Ferguson había sido muy amable, no creía que me hubiera regalado aquel complemento tan caro, sobre todo sin comentármelo.

Cogí una de las rosas de tallo goteante y me la acerqué a la nariz. El calor diurno había acrecentado su perfume, el cual emanaba del capullo entrecerrado. Muchas variedades de rosas amarillas no huelen, pero aquel tipo, fuera el que fuera, despedía una fragancia intensa similar a la de la piña.

Mientras me dirigía a las oficinas del cementerio, quité las espinas del tallo con la uña del pulgar. Una mujer de mediana edad y pelo castaño rojizo cortado a lo paje estaba sentada detrás del mostrador. Le pregunté quién había puesto el vaso de bronce en la tumba de mi madre y ella me respondió que no podía revelarme aquella información, que era confidencial.

—Pero ¡es la tumba de mi madre! —exclamé yo más desconcertada que enfadada—. ¿Puede alguien hacer algo así?, ¿poner algo en la tumba de otra persona?

—¿Me está pidiendo que quite el vaso?

—Bueno, no... —Yo quería que el vaso siguiera allí, pues si hubiera podido costearlo, lo habría comprado yo misma—, pero quiero saber quién lo ha comprado.

—No puedo proporcionarle esa información.

Después de uno o dos minutos más de argumentación, la recepcionista accedió a darme el nombre de la floristería que había enviado las rosas. Se trataba de una floristería de Houston llamada Flower Power.

Los dos días siguientes los dediqué a hacer recados y a presentarme a la entrevista para el empleo en Happy Helpers, y no pude telefonear a la floristería hasta finales de la semana. La joven que contestó a mi llamada declaró:

—Espere, por favor.

Y antes de que yo pudiera decir nada, me encontré escuchando a Hank Williams, quien interpretaba la canción *I Just Don't Like This Kind of Living*.

Me senté sobre la tapa del retrete mientras sostenía el auricular junto a mi oreja y observé a Carrington, quien jugaba en la bañera. Ella estaba concentraba vertiendo agua de un vaso de plástico a otro. Después añadió un chorro de jabón líquido y lo removió con el dedo.

—¿Qué estás haciendo, Carrington? —le pregunté.

—Estoy haciendo una cosa.

—¿Qué cosa?

Ella vertió la mezcla sobre su barriga y la frotó.

—Abrillantador para personas.

—Aclárate la barriga... —empecé yo.

Entonces oí la voz de la joven en el auricular.

—Flower Power, ¿en qué puedo ayudarle?

Le expliqué la situación y le pregunté si podía indicarme quién había enviado las rosas a la tumba de mi madre. Como esperaba, ella me contestó que no estaba autorizada a revelar el nombre del remitente.

—En el ordenador pone que tenemos el encargo de enviar el mismo tipo de ramo una vez a la semana.

—¿Cómo...? —pregunté con voz débil—. ¿Una docena de rosas amarillas cada semana...?

—Así es, esto es lo que pone en el ordenador.

—¿Durante cuánto tiempo?

—No hay fecha límite. El envío se efectuará durante algún tiempo.

Yo me quedé boquiabierta.

—¿Y no hay forma de que me diga...?

—No —contestó la muchacha con firmeza—. ¿Puedo ayudarla en alguna otra cosa?

—Supongo que no. Yo...

Antes de que pudiera darle las gracias o despedirme, se oyó un timbre lejano y la muchacha cortó la comunicación.

Yo repasé en mi mente la lista de personas que podían haber realizado aquel encargo, pero ninguna de las que yo conocía tenía el dinero suficiente para ello.

Las rosas procedían de la vida secreta de mi madre, del pasado del que nunca me había hablado.

Yo fruncí el ceño, cogí una toalla doblada y la desdoblé de una sacudida.

—Vamos, Carrington, el baño se ha acabado.

Ella refunfuñó y me obedeció a regañadientes. Yo la saqué de la bañera y la sequé mientras admiraba las rechonchas rodillas y la abultada barriga de una niña saludable. Mi hermanita era perfecta en todos los sentidos, pensé.

Después del baño, Carrington y yo solíamos jugar a formar una cabaña con la toalla, de modo que, después de secarla, nos cubrí con la toalla y las dos reímos mientras nos dábamos besos en la nariz.

El timbre del teléfono interrumpió nuestro juego y yo tapé a Carrington con la toalla y pulsé la tecla de establecimiento de llamada.

—¿Diga?

—¿Liberty Jones?

—¿Sí?

—Soy Maria Vasquez.

Como la señora Vasquez era la última persona a la que esperaba oír, me quedé temporalmente sin habla.

Ella interrumpió el silencio con soltura.

—... de la academia de cosmética.

—Sí, sí, lo siento, yo... ¿Cómo está usted, señora Vasquez?

—Muy bien, Liberty, gracias. Tengo buenas noticias para ti..., si es que todavía estás interesada en acudir a la academia este año.

—Sí —conseguí susurrar mientras la emoción atenazaba mi garganta.

—Tenemos una plaza disponible en el programa de financiación para este curso y puedo ofrecerte una financiación completa. Puedo enviarte por correo los documentos de la matrícula o, si lo prefieres, puedes pasar por la oficina a recogerlos.

Yo cerré los párpados y apreté el auricular con tanta fuerza que me sorprendió no romperlo. Los dedos de Carrington exploraban mi cara y jugaban con mis pestañas.

—Gracias. Gracias. Pasaré a recogerlos mañana. Gracias.

La directora rio entre dientes.

—De nada, Liberty, estaremos encantados de tenerte con nosotros.

Después de colgar el auricular, me puse a gritar y a abrazar a Carrington.

—¡Me han admitido! ¡Me han admitido! —Ella se agitó entre mis brazos y soltó unos grititos de alegría compartiendo mi entusiasmo, aunque no comprendía la razón de mi felicidad—. ¡Voy a ir a la academia! ¡Seré una esteticista, no una Happy Helper! No me lo puedo creer. ¡Oh, cariño, nos merecíamos tener un poco de suerte!

Yo no esperaba que fuera fácil, aunque trabajar duro es mucho más llevadero cuando se trata de algo que quieres, en lugar de algo que estás obligado a hacer.

Los ganaderos sureños tienen un dicho: «Despelleja siempre tú mismo a tu ciervo.» El ciervo que yo tenía que despellejar eran mis estudios. Yo nunca me había sentido tan inteligente como mi madre creía que era, pero supuse que, si quería algo con mucha intensidad, sería capaz de sacarlo adelante.

Estoy convencida de que muchas personas creen que estudiar estética resulta fácil, que no hay mucho que hacer, pero tienes que aprender muchas cosas antes de que te dejen coger unas tijeras.

El programa incluía asignaturas como: Esterilización bacteriológica, que constaba de una parte teórica y otra de prácticas en el laboratorio; Reorganización química, en la que nos enseñarían procedimientos, materiales y utensilios para las permanentes y los desrizadores; y Coloración del cabello, que incluía lecciones de anatomía, fisiología, química, procedimientos, efectos especiales y resolución de problemas. Y esto era sólo el principio. Di una hojeada al programa y comprendí por qué se necesitaban nueve meses para conseguir el título.

Al final, acepté el empleo a tiempo parcial en la tienda de los padres de Lucy, con un horario de tardes y fines de semana. Durante el día, dejaba a Carrington en una guardería. Vivíamos con lo mínimo. Nos alimentábamos de pan de molde, mantequilla de cacahuete, burritos precocinados, sopa de fideos y fruta y verdura enlatadas de bajo precio, pues las latas estaban abolladas. Y la ropa y los zapatos los comprábamos en tiendas de segunda mano. Como Carrington tenía menos de cinco años, todavía podíamos acogernos al programa de asistencia estatal que nos proporcionaba vacunas gratuitas. Sin embargo, no disponíamos de ningún seguro médico, de modo que no podíamos permitirnos ponernos enfermas. Yo añadía agua a los zumos de fruta envasados de Carrington y le cepillaba los dientes como una maníaca para que no tuviera caries. Cualquier nuevo traqueteo del coche nos advertía de un posible y caro problema que acechaba bajo el abollado capó. Yo examinaba con minuciosidad todas las facturas de los consumos de la casa y reclamaba todos los extras que nos cargaba la compañía de teléfonos.

No existe paz en la pobreza.

La familia Reyes nos ayudó mucho. Me dejaban llevar a Carrington a la tienda y ella se sentaba en la parte trasera con sus cuadernos para colorear, sus animalitos de plástico y las cartulinas para aprender a coser mientras yo trabajaba. Con frecuencia, nos invitaban a cenar y la madre de Lucy insistía en que me llevara las sobras. Yo adoraba a la señora Reyes, quien tenía un dicho portugués para casi todo, como: «La belleza no alimenta a los cerdos», que constituía su forma de criticar a Matt, el guapo pero vago novio de Lucy.

A Lucy no la veía mucho, pues ella estudiaba en la universidad y salía con Matt, a quien había conocido en las clases de botánica. De vez en cuando, ella y Matt venían a verme a la tienda y hablábamos unos minutos antes de que se fueran a tomar algo. Debo reconocer que sentía algo de envidia. Lucy tenía una familia amorosa, novio, dinero y una vida normal con un buen futuro, mientras que yo no tenía familia, estaba siempre cansada, tenía que contar hasta el último centavo y, aunque hubiera querido tener novio, me habría resultado imposible encontrar uno, pues siempre estaba empujando el carrito de mi hermana. Los chicos de veintitantos años no se sienten atraídos por las bolsas de pañales.

Sin embargo, nada de esto me importaba cuando estaba con Carrington. Cuando iba a recogerla a la guardería o a casa de Miss Marva y ella corría hacia mí con los brazos extendidos, la vida me parecía realmente hermosa. Carrington aprendía palabras nuevas a más velocidad de la que emplea un predicador de la televisión en repartir bendiciones, de modo que hablábamos continuamente. Todavía dormíamos juntas y con las piernas entrelazadas y, hasta que cogíamos el sueño, Carrington parloteaba sin cesar. Me contaba cosas de sus amigas de la guardería, se quejaba de una cuyos dibujos no eran más que garabatos y me informaba de quién tenía que hacer de mamá cuando jugaban a mamás y a papás a la hora del patio.

—Tus piernas rascan —se quejó Carrington una noche—. A mí me gustan suaves.

Su comentario me hizo reír. Yo estaba agotada, me preocupaba un examen que tenía al día siguiente, contaba sólo con diez dólares en la cuenta del banco y, para colmo, tenía que aguantar que una cría criticara mis hábitos depilatorios.

—Carrington, una de las ventajas de no tener novio es que puedes estar unos cuantos días sin depilarte.

—¿Qué quiere decir eso?

—Quiere decir que te aguantes —respondí yo.

—Está bien. —Carrington se acurrucó más en la almohada—. ¿Liberty?

—¿Sí?

—¿Cuándo tendrás novio?

—No lo sé, cariño. Quizá tarde un tiempo.

—Si te depilas las piernas, a lo mejor consigues uno.

Yo no pude evitar echarme a reír.

—Buen punto de vista. Ahora duérmete.

Durante el invierno, Carrington cogió un resfriado que no conseguía superar y al final se convirtió en una tos áspera que parecía hacer temblar todos sus huesos. Le di un frasco entero de un medicamento que me vendieron en la farmacia, pero no le produjo mucho efecto. Una noche, me desperté al oír una tos de perro y me di cuenta de que a Carrington se le había hinchado la garganta y que sólo podía respirar de una forma superficial. Un terror más intenso del que había experimentado nunca se apoderó de mí y la llevé al hospital, donde nos aceptaron incluso sin seguro.

Le diagnosticaron difteria y trajeron una mascarilla de plástico unida a un nebulizador que bombeaba una neblina gris que contenía un medicamento. Carrington, asustada por el ruido que producía la máquina, por no mencionar la mascarilla, se encogió en mi regazo y lloró de una forma lastimosa. Por mucho que le explicara que no le dolería y que gracias a aquella máquina su estado mejoraría, ella se negó a ponerse la mascarilla, hasta que, al final, sufrió un ataque de tos convulsiva.

—¿Puedo ponérmela yo? —le pregunté, desesperada, al enfermero—. Sólo para demostrarle que no pasa nada. ¡Por favor!

Él negó con un movimiento de la cabeza y me miró como si estuviera loca.

Yo volví a mi llorosa hermana hacia mí.

—Carrington, escúchame. Es como un juego. Simularemos que eres una astronauta. Deja que te ponga la mascarilla sólo un minuto. Eres una astronauta. ¿A qué planeta quieres ir?

—Al planeta c-casa —lloriqueó ella.

Después de unos minutos más de lloros e insistencia por mi parte, jugamos a que ella era una exploradora espacial. Al cabo de un rato el enfermero declaró que ya había inhalado suficiente Vaponefrina.

Yo llevé a Carrington al coche en aquella fría y negra noche. Ella estaba agotada y se había dormido. Su cabeza reposaba en mi hombro y me rodeaba la cadera con las piernas, y yo disfruté de la sensación que me producía su peso sólido y vulnerable.

Mientras ella seguía durmiendo en el coche y durante todo el camino de vuelta a casa, yo lloré. Me sentía incompetente, angustiada, llena de amor, alivio y preocupación.

Me sentía como una madre.

Con el tiempo, la relación entre Miss Marva y el señor Ferguson adquirió la entrañable ternura que producen dos personas independientes que no tienen ninguna necesidad de enamorarse pero que, de todas formas, lo hacen. Formaban una buena pareja y la sólida serenidad del señor Ferguson equilibraba la naturaleza chispeante de Miss Marva.

Miss Marva explicaba a todo aquel que la escuchara que no tenía ninguna intención de casarse, pero nadie la creía. Creo que lo que por fin la convenció fue que, a pesar de su confortable situación económica, Arthur Ferguson sin duda necesitaba que lo cuidaran. Le faltaban algunos de los botones de los puños de las camisas, a veces se saltaba comidas simplemente porque se olvidaba de comer y muchas veces llevaba los calcetines desparejados. Algunos hombres están mejor cuando alguien les está dando la lata todo el tiempo y Miss Marva debió de reconocer que ella necesitaba darle la lata a alguien.

De modo que, después de salir durante unos ocho meses, Miss Marva le preparó a Arthur Ferguson su comida preferida: carne asada con cerveza y verduras, pan de maíz y, de postre, pastel de terciopelo rojo, tras lo cual, como es lógico, él le propuso matrimonio.

Miss Marva me contó la noticia con cierto remordimiento de conciencia y alegó que Arthur debía de haberla engañado de alguna manera, porque no había ninguna razón para que una mujer con un negocio propio se casara. Pero yo noté lo feliz que se sentía y me alegré de que, después de todos los altibajos por los que había pasado durante su vida, Miss Marva hubiera encontrado a un hombre bueno. Según me contó Miss Marva, se casarían en Las Vegas, en una ceremonia al estilo Elvis; después, asistirían al espectáculo de Wayne Newton y, seguramente, también acudirían a presenciar el número de los tigres. Cuando regresaran, Miss Marva dejaría Bluebonnet Ranch y se trasladaría a la casa que el señor Ferguson tenía en la ciudad; además él le había concedido plena libertad para decorarla.

Desde la casa prefabricada de Miss Marva a su nueva

residencia había menos de ocho kilómetros, pero ella se trasladaba más lejos de lo que se podía medir con un cuentakilómetros. Miss Marva se mudaba a un mundo distinto, pues iba a adquirir una nueva posición social. La idea de que no podría volver a recorrer la calle para visitarla me resultaba inquietante y deprimente.

Si Miss Marva se iba, nada nos retenía a Carrington y a mí en Bluebonnet Ranch. Vivíamos en una vieja casa prefabricada sin valor y que estaba asentada en un terreno alquilado. Además, como mi hermana tenía que empezar el colegio al año siguiente, lo mejor sería buscar un apartamento en una zona en la que hubiera buenos colegios. Decidí que, si lograba aprobar los exámenes de la Academia de Cosmetología, buscaría un empleo en Houston.

Yo quería irme del campamento de casas prefabricadas más por mi hermana que por mí misma, aunque alejarme de allí sería romper el último vínculo que me unía a mi madre. Y a Hardy.

Yo revivía la ausencia de mi madre cada vez que deseaba contarle algo de lo que nos había ocurrido a mí o a Carrington. Incluso mucho después de que hubiera fallecido, la niña de mi interior que necesitaba consuelo seguía llorando su ausencia. Pero, conforme el paso del tiempo amortiguó la pena, sentí que mi madre se alejaba más y más de mí y llegó un momento en el que no pude recordar el sonido exacto de su voz, la forma de sus dientes o el color de sus mejillas. Yo intentaba retener los detalles de su imagen, que era como agua entre mis dedos.

La pérdida de Hardy me resultaba casi igual de dolorosa, aunque distinta. Si un chico me miraba con interés, me hablaba o me sonreía, yo, sin remedio, buscaba en él algo que me recordara a Hardy. No sabía cómo dejar de quererlo. Y no es que abrigara ningún tipo de esperanza, pues sabía que no volvería a verlo jamás, pero este convencimiento no me impedía comparar a todos los hombres que conocía con él. Y todos salían perdiendo. Me sentía exhausta de tanto quererlo, como un mirlo que peleara contra su reflejo en el cristal de una ventana.

¿Por qué el amor era tan fácil para unas personas y tan difícil para otras? La mayoría de mis amigas del instituto ya estaban casadas. Lucy también se había prometido a Matt, su novio, y, según me contó, no albergaba ninguna duda respecto a su relación. Yo pensaba en lo maravilloso que resultaría tener a alguien con quien contar y me avergonzaba reconocer que fantaseaba con la posibilidad de que Hardy regresara a buscarme, reconociera que se había equivocado y me dijera que encontraríamos la manera de salir adelante juntos porque nada compensaba el dolor que le producía estar lejos de mí.

Si la soledad constituía una de las alternativas, ¿cuál era la otra? ¿Decidirme por una segunda opción e intentar ser feliz? ¿Y esta alternativa sería justa para la persona que yo eligiera? Tenía que haber alguien, un hombre que me ayudara a olvidar a Hardy. Tenía que encontrarlo, no sólo por mí, sino también por mi hermana. Carrington no tenía ninguna influencia masculina en su vida. Hasta entonces, las únicas personas con las que había convivido eran nuestra madre, Miss Marva y yo. Yo no tenía conocimientos de psicología, pero estaba convencida de que los padres, o la figura del padre, tenía un fuerte impacto en el desarrollo de los hijos y me preguntaba si mi vida habría sido muy distinta si hubiera podido vivir más tiempo con mi padre.

La verdad es que no me sentía cómoda con los hombres. Para mí eran unas criaturas extrañas, con sus fuertes apretones de mano, su entusiasmo por los deportivos rojos y las herramientas eléctricas y su aparente incapacidad para reemplazar los rollos vacíos de papel higiénico por uno nuevo. Envidiaba a las chicas que comprendían a los hombres y se sentían cómodas con ellos.

Me di cuenta de que no encontraría a un hombre hasta que estuviera dispuesta a exponerme a un posible daño, a asumir el riesgo al rechazo, a la traición y a que se me rompiera el corazón, los cuales iban unidos a la experiencia de querer a alguien. Algún día, me prometí a mí misma, estaría preparada para asumir aquel tipo de riesgo.

13

La señora Vasquez me contó que no le sorprendía que hubiera aprobado los exámenes teóricos y prácticos con unas notas excelentes. Con expresión radiante, cogió mi rostro entre sus delgadas y firmes manos como si yo fuera su hija favorita.

—Felicidades, Liberty. Has trabajado muy duro. Debes estar orgullosa de ti misma.

—Gracias.

Me faltaba el aliento debido a la emoción que experimentaba. Aprobar los exámenes constituía un impulso enorme para mi autoconfianza; me hacía sentir que podía hacer cualquier cosa. Como decía la madre de Lucy, si puedes hacer un cesto, puedes hacer cientos.

La directora de la academia me indicó que me sentara.

—¿Ahora quieres trabajar como aprendiz o prefieres alquilar una cabina en un centro de belleza?

Alquilar una cabina era como trabajar de autónoma, tenías que pagar un alquiler mensual por utilizar un pequeño espacio del centro y a mí no me atraía la idea de no disponer de unos ingresos seguros.

—Prefiero trabajar de aprendiz —respondí yo—. Necesito un sueldo fijo. Mi hermana pequeña y yo...

—Claro —me interrumpió ella antes de que tuviera que darle ninguna explicación—. Creo que una joven con tus habilidades y tu belleza puede encontrar un buen puesto en una peluquería de prestigio.

Yo no estaba acostumbrada a los halagos y sonreí y me encogí de hombros.

—¿El aspecto influye a la hora de encontrar trabajo?

—Los salones de belleza más afamados tienen preferencia por determinada imagen, y si encajas con esa imagen, es más probable que te acepten.

La señora Vasquez me miró de una forma escrutadora y yo, al advertirlo, me enderecé, algo avergonzada, en el asiento. Gracias a las continuas prácticas que las estudiantes habíamos realizado entre nosotras, yo había recibido tratamientos para el cutis y el cabello, y manicuras y pedicuras para toda la vida. Nunca había tenido un aspecto tan cuidado como el que tenía entonces. Tenía elegantes reflejos de color miel y caramelo en el pelo y, después de miles de limpiezas de cutis, mi piel estaba tan aterciopelada que ni siquiera necesitaba utilizar base de maquillaje. Parecía una de las amigas de raza exótica de Barbie, lozanas y resplandecientes en su caja de plástico transparente y con una etiqueta de color rosa.

—Hay una peluquería muy exclusiva en la zona comercial la Galeria —continuó la señora Vasquez—. Salon One, ¿has oído hablar de ella? ¿Sí? Yo conozco a la gerente. Si te interesa, te recomendaré a ella.

—¿De verdad? —Yo no podía creer la suerte que tenía—. ¡Oh, señora Vasquez, no sé cómo agradecérselo!

—En Salon One son bastante exigentes —me advirtió ella—. Una vez realizada la entrevista, es posible que no te acepten, pero... —La señora Vasquez se interrumpió y me lanzó una extraña mirada—. Algo me dice que encajarás bien allí, Liberty.

Houston es una ciudad de largas extremidades dispuestas en jarras, como una mujer pecadora después de una noche de excesos. Grandes problemas y grandes placeres: eso es Houston. Pero en un estado de gentes generalmente amistosas, los habitantes de Houston son los más amistosos, siempre que no te metas con sus posesiones. Los houstonianos valoran mucho sus propiedades, o sea, la tierra, y su relación con ella es un tanto peculiar.

Houston es la única gran ciudad norteamericana que no dispone de un plan de zonificación y, por lo tanto, constituye un experimento continuo de las fuerzas del mercado libre en los usos del territorio. En Houston se pueden ver locales de strip-tease y sex-shops junto a dignos edificios de oficinas o viviendas, y casas con jardín o casetas de feria construidas junto a plazas de cemento salpicadas de rascacielos de paredes acristaladas. Y esto es así porque los houstonianos prefieren ser los propietarios absolutos de su suelo a que el gobierno decida cómo debe organizarse la propiedad. Los houstonianos pagan gustosos el precio de esa libertad, aunque esto suponga que, como malas hierbas, los negocios indeseables broten por todas partes.

En Houston, el dinero nuevo es tan bueno como el viejo. No importa quién seas o de dónde vengas, siempre que puedas costearte la entrada, eres bienvenido al baile. Se cuentan historias de legendarias anfitrionas de la alta sociedad houstoniana que procedían de entornos humildes, entre ellas una era hija de un vendedor de muebles y otra empezó como organizadora de fiestas. Si tienes dinero y valoras el buen gusto y la tranquilidad, serás bien recibido en Dallas, pero si tienes dinero y te gusta gastarlo a manos llenas como quien esparce veneno para hormigas, entonces perteneces a Houston.

En la superficie, Houston parece una ciudad perezosa habitada por personas que hablan despacio y se mueven con lentitud. La mayor parte del tiempo hace demasiado calor para que uno se ponga en movimiento. Sin embargo, en Houston el poder lo ejerce la economía del movimiento, como en la pesca de la lubina. La ciudad crece con energía, lo cual se aprecia en su perfil en el horizonte, en todos esos edificios que se elevan hacia el cielo como si no quisieran dejar de crecer.

Encontré un apartamento para Carrington y para mí en el distrito 610, no lejos de Salon One, donde yo trabajaba. Se considera que las personas que viven en el distrito 610 son un poco cosmopolitas, del tipo que ven películas de cine independiente y beben café con leche. Fuera de este distrito, beber café con leche se considera un signo de posibles tendencias liberales.

El apartamento se encontraba en un viejo complejo residencial con una piscina y un circuito para correr comunitarios. «¿Ahora somos ricas?», me preguntó Carrington sorprendida por el tamaño del edificio principal y por el hecho de que subíamos al apartamento en ascensor.

Como aprendiz de Salon One, yo ganaría unos dieciocho mil dólares al año. Una vez descontados los impuestos y el alquiler mensual del apartamento, que ascendía a quinientos dólares, no nos quedaba mucho, sobre todo porque el coste de la vida era mucho más elevado en Houston que en Welcome. Sin embargo, después del primer año, me ascenderían a peluquera de segunda, con lo que mi sueldo subiría a unos veinte mil dólares anuales.

Por primera vez en mi vida, veía ante mí un futuro lleno de posibilidades. Tenía un título y un empleo con los que podía forjarme un futuro profesional; tenía un apartamento enmoquetado de ciento cincuenta metros cuadrados y un Honda de segunda mano que todavía funcionaba. Y, sobre todo, tenía un papel que decía que Carrington era mía, de modo que nadie podía quitármela.

Inscribí a Carrington en un curso de preescolar y le compré una fiambrera de la Sirenita y unas bambas con lucecitas en los costados. El primer día de colegio la acompañé hasta su clase y me esforcé en contener mis lágrimas mientras ella lloriqueaba, se agarraba a mí y me suplicaba que no la dejara allí. Yo la desplacé a un lado de la puerta, lejos de la mirada de la comprensiva profesora, me agaché frente a ella y le sequé las lágrimas con un pañuelo.

—Cariño, sólo estarás aquí un rato, sólo unas horas. Jugarás y harás nuevas amigas...

—¡Yo no quiero hacer nuevas amigas!

—Tendrás clase de plástica, pintarás y dibujarás...

—¡Yo no quiero pintar! —Carrington hundió el rostro en mi pecho y añadió con la voz amortiguada por mi camisa—: Quiero ir a casa contigo.

Yo le cogí la cabecita con firmeza y la apreté contra mi pecho de una forma tranquilizadora.

—Yo no voy a casa, cariño. Las dos tenemos trabajo, ¿recuerdas? El mío consiste en peinar a las personas y el tuyo en ir al colegio.

—¡A mí no me gusta mi trabajo!

Yo la aparté de mí y le limpié la nariz.

—Tengo una idea, Carrington, mira... —Cogí su brazo y lo giré con delicadeza hacia arriba—. Te daré un beso para que te acompañe durante todo el día. Mira. —Incliné la cabeza y presioné los labios en la suave piel del interior de su codo—. Ya está. Si me echas de menos, este beso te recordará que te quiero y que pronto volveré a recogerte.

Carrington contempló la marca rosada con recelo, aunque, afortunadamente, había dejado de llorar.

—Preferiría que fuera un beso rojo —declaró después de un buen rato.

—Mañana me pondré el pintalabios rojo —le prometí. Me levanté y la cogí de la mano—. Vamos, cariño, haz nuevas amigas y un dibujo para mí. El día habrá terminado antes de que te des cuenta.

Carrington se enfrentó al curso de preescolar con una actitud soldadesca, como si se tratara de una misión que tenía que cumplir. El ritual del beso se estableció como una rutina. El primer día que me olvidé de dárselo, su profesora me telefoneó a la peluquería y con voz compungida me explicó que Carrington estaba tan disgustada que estaba perturbando el desarrollo de la clase. Durante mi descanso, yo corrí hasta el colegio y me encontré con mi llorosa hermana en la puerta de la clase.

Yo estaba agitada, sin aliento y fuera de mis casillas.

—¿Tenías que armar tanto jaleo, Carrington? ¿No puedes pasar ni siquiera un día sin un beso en el brazo?

—No.

Ella extendió el brazo con determinación, con las mejillas bañadas en lágrimas y una expresión de tozudez en el rostro. Yo suspiré y estampé un beso en su piel.

—¿Ahora te portarás bien?

—¡Sí!

Ella volvió a entrar en la clase dando saltos de alegría, y yo regresé a toda prisa a la peluquería.

Los transeúntes siempre se fijaban en Carrington cuando salíamos de paseo. Se paraban para admirar su belleza, nos formulaban preguntas y decían que era una niñita preciosa. Nadie imaginaba que yo era familia de ella y todos deducían que era su canguro. Decían cosas como: «¿Cuánto tiempo hace que cuidas de ella?» o «Sus padres deben de estar muy orgullosos de ella». Incluso la recepcionista del pediatra me explicó que tenía que llevar los formularios a casa para que los firmaran los padres de Carrington o su tutor legal y me observó con escepticismo cuando le expliqué que yo era la hermana de Carrington. Yo entendía por qué los demás dudaban de nuestro parentesco, pues el color de nuestra piel era totalmente distinto. Éramos como una gallina marrón con un huevo blanco.

Poco después de que Carrington cumpliera cuatro años, comprendí lo que podía suponer para mí volver a salir con chicos, y no me gustó. Una de mis compañeras de la peluquería, Angie Keeney, me organizó una cita a ciegas con su hermano Mike. Él acaba de divorciarse de su amor de la universidad, con quien había estado casado durante dos años. Según me contó Angie, Mike quería conocer a alguien completamente distinto de su anterior esposa.

—¿A qué se dedica tu hermano? —le pregunté yo.

—¡Oh, le va muy bien! Es jefe de ventas del departamento de electrodomésticos de Price Paradise. —Angie me lanzó una mirada significativa—. Mike es proveedor.

En Tejas, la palabra clave para un hombre con un empleo fijo es «proveedor», y para uno que no tiene o no quiere un empleo es la multiuso «colega». Y es un hecho demostrado que, si bien algunos proveedores se convierten en colegas, lo contrario nunca ocurre.

Yo anoté mi teléfono en un papel para que Angie se lo entregara a su hermano. Mike me telefoneó al día siguiente. A mí me gustaron su voz agradable y su risa fácil. Acordamos salir a cenar a un restaurante japonés, pues yo no había estado en ninguno.

—Lo probaré todo menos el pescado crudo —declaré yo.

—Te gustará cómo lo cocinan.

—De acuerdo. —Pensé que, si millones de personas comían sushi y sobrevivían a la experiencia, yo bien podía probarlo—. ¿A qué hora pasarás a recogerme?

—A las ocho.

Me pregunté si encontraría a una canguro que pudiera quedarse hasta medianoche. Tampoco sabía cuánto me cobraría. ¿Cómo reaccionaría Carrington cuando la dejara sola con una desconocida? Y también me pregunté cómo reaccionaría yo. Carrington a merced de una desconocida...

—Estupendo —respondí—. Buscaré una canguro y, si no la encuentro, te telefon...

—¿Una canguro? —me interrumpió él con aspereza—. ¿Una canguro para qué?

—Para mi hermana pequeña.

—¡Ah! ¿Esta noche se queda contigo?

Yo titubeé.

—Sí.

No le había contado mi vida personal a nadie en Salon One y nadie, ni siquiera Angie, sabía que yo era la tutora de una niña de cuatro años. Aunque sabía que debería habérselo contado a Mike desde el primer momento, la verdad es que tenía muchas ganas de salir a cenar fuera. Me parecía que llevaba viviendo como una monja desde hacía una eternidad, y Angie me había advertido que su hermano no quería salir con nadie que llevara equipaje, pues quería empezar desde cero.

—Defíneme «equipaje» —le pregunté a Angie.

—¿Alguna vez has vivido con alguien, has estado prometida o casada?

—No.

—¿Padeces alguna enfermedad incurable?

—No.

—¿Has estado ingresada en algún centro de rehabilitación o has seguido un programa de desintoxicación?

—No.

—¿Te han condenado alguna vez por haber cometido un delito leve o grave?

—No.

—¿Tomas algún tipo de medicación psiquiátrica?

—No.

—¿Eres miembro de una familia disfuncional?

—En realidad no tengo familia. Soy una especie de huérfana, salvo por...

Antes de que pudiera hablarle de Carrington, Angie soltó de una forma efusiva:

—¡Dios mío, eres perfecta! Mike te adorará.

Técnicamente, yo no había mentido, sin embargo, retener información es, con frecuencia, lo mismo que mentir, y la mayoría de las personas afirmarían sin titubear que Carrington era un «equipaje». Aunque, en mi opinión, todas esas personas estarían totalmente equivocadas. Carrington no era un equipaje y no se merecía que la echaran en el mismo saco que los delitos o las enfermedades incurables. Además, si yo no pensaba recriminarle a Mike que se hubiera divorciado, él no debería recriminarme que estuviera criando a una hermana pequeña.

La primera parte de la cita fue bien. Mike era un hombre guapo, con una melena rubia y espesa y una bonita sonrisa. Comimos en un restaurante japonés cuyo nombre yo no conseguí pronunciar. Para mi sorpresa, la camarera nos condujo a una mesa que apenas me llegaba a las rodillas y nos sentamos sobre unos cojines en el suelo. Por desgracia yo me había puesto los pantalones que menos me gustaban, porque mis mejores pantalones negros estaban en la tintorería. Los que llevaba puestos también eran negros, pero eran de talle muy bajo y, al estar sentada en el suelo, se me clavaron en la entrepierna durante toda la cena. Y, aunque el sushi estaba muy bien preparado, si cerraba los ojos podría haber jurado que estaba comiendo cebo para pescar crudo. Con todo, me pareció fantástico salir a cenar un sábado por la noche a un restaurante elegante en lugar de ir a uno de esos en los que te dan una libretita y un lápiz para que apuntes los platos.

Aunque Mike ya tenía veintitantos años, todavía había algo en él que resultaba inmaduro. No me refiero a algo físico, pues Mike estaba bien formado y parecía estar en buena forma, pero apenas cinco minutos después de conocerlo, supe que todavía estaba atrapado en la experiencia del divorcio, aunque éste era definitivo.

Según me contó, había sido un divorcio muy desagradable, aunque él le había metido un gol porque le había hecho creer a su ex que le dejaba quedarse con el perro como una concesión, cuando a él aquel animal nunca le había gustado. Mike también me contó cómo habían dividido sus pertenencias hasta llegar al punto de separar unas lámparas que iban a juego para lograr una igualdad estricta.

Cuando terminamos de cenar, le pregunté a Mike si quería ir a ver una película a mi apartamento y él respondió que sí. Yo me sentí muy aliviada cuando llegamos a casa. Como era la primera vez que dejaba a Carrington sola con una canguro en Houston, había estado preocupada por ella durante toda la cena.

Brittany, la canguro, tenía doce años y vivía con su familia en el mismo edificio que nosotras. La recepcionista del complejo me la había recomendado. Brittany me aseguró que había realizado canguros para muchos niños del edificio y que, si surgía algún problema, su madre sólo vivía dos pisos más abajo.

Yo le pagué y le pregunté cómo había ido todo y ella me respondió que Carrington y ella se llevaban de maravilla, que habían cocinado palomitas de maíz, habían visto una película de Disney y que la había bañado. El único problema había consistido en conseguir que Carrington se quedara en la cama.

—No para de levantarse —me explicó Brittany mientras se encogía de hombros en señal de impotencia—. No hay manera de que se duerma. Lo siento, señora..., señorita...

—Liberty —le aclaré yo—. Está bien, Brittany. Lo has hecho muy bien. Espero que puedas volver a ayudarnos otra vez.

—Seguro.

Britanny guardó en su bolsillo los quince dólares que yo le había pagado y salió del apartamento mientras realizaba un leve saludo por encima del hombro.

En aquel mismo instante, la puerta del dormitorio se abrió de golpe y Carrington, vestida con el pijama, entró corriendo en el salón.

—¡Liberty! —exclamó mientras rodeaba mis caderas con sus brazos y me abrazaba como si no nos hubiéramos visto en un año—. Te he echado de menos. ¿Adónde has ido? ¿Por qué has tardado tanto en volver? ¿Quién es ese hombre rubio?

Yo lancé una ojeada a Mike. Aunque esbozaba una sonrisa forzada, resultaba obvio que no era momento para presentaciones. Su mirada recorrió con lentitud la habitación y se detuvo unos instantes en el desgastado sofá y en los lugares en los que la chapa de madera de la mesa había saltado. A mí me sorprendió darme cuenta de que me ponía a la defensiva y me sentí muy incómoda al verme a mí misma desde su perspectiva.

Yo me incliné hacia mi hermanita y la besé en la cabeza.

—Es mi nuevo amigo. Vamos a ver juntos una película y se supone que tú deberías estar en la cama. Dormida. Vamos, Carrington.

—Quiero que vengas a dormir conmigo —protestó ella.

—No, no es mi hora de ir a la cama, pero sí que es la tuya. Vamos.

—Pero si no estoy cansada.

—No me importa. Túmbate en la cama y cierra los ojos.

—¿Me arroparás?

—No.

—Pero si siempre me arropas.

—Carrington...

—Está bien —declaró Mike—, arrópala, Liberty. Yo miraré qué películas tienes.

Yo esbocé una sonrisa de agradecimiento.

—Sólo tardaré un minuto. Gracias, Mike.

Yo acompañé a Carrington al dormitorio y cerré la puerta. Ella, como la mayoría de los niños, era implacable cuando disponía de una ventaja táctica. En general, yo dejaba que llorara y gritara cuando tenía que hacer algo que no le gustaba, pero en aquel momento ambas sabíamos que yo no deseaba que montara una escena delante de mi invitado.

—Me estaré quieta si dejas la luz encendida —me coaccionó ella.

Yo la subí a la cama, la tapé hasta el pecho y le di un libro de cuentos que había en la mesilla de noche.

—Está bien, pero no te levantes y, lo digo en serio Carrington, no quiero oír ni una palabra.

Ella abrió el libro.

—Yo no puedo leer las palabras.

—Pero ya las conoces todas. Hemos leído este cuento infinidad de veces. Quédate en la cama y pórtate bien, si no...

—¿Si no qué?

Yo le lancé una mirada amenazadora.

—En dos palabras, Carrington: quieta y calladita.

—Está bien.

Carrington desapareció detrás del libro de cuentos hasta que lo único que resultó visible fueron sus dos manitas, una a cada lado de la cubierta del libro.

Yo regresé al salón, donde Mike me esperaba sentado con rigidez en el sofá.

En determinado momento durante el proceso de salir con alguien, sin importar si has salido una o cien veces con esa persona, sabes con exactitud lo que esa persona significará en tu vida. En ese momento te das cuenta de si constituirá una parte importante de tu futuro, si solo sales con ella para pasar el tiempo o si no te importaría no volver a verla.

En aquel momento, yo me arrepentí de haber invitado a Mike a mi apartamento. Deseaba que no estuviera allí para poder darme un baño e irme a dormir. Le sonreí.

—¿Has encontrado alguna película que sea de tu agrado? —le pregunté.

Él negó con un movimiento de la cabeza y señaló las tres películas alquiladas que había encima de la mesa.

—Éstas ya las he visto. —Mike esbozó una sonrisa de cartón piedra—. Tienes montones de películas para niños. ¿Tu hermana se queda mucho contigo?

—Siempre. —Me senté junto a él—. Soy su tutora.

Él me miró desconcertado.

—Entonces, ¿no se va a ir?

—¿Ir adónde? —Yo también lo miré con desconcierto—. Nuestros padres han fallecido.

—¡Oh! —Mike desvió la mirada—. Liberty, ¿estás segura de que es tu hermana y no tu hija?

¿Qué quería decir con «si estaba segura»?

—¿Me estás preguntando si tuve una hija y, de algún modo, lo he olvidado? —le pregunté más sorprendida que enfadada—. ¿O me estás preguntando si te estoy mintiendo? Carrington es mi hermana, Mike.

—Lo siento. Lo siento. —La pesadumbre se reflejó en las arrugas de su frente y añadió con rapidez—: La verdad es que no os parecéis mucho. Claro que no es tan importante si eres o no su madre, pues el resultado es el mismo, ¿no?

Antes de que pudiera responder, la puerta del dormitorio se abrió y Carrington entró en el salón con una expresión de angustia en el rostro.

—Liberty, ha ocurrido algo.

Yo me levanté como si acabara de sentarme en un hornillo encendido.

—¿Qué quieres decir con que ha ocurrido algo? ¿Qué pasa? ¿Qué pasa?

—Algo ha bajado por mi garganta sin mi permiso.

«¡Mierda!»

El miedo atenazó mi corazón como un alambre espinado.

—¿Qué ha bajado por tu garganta, Carrington?

Carrington arrugó la nariz y se puso colorada.

—Mi centavo de la suerte —respondió ella y rompió a llorar.

Yo intenté reflexionar por encima del pánico y recordé la moneda que habíamos encontrado en el suelo enmoquetado del ascensor. Carrington la guardaba sobre un platito en la mesilla de noche. Yo corrí hacia ella y la tomé en brazos.

—¿Cómo puedes habértela tragado? ¿Qué hacías con esa moneda sucia en la boca?

—No lo sé —gimió ella—. Sólo la puse en mi boca y saltó por mi garganta.

Yo fui levemente consciente de la presencia de Mike, quien murmuraba acerca de que no era un buen momento y que quizá debería irse. Carrington y yo lo ignoramos.

Cogí el teléfono y marqué el número del pediatra mientras sentaba a Carrington en mi regazo.

—Podrías haberte atragantado —la reñí—. Carrington, nunca más vuelvas a ponerte una moneda ni nada parecido en la boca. ¿Te ha dolido la garganta? ¿Ha bajado hasta el estómago cuando has tragado?

Ella dejó de llorar y reflexionó acerca de mis preguntas con expresión solemne.

—Creo que la noto en el zorax —respondió—. Está atascada.

—El zorax no existe.

Mi pulso estaba acelerado. El contestador automático del pediatra me mantenía en espera. Me pregunté si una moneda podía causar un envenenamiento por ingestión de metal. ¿Todavía las hacían de cobre? ¿Se habría quedado atascada en el esófago de Carrington y tendrían que operarla para sacársela? ¿Cuánto costaría la operación?

La mujer que respondió a mi llamada se mostró tranquila hasta la exasperación mientras yo le describía nuestra urgencia. Después de tomar nota de nuestro problema, me explicó que el pediatra me telefonearía al cabo de unos diez minutos. Yo colgué el auricular mientras acunaba a Carrington en mi regazo y sus pies descalzos se balancearon en el aire.

Mike se acercó a nosotras. Deduje, por su expresión, que aquella cita quedaría grabada en su memoria como una cita infernal. Quería irse casi tanto como yo deseaba que se fuera.

—Mira —declaró con torpeza—, eres una chica estupenda y realmente encantadora, pero ahora mismo no necesito esto en mi vida. Necesito a alguien sin equipaje. Lo que ocurre es que no puedo ayudarte a recoger tus pedazos. Ya tengo bastante con los míos. Puede que no lo entiendas.

Yo lo entendía. Mike quería una chica sin problemas y sin pasado, una chica que le garantizara que nunca cometería errores, que no le haría daño, ni lo decepcionaría.

Más tarde, sentí lástima por él. Sabía que, en su búsqueda de la chica sin equipaje, le esperaban muchas experiencias decepcionantes, pero en aquel momento, sólo sentí enfado. Pensé que, en momentos como aquél, Hardy siempre había acudido a ayudarme. Recordé cómo entraba con decisión donde yo estaba y se hacía cargo de todo y el tremendo alivio que yo experimentaba al saber que él estaba a mi lado. Pero Hardy no iba a aparecer y lo único que yo tenía era a un hombre inútil a quien ni siquiera se le ocurría preguntar si podía hacer algo para ayudar.

—Está bien —respondí intentando sonar despreocupada, aunque en el fondo sentía deseos de tirar algo hacia la puerta, como haría para librarme de un perro callejero—. Gracias por la cena, Mike. Estaremos bien. Si no te importa que no te acompañe hasta la puerta...

—No, claro —respondió él con rapidez—. Claro.

Y desapareció.

—¿Me voy a morir? —preguntó Carrington con interés y algo de preocupación.

—Sólo si te pillo con otra moneda en la boca... —respondí yo.

La llamada del pediatra interrumpió mi exasperada regañina.

—Señorita Jones, ¿su hermana se ahoga o respira con dificultad?

—No se ahoga —respondí yo y añadí mirando a Carrington—: Respira para que te oiga, cariño.

Ella me obedeció con entusiasmo y respiró profundamente, como un pervertido a través del teléfono.

—Y tampoco respira con dificultad —le expliqué al médico. Y me volví hacia Carrington—: Ya está bien, Carrington.

El pediatra soltó una risita.

—Carrington se pondrá bien. Lo único que tiene que hacer es revisar sus deposiciones durante los dos próximos días para asegurarse de que ha expulsado la moneda. Si no la encuentra, le haremos una radiografía para asegurarnos de que no está atascada en algún lugar, pero casi puedo garantizarle que encontrará la moneda entre las deposiciones.

—¿Puede garantizármelo al ciento por ciento? —pregunté yo—. El «casi» no es suficiente para mí hoy.

Él volvió a soltar una risita.

—En general, no ofrezco garantías al cien por cien, señorita Jones, pero haré una excepción con usted. Le doy una garantía total de que en el plazo de cuarenta y ocho horas la moneda aparecerá en el inodoro.

Durante los dos días siguientes, tuve que hurgar en el retrete con un alambre cada vez que Carrington defecaba. Al final, encontré el centavo. De todos modos, durante los meses siguientes, Carrington explicó a todo el mundo que tenía un centavo de la suerte en la barriga y a mí me aseguró que sólo era cuestión de tiempo que algo grande y bueno nos sucediera.

14

Arreglarse el pelo constituye un asunto serio en Houston. Me sorprendió la cantidad de personas que estaban dispuestas a pagar por los servicios que se ofrecían en Salon One. En concreto, ser rubia constituía una inversión importante de tiempo y dinero en la vida de muchas mujeres, y Salon One les ofrecía el mejor color que podían encontrar. Salon One era famosa por un rubio tricolor y las mujeres de otros estados viajaban hasta allí para conseguirlo. Todos los peluqueros de Salon One tenían una lista de espera, pero Zenko, el peluquero jefe y socio de la peluquería, tenía una lista de espera de tres meses como mínimo.

Zenko era un hombre bajo, pero con un gran carisma, y se movía con la gracia de un bailarín. Aunque había nacido y se había criado en Katy, había aprendido la profesión en Inglaterra, y cuando regresó a Estados Unidos se había cambiado el nombre y hablaba con acento británico. A todo el mundo le encantaba su acento. Y a quienes trabajábamos con él también, incluso cuando nos gritaba en la trastienda de la peluquería.

Zenko gritaba mucho. Era un perfeccionista, por no decir un genio. Y cuando algo no se hacía como él quería, estallaba la tormenta. Claro que ¡menudo negocio había creado! Salon One había sido declarada peluquería del año en revistas como *Tejas Monthly*, *Elle* y *Glamour*. Zenko incluso había aparecido en un documental sobre una actriz famosa. Él le alisaba la larga cabellera pelirroja con unas pinzas mientras ella contestaba las preguntas del entrevistador. Aunque la carrera profesional de Zenko ya iba de maravilla, el documental lanzó a Zenko a unos niveles de fama que pocos peluqueros han conocido. En aquel momento, tenía su propia línea de productos, que vendía en brillantes botes plateados y en frascos con tapa en forma de estrella.

Para mí, el interior de Salon One parecía una casa solariega inglesa, pues tenía el suelo de madera de roble, techos con molduras en forma de medallón, cenefas pintadas a mano y antigüedades. Si un cliente quería un café, se le servía en tazas de porcelana y en una bandeja de plata y si quería una Coca-Cola, se le servía en vaso largo con cubitos de hielo de agua mineral. La peluquería constaba de una sala grande con múltiples compartimentos, varias cabinas privadas para celebridades y clientes multimillonarios y una sala de lavado de cabello ambientada con velas y música clásica.

Como aprendiz, yo no podía cortarle el pelo a nadie hasta que hubiera transcurrido un año. Mientras tanto, observaba y aprendía, realizaba encargos para Zenko, llevaba bebidas a los clientes y, de vez en cuando, aplicaba tratamientos con trocitos de papel de aluminio y toallas calientes. Y también realizaba manicuras y daba masajes en las manos a algunos de los clientes de Zenko mientras esperaban su turno. Lo que más me divertía era que me encargaran realizar la pedicura a las señoras que venían con amigas a recibir un tratamiento de belleza. Mientras las señoras charlaban, la otra aprendiza y yo embellecíamos sus pies y nos enterábamos de los últimos cotilleos.

Primero hablaban de qué se había hecho quién últimamente, de qué tratamiento tenían que realizarse ellas y de si merecía la pena perder la sonrisa por inyectarse Botox en las mejillas. Después hablaban brevemente acerca de sus maridos y a continuación contaban cosas de sus hijos, de los colegios privados a los que asistían, de los amigos que tenían, de sus logros y sus problemas. La mayoría de los hijos de aquellas señoras acudían al psiquiatra para solucionar todo el daño que sufre un alma cuando tiene todo lo que quiere en cuanto lo desea. Todas estas cosas estaban tan lejos de mi vida que me parecía que aquellas señoras y yo pertenecíamos a planetas distintos, pero cuando contaban cosas que me resultaban más familiares y me recordaban a Carrington, tenía que esforzarme para no realizar comentarios del tipo: «Sí, eso también le ocurrió a mi hermana pequeña» o «sé, exactamente, a qué se refiere».

Sin embargo, yo mantenía la boca cerrada, porque Zenko nos había advertido con severidad que nunca debíamos hablar de nuestra vida privada. Según él, los clientes no querían oír nuestra opinión y no querían ser amigos nuestros; los clientes acudían a Salon One para relajarse y ser tratados con una profesionalidad absoluta.

Sin embargo, yo me enteré de muchas cosas, como de qué parientes monopolizaban el uso de la avioneta familiar o quién había demandado a quién por la dirección de la empresa o la propiedad de unas fincas, o a qué marido le gustaba ir de safari para cazar animales exóticos o dónde acudir para comprar las mejores sillas fabricadas por encargo. También me enteré de escándalos y éxitos, de cuáles eran las mejores fiestas o los actos de beneficencia preferidos por la alta sociedad y de las complejidades que suponía llevar una vida social ajetreada.

A mí me gustaban las mujeres de Houston, pues eran francas, divertidas y siempre les interesaban lo nuevo y lo que estaba de moda. Claro que también había las típicas señoras de edad que insistían en que les hicieran la permanente y las peinaran con el pelo en forma de casquete. Zenko aborrecía este estilo y, en privado, se refería a él como el «desatascador», aunque ni siquiera él se permitía rechazar a aquellas esposas de multimillonarios que llevaban diamantes del tamaño de un cenicero en los dedos y que podían permitirse el lujo de llevar el pelo como quisieran.

A la peluquería también acudían hombres de todas las edades. La mayoría iban muy bien vestidos y llevaban el pelo, el cutis y las uñas escrupulosamente arreglados. Los tejanos son muy maniáticos con su aspecto y siempre van muy limpios y lo llevan todo recortado y controlado. Al poco tiempo, yo había conseguido una lista de clientes regulares que acudían a mediodía para hacerse la manicura o recortarse el pelo de la nuca o las cejas. Algunos de ellos flirtearon conmigo, sobre todos los más jóvenes, pero Zenko también tenía normas respecto a esta cuestión. Y a mí ya me iba bien. En aquel momento de mi vida, no estaba interesada en coqueteos y enamoramientos, lo único que quería era un trabajo fijo y buenas propinas.

Un par de chicas de la peluquería, entre ellas Angie, habían conseguido un amigo rico y maduro entre los clientes. El acuerdo se estableció con discreción, de modo que Zenko no se enteró o miró a otro lado de una forma deliberada. El tipo de acuerdo que se establecía entre algunos hombres maduros y acomodados y ciertas mujeres jóvenes no me atraía, aunque me fascinaba.

En la mayoría de las grandes ciudades existe una subcultura de este tipo de acuerdo. La relación es, por su propia naturaleza, temporal, pero ambas partes se sienten satisfechas con su transitoriedad y obtienen cierta seguridad en sus normas tácitas. La relación empieza con unos encuentros banales, como salir de copas o a cenar, pero si la chica juega bien sus cartas, puede conseguir que su amigo le pague cosas como la formación, las vacaciones, la ropa e incluso la cirugía plástica. Según me explicó Angie, el acuerdo pocas veces incluía transferencias directas de dinero, pues eso eliminaba el romanticismo de la relación. Los hombres preferían pensar en la relación como en un tipo de amistad especial en la que proporcionaban regalos y ayuda a una joven que merecía tener una oportunidad, y las jóvenes se convencían a sí mismas de que resultaba lógico que sus novios quisieran ayudarlas y, a cambio, ellas querían demostrarles su aprecio pasando tiempo con ellos.

—¿Y qué ocurre si una noche no te apetece acostarte con él y él acaba de comprarte un coche? —le pregunté a Angie con escepticismo—. En el fondo te ves obligada a hacerlo, ¿no? ¿Y en qué se diferencia esto de ser una...?

Me interrumpí al percibir la mueca de advertencia que torcía su boca.

—No se trata sólo de sexo —declaró Angie con voz tensa—. Se trata de amistad. Si no puedes entenderlo, no voy a perder el tiempo explicándotelo.

Yo me disculpé de inmediato y le conté que era de una ciudad pequeña y que no siempre comprendía la sutileza de las situaciones. Angie se calmó, me perdonó y añadió que, si era lista, yo también me buscaría un amigo generoso que me ayudara a conseguir, con más rapidez, mis objetivos.

Sin embargo, yo no quería viajes a Cabo de Hornos o Río de Janeiro, no quería ropa de diseño ni el boato de una vida de lujo. Lo único que quería era cumplir las promesas que me había hecho a mí misma y a Carrington. Mis modestas ambiciones consistían en tener una casa confortable y los medios para mantenernos, estar bien alimentadas y vestidas, disponer de un seguro médico y un plan dental. Y no quería que nada de esto me lo proporcionara un amigo generoso. La obligación que implicaba este tipo de relación, los regalos y el sexo disfrazados de amistad constituían una vía que yo no era capaz de transitar.

Una vía con demasiados baches.

El señor Churchill Travis era una de las personalidades que acudían a Salon One. Si alguna vez has estado suscrita a la revista *Fortune* o *Forbes*, seguro que has leído algún artículo sobre él. Por desgracia, yo no tenía ni idea de quién era, pues no me interesaban las finanzas y, si alguna vez cogía la revista *Forbes*, era para matar moscas.

Una de las primeras cosas que llamaba la atención cuando una conocía a Churchill era su voz, tan baja y grave que se notaba su vibración en el suelo. Churchill no era un hombre corpulento, como mucho era de mediana altura y, cuando relajaba los hombros, podía considerarse bajo. Claro que cuando Churchill Travis relajaba los hombros todas las personas que estaban en su misma habitación también lo hacían. Su constitución era delgada, pero su tórax y sus brazos eran fornidos y se diría que, con su fuerza, podría enderezar una herradura. Churchill era un hombre muy masculino, capaz de dominar su temperamento y honesto en los negocios. Había trabajado duro para conseguir su fortuna y había cumplido con todas sus obligaciones.

Churchill se sentía cómodo, sobre todo, con las personas chapadas a la antigua, como él. Tenía muy claro qué áreas de las tareas domésticas correspondían al hombre y cuáles a la mujer. Las únicas veces que entraba en la cocina eran para servirse un café. Los hombres que se interesaban por los diseños de la porcelana, que comían brotes de alfalfa o buscaban su lado femenino lo dejaban absolutamente perplejo. Churchill no tenía un lado femenino y se habría enfrentado a cualquiera que se atreviera a insinuar lo contrario.

La primera vez que Churchill apareció por el Salon One coincidió más o menos con la época en que yo empecé a trabajar allí. Un día, la tranquilidad de la peluquería se vio interrumpida por una oleada de excitación: las peluqueras murmuraban y los clientes volvían la cabeza hacia la entrada. Yo lo vi mientras lo conducían a una de las cabinas VIP de Zenko: una mata espesa de pelo entrecano y un traje gris oscuro. Churchill se detuvo en la puerta de la cabina y recorrió la sala con la mirada. Sus ojos eran oscuros, del tipo de ojos en los que el iris apenas se distingue de la pupila. Era un hombre mayor pero atractivo, y había algo fuera de lo común en él, un cierto toque de excentricidad.

Nuestras miradas se encontraron. Él se quedó quieto y entornó los ojos mientras me miraba con fijeza. Yo experimenté una sensación extraña, casi imposible de describir, una especie de estremecimiento agradable en el fondo de mi corazón, en un lugar que las palabras no podían alcanzar. Me sentí relajada, tranquila y expectante; incluso podía notar cómo los diminutos músculos de mi frente y mi mandíbula se relajaban. Quise sonreírle, pero antes de que pudiera hacerlo, Churchill había desaparecido en la cabina con Zenko.

—¿Quién es? —le pregunté a Angie, quien estaba a mi lado.

—Un posible amigo generoso de alto nivel —contestó ella con cierta intimidación—. No me digas que no has oído hablar de Churchill Travis.

—He oído hablar de los Travis —contesté yo—. Son como los Bass de Dallas, ¿no? Gente de dinero.

—Cariño, Churchill Travis es el Elvis de las finanzas. Sale continuamente en la CNN, ha escrito libros y es el propietario de medio Houston, aparte de varias mansiones, yates y jets. —Incluso conociendo la tendencia a la exageración de Angie, me sentí impresionada—. Y lo mejor de todo es que es viudo —terminó Angie—. Su mujer falleció hace poco. ¡Tengo que encontrar la manera de entrar en la cabina con él y Zenko! ¡Tengo que conocerlo! ¿Has visto cómo me ha mirado?

Yo solté una risita de bochorno. Creí que me había mirado a mí, pero en realidad había mirado a Angie, seguro, porque ella era rubia y sexy y los hombres la adoraban.

—Sí —respondí yo—, pero ¿de verdad te interesa? Creí que te iba bien con George.

George era el amigo generoso de Angie en aquel momento y acababa de regalarle un Cadillac Escalade. Se trataba de un préstamo, pero le había dicho que podía utilizarlo todo el tiempo que quisiera.

—Liberty, una joven inteligente y con aspiraciones nunca pierde la oportunidad de mejorar.

Angie se dirigió a la zona de maquillaje para retocar su delineador de ojos y su pintalabios preparándose para conocer a Churchill Travis.

Yo saqué una escoba del armario de la limpieza para barrer unos mechones de pelo que había en el suelo. Justo entonces, un peluquero llamado Alan se acercó corriendo a mí. Intentaba parecer calmado, pero tenía unos ojos como platos.

—Liberty —me dijo en voz baja pero apremiante—, Zenko quiere que le lleves un vaso de té helado al señor Travis. Un té cargado, con mucho hielo, sin limón y con dos bolsas de sacarina. Las bolsas azules. Llévaselo en una bandeja y no lo estropees o Zenko nos matará a todos.

Yo me sentí alarmada de inmediato.

—¿Por qué yo? Debería llevárselo Angie. Él la miró a ella y estoy segura de que ella desea hacerlo. Ella...

—Travis ha pedido que se lo lleves tú, la «chica morena» —me explicó Alan—. Corre, Liberty. Las bolsas azules. ¡Las azules!

Yo preparé el té conforme a las instrucciones que me había dado Alan y lo removí con esmero para asegurarme de que las partículas de sacarina se disolvían por completo. Llené el vaso hasta los bordes y le puse los cubitos de hielo más simétricos que encontré. Cuando llegué a la cabina VIP, tuve que equilibrar la bandeja en una mano mientras abría la puerta con la otra. El hielo tintineó peligrosamente en el vaso y me pregunté con ansiedad si se habrían derramado algunas gotas.

Esbocé una sonrisa impecable y entré en la sala VIP. El señor Travis estaba sentado frente a un espejo enorme con un marco dorado y Zenko le describía posibles variaciones de su habitual corte de pelo, que era el típico de los hombres de negocios. Oí que Zenko le sugería con diplomacia que debería probar algo un poco distinto, quizá podría darle un poco de relieve en la parte superior y aplicarle un poco de gel para modernizar su apariencia y darle un aire un poco más incisivo.

Yo intenté acercarle el té a Travis de la forma más inadvertida posible, pero sus ojos oscuros y perspicaces se clavaron en mí y se volvió en la silla mientras cogía el vaso de té de la bandeja.

—¿Usted qué opina? —me preguntó—. ¿Cree que necesito modernizarme?

Mientras reflexionaba acerca de mi respuesta, percibí que Travis tenía los dientes de la mandíbula inferior algo montados unos sobre otros y que, cuando sonreía, parecía un león viejo y fiero invitando a un cachorro a jugar. Sus ojos cálidos contrastaban con su piel curtida y una sombra oscurecía las capas superficiales de su cutis. Yo sostuve su mirada y tragué saliva al percibir que un pequeño nudo de placer se formaba en mi garganta.

Le dije la verdad. No pude evitarlo.

—Creo que su aspecto ya es bastante incisivo. Si lo acentuara más, asustaría a la gente.

Zenko empalideció y yo creí que me iba a despedir allí mismo.

La risa de Travis sonó como si alguien sacudiera un saco lleno de rocas.

—Me quedo con la opinión de esta joven —declaró Travis a Zenko—. Córtame medio centímetro de la parte superior y recórtame las patillas y la nuca. —Travis volvió a mirarme—. ¿Cómo se llama?

—Liberty Jones.

—¿De dónde ha sacado ese nombre? ¿De qué parte de Tejas es? ¿Es una de las ayudantes que lavan el pelo?

Más tarde, me enteré de que Churchill tenía la costumbre de formular preguntas en grupos de dos o de tres y, si olvidabas responder una de ellas, te la repetía.

—Nací en el condado de Liberty, viví un tiempo en Houston, pero crecí en Welcome. Todavía no puedo lavar el pelo, acabo de empezar y soy una aprendiz.

—Todavía no puede lavar el pelo —repitió Travis mientras levantaba sus espesas cejas, como si aquel hecho le resultara absurdo—. ¿Y qué demonios hace una aprendiz?

—Les llevo té helado a los clientes.

Yo le ofrecí la mejor de mis sonrisas y me dirigí hacia la puerta.

—¡No se vaya! —ordenó él—. Puede practicar el lavado de pelo conmigo.

Zenko intervino con una expresión de calma absoluta en el rostro. Su acento era más marcado de lo habitual, como si acabara de comer con Camilla y Carlos.

—Señor Travis, esta muchacha no ha terminado su

formación. No está cualificada para lavar el pelo de nadie. Sin embargo, tenemos peluqueras muy cualificadas que lo servirán hoy y...

—¿Cuánta formación se necesita para lavar el pelo? —preguntó Travis con incredulidad. Se notaba que no estaba acostumbrado a que nadie, fuera por la razón que fuera, le negara nada—. Hágalo lo mejor que pueda, señorita Jones, yo no me quejaré.

—Liberty, por favor —contesté yo mientras regresaba a su lado—. Y no puedo.

—¿Por qué no?

—Porque si le lavo el pelo y usted no vuelve nunca más a Salon One todo el mundo deducirá que lo hice mal y no quiero cargar con este peso en mi currículum.

Travis frunció el ceño. Yo debería haber tenido sentido común y tenerle miedo, pero la sensación que nos unía era viva, incluso juguetona y, por mucho que intenté evitarlo, la sonrisa volvía una y otra vez a mis labios.

—¿Qué más puedes hacer además de traer el té? —me preguntó Travis.

—Podría hacerle la manicura.

Él se burló de la propuesta.

—No me han hecho nunca la manicura y no entiendo por qué un hombre debería hacerse algo así. La manicura es para mujeres.

—Yo les hago la manicura a muchos hombres.

Quise cogerle la mano, pero titubeé y, al segundo siguiente, la palma de su mano reposaba sobre la mía. Su mano era ancha y fuerte y resultaba fácil imaginársela sujetando las riendas de un caballo o el mango de una pala. Tenía las uñas cortadas hasta el límite, rasguños en los dedos y la piel apagada. La uña de uno de sus pulgares tenía una protuberancia debida a una herida antigua. Yo le di la vuelta a su mano; la palma estaba cruzada por tantas arrugas que habría hecho temblar a una quiromántica.

—No le iría nada mal una manicura, señor Travis. Sobre todo un tratamiento en las cutículas.

—Llámame Churchill. —Pronunciaba su nombre sin

la i, de modo que sonaba «Church'll»—. Ve a buscar tus instrumentos.

Como mantener feliz a Churchill Travis se había convertido en el modus operandi del día, tuve que pedirle a Angie que se ocupara de mis tareas, que incluían barrer el suelo y realizar una pedicura a las diez y media.

A Angie le habría gustado clavarme las tijeras que tenía más a mano, pero, por otro lado, no pudo evitar ofrecerme varios consejos mientras yo recogía los útiles de la manicura.

—No hables demasiado. De hecho, habla lo menos posible. Sonríe, pero no con esa sonrisa enorme que pones a veces. Haz que hable sobre sí mismo. A los hombres les encanta. Intenta conseguir su tarjeta de visita y, pase lo que pase, no menciones a tu hermana pequeña. A los hombres les aterran las mujeres con responsabilidades.

—Angie —refunfuñé yo—, no estoy buscando un amigo rico y, aunque lo buscara, él es demasiado viejo.

Angie sacudió la cabeza.

—Querida, ningún hombre puede considerarse demasiado viejo. Sólo con mirarlo puedo asegurarte que Travis no ha perdido su vitalidad.

—No estoy interesada en su vitalidad —repliqué yo—. Ni en su dinero.

Después de que le cortaran el pelo y lo peinaran, me reuní con Churchill Travis en otra cabina privada. Nos sentamos el uno frente al otro, separados por la mesita de la manicura y bajo la intensa luz de un foco de brazo largo y móvil.

—El corte de pelo le queda muy bien —comenté yo mientras cogía una de sus manos y la introducía en un cuenco de solución reblandecedora.

—Más vale que sea así, con lo que me cobra Zenko... —Travis contempló con recelo el surtido de instrumentos y botellines con líquidos de colores que había encima de la mesita—. ¿Te gusta trabajar para él?

—Sí, señor, sí que me gusta. Estoy aprendiendo mucho de él. Tengo suerte de poder trabajar aquí.

Mientras le arreglaba las manos, charlamos. Le corté las pieles muertas, le recorté y presioné las cutículas hacia atrás y le limé y le pulí las uñas hasta que brillaron. Travis observó el proceso con mucho interés, pues nunca le habían hecho algo parecido en la vida.

—¿Qué te decidió a trabajar en una peluquería? —me preguntó.

—Cuando era una niña me encantaba peinar y maquillar a mis amigas. Siempre me ha gustado ayudar a las personas a tener buen aspecto y también me gusta que, al terminar, se sientan mejor consigo mismas.

Destapé un botellín, y Travis lo contempló casi con horror.

—No necesito que me pongas esto —declaró con firmeza—. Puedes aplicarme los otros tratamientos, pero el esmalte ni hablar.

—Esto no es esmalte, es reblandecedor para las cutículas y usted necesita mucho. —Yo no hice caso de sus muecas y apliqué reblandecedor en sus cutículas con un pincelito—. Es curioso, pero no tiene usted las manos de un hombre de negocios. Debe de hacer otras cosas además de empujar papeles por encima de un escritorio.

Él se encogió de hombros.

—Algún que otro trabajo en el rancho. Y monto mucho a caballo. De vez en cuando, también arreglo el jardín, aunque no tanto como cuando vivía mi mujer. A ella le apasionaba hacer crecer cosas.

Yo esparcí crema en las palmas de mis manos y le realicé un masaje en las manos y las muñecas. Resultaba difícil relajarlo y sus nudosos dedos se negaban a soltar la tensión.

—Me han dicho que falleció hace poco —comenté mientras contemplaba su rudo rostro en el que el dolor había dejado huellas a su paso—. Lo siento.

Travis asintió levemente con la cabeza.

—Ava era una buena mujer —declaró con aspereza—. La mejor mujer que he conocido nunca. Sufrió un cáncer de mama y lo descubrimos demasiado tarde.

A pesar de la categórica advertencia de Zenko en cuanto a que los empleados en ningún caso debíamos hablar sobre nuestros asuntos personales con los clientes, casi no pude contener la necesidad de contarle a Churchill que yo también había perdido a una persona muy querida, pero sólo comenté:

—Dicen que es más fácil cuando has tenido tiempo de prepararte para la muerte de un ser querido, pero yo no opino lo mismo.

—Yo tampoco.

La mano de Churchill apretó la mía de una forma tan breve que apenas tuve tiempo de darme cuenta. Sobresaltada, levanté la mirada y percibí en su rostro amabilidad y una muda tristeza y, de algún modo, supe que, tanto si le comentaba cosas de mi vida como si no, él me comprendía.

A la larga, mi relación con Churchill se convirtió en algo más complejo que una relación romántica. Si nuestra relación hubiera incluido el sexo o el romanticismo, habría sido más sencilla y comprensible, pero Churchill nunca se interesó por mí en este sentido. Él era un viudo atractivo y sumamente rico de poco más de sesenta años y tenía muchas mujeres entre las que escoger. Yo adquirí la costumbre de buscar noticias acerca de él en los periódicos y en las revistas. Me divertía ver fotografías de él con mujeres glamurosas de la alta sociedad, actrices e incluso, de vez en cuando, con miembros de la realeza de otros países. Churchill se movía en círculos muy elevados.

Cuando estaba demasiado ocupado para acudir a Salon One para que le cortaran el pelo, Zenko se desplazaba hasta su mansión. A veces, pasaba por la peluquería para que le recortaran la nuca y las cejas o para que yo le realizara la manicura. A Churchill siempre le había parecido vergonzoso que un hombre se hiciera la manicura, pero después de que le aplicara cremas y tratamientos a las manos y le puliera las uñas, se sintió tan a gusto con el resultado que, según dijo, acababa de añadir una nueva forma de perder el tiempo a su rutina. Con el tiempo, y después de que yo se lo sonsacara, reconoció que sus amigas también apreciaban el aspecto de sus manos.

La amistad que desarrollé con Churchill gracias a las charlas que manteníamos mientras le hacía la manicura despertó la envidia y la admiración de mis compañeros de trabajo. Yo comprendía que especularan acerca de nuestra amistad y, en general, todos coincidían en que Churchill no buscaba mi compañía para conocer mi opinión acerca de la evolución de la Bolsa. Creo que mis compañeros dedujeron que algo había ocurrido entre nosotros, o que ocurría de vez en cuando, o que, de una forma inevitable, ocurriría. Zenko también intuía lo mismo y me trataba con una amabilidad que no demostraba hacia otros empleados de mi misma categoría. Supongo que creía que, aunque yo no era la única razón de que Churchill acudiera a Salon One, mi presencia ayudaba.

Al final, un día le pregunté a Churchill:

—¿Tiene pensado hacerme una proposición algún día, Churchill?

Él se sobresaltó.

—¡Demonios, no! Eres demasiado joven para mí. A mí me gustan las mujeres maduras. —Entonces titubeó, con una expresión de consternación casi cómica—. No esperarías que lo hiciera, ¿no?

—No.

Si él me hubiera hecho una proposición no sé qué le habría respondido, pues no tenía ni idea de cómo definir mis sentimientos respecto a Churchill. No había tenido suficientes relaciones con los hombres para situar mi relación con él en un contexto determinado.

—Pero si no pretende..., bueno ya sabe lo que quiero decir..., no acabo de entender por qué se ha fijado en mí —continué yo.

—Algún día te lo explicaré, pero todavía no es el momento —declaró él.

Yo admiraba a Churchill más que a ninguna otra persona que hubiera conocido. La verdad es que no era una persona de trato fácil, pues sufría ataques repentinos de mal humor. No era un hombre apacible y no creo que hubiera muchos momentos en su vida en los que se sintiera feliz al cien por cien. Probablemente, esto se debía en gran medida a que había perdido a dos esposas, a Joanna, la primera, justo después del nacimiento de su hijo, y después a Ava, cuando ella tenía veintiséis años. Churchill no era un hombre que aceptara los reveses del destino con resignación y la pérdida de las personas que amaba había constituido un duro golpe para él. Y yo entendía lo que eso significaba.

Pasaron casi dos años antes de que me decidiera a hablarle de mi madre o de cosas más profundas que el mero relato de hechos banales de mi pasado. De alguna manera, Churchill averiguó cuándo era mi cumpleaños y ordenó a su secretaria que me telefoneara por la mañana para comunicarme que saldríamos a comer juntos. Yo iba vestida con una sencilla falda negra que me llegaba a las rodillas y una blusa blanca y llevaba puesto el colgante de plata del armadillo. Churchill llegó a mediodía vestido con un traje muy elegante de confección inglesa y parecía un próspero hombre de negocios europeo. Me acompañó hasta alcanzar un Bentley blanco que nos esperaba en la puerta y el chófer nos abrió la puerta.

Fuimos al restaurante más elegante que yo había visto nunca, decorado al estilo francés, con manteles blancos y bonitos cuadros colgados de las paredes. La carta estaba confeccionada en papel rústico y escrita a mano con términos extranjeros, como *roulade*, *rissole* y otros que describían complicadas salsas, de modo que yo no sabía qué pedir. Los precios casi me produjeron un paro cardíaco. El plato más económico era un entrante de diez dólares que consistía en una única gamba preparada de una forma que yo ni siquiera podía pronunciar. Casi al final de la carta vi que tenían hamburguesa con patatas fritas y casi escupí el sorbo de Coca-Cola que tenía en la boca al ver el precio.

—¡Churchill, en la carta hay una hamburguesa de cien dólares! —exclamé con incredulidad.

Él frunció el ceño, pero no porque el precio le sorprendiera, sino por el hecho de que en mi carta figuraran los precios. Con un chasquido de los dedos, llamó al camarero, quien se disculpó con profusión. Se llevaron mi carta y me trajeron otra casi idéntica, salvo por el hecho de que ésta no contenía los precios.

—¿Por qué la mía no tiene que tener los precios? —pregunté yo.

—Porque tú eres la mujer —respondió Churchill, quien todavía se sentía molesto por el error cometido por el camarero—. Yo te he invitado a comer y se supone que tú no tienes que preocuparte por lo que va a costar la comida.

—Pero ¡esa hamburguesa cuesta cien dólares! —insistí yo—. ¿Qué pueden haberle hecho a una hamburguesa para que cueste tanto dinero?

La expresión de mi rostro pareció divertirlo.

—Se lo preguntaremos.

Nos enviaron a un camarero para que respondiera nuestras preguntas acerca de los platos. Cuando Churchill le preguntó cómo estaba cocinada la hamburguesa y qué la hacía tan especial, él nos explicó que todos los ingredientes eran de producción ecológica, incluido el bollo casero de parmesano, la mozzarella de búfalo ahumada, la lechuga de cultivo hidropónico, el tomate madurado en la mata, la compota de chile que cubría la hamburguesa y la carne de buey y de emú con que estaba preparada.

La palabra «emú» me decidió rápidamente a descartar aquel plato.

Sentí que una risotada escapaba de mis labios, y después otra, y otra, hasta que no pude parar de reír. Los ojos se me llenaron de lágrimas y los hombros me temblaron. Yo me tapé la boca con una mano para contener la risa, pero el efecto que conseguí fue el contrario y empecé a preocuparme seriamente sobre si podría parar de reír. Estaba dando un espectáculo en el restaurante más elegante que había visto en toda mi vida.

El camarero se marchó con discreción. Yo intenté balbucear una disculpa, pero Churchill, quien me observaba con preocupación, sacudió la cabeza levemente en señal de que no me disculpara. A continuación, me cogió la muñeca de una forma tranquilizadora y, de algún modo, la presión de su mano aplacó mi risa descontrolada. Entonces pude respirar hondo y mi pecho se relajó.

Le hablé a Churchill de nuestro traslado a Welcome, de Flip, el novio de mi madre, y de cuando mató al emú. Las palabras salían a borbotones de mi boca, pues le quería contar todos los detalles. Churchill me escuchó con atención, sus ojos sonrieron y, cuando llegué a la parte en la que regalábamos el emú a los Cates, se echó a reír.

Aunque yo no me había enterado de que hubiéramos encargado vino, el camarero nos trajo una botella de pinot noir. El vino de color intenso destellaba en las copas de pie alto.

—Será mejor que no beba —declaré yo—, después de comer tengo que trabajar.

—Esta tarde no trabajarás.

—Claro que sí, tengo todas las horas reservadas.

La verdad es que, sólo con pensarlo, me sentía cansada, no sólo por el trabajo, sino por tener que desplegar el encanto y la alegría que los clientes esperaban.

Churchill sacó un móvil no más grande que la ficha de un dominó del bolsillo interior de su chaqueta y marcó el número de Salon One. Mientras yo lo observaba con la boca abierta, él preguntó por Zenko, le informó de que yo me tomaba la tarde libre y le preguntó si le parecía bien. Según Churchill, Zenko le contestó que, desde luego, le parecía bien y que se encargaría de redistribuir todos mis compromisos, que no había ningún problema.

Churchill, satisfecho, cortó la comunicación.

—Después me las cargaré. Y, si en lugar de usted cualquier otra persona hubiera realizado esta llamada, Zenko le habría preguntado si tenía la cabeza por encima del culo.

Churchill sonrió abiertamente. Uno de sus defectos consistía en que disfrutaba con el hecho de que los demás no pudieran llevarle la contraria.

Yo hablé durante toda la comida, animada por las preguntas de Churchill, su cálido interés y la copa de vino que, de algún modo, y por mucho que yo bebiera, nunca se vaciaba. La posibilidad de poder hablarle de cualquier cosa, de contárselo todo, me liberó de una carga que ni siquiera sabía que llevaba. En mi incesante lucha por salir adelante había tantas emociones que no me había permitido vivir enteramente, tantas cosas que no había explicado, que ahora no podía parar. Hurgué en mi bolso y saqué del monedero una fotografía que le habían tomado a Carrington en el colegio. Ella sonreía, le faltaban algunos dientes y una de sus coletas estaba más alta que la otra.

Churchill contempló la fotografía durante largo rato e incluso se puso las gafas de mirar de cerca para no perderse ningún detalle. Antes de hablar, bebió un sorbo de vino.

—Parece una niña feliz.

—Lo es.

Yo volví a guardar la fotografía con cuidado.

—Has actuado bien, Liberty —declaró Churchill—. Hiciste bien en no permitir que te separaran de ella.

—Tenía que hacerlo, es lo único que tengo. Además sabía que nadie la cuidaría tan bien como yo.

Me sorprendió la facilidad con que las palabras salían de mi boca, la necesidad que tenía de contarlo todo.

Mientras sentía un ligero pero doloroso escalofrío, pensé que aquello constituía una muestra de lo que podría haber vivido con mi padre. Un hombre sabio y mayor que parecía entenderlo todo, incluso las cosas que yo no contaba. Durante años, me había preocupado que Carrington no tuviera un padre y no me había dado cuenta de lo mucho que yo todavía lo necesitaba.

Un poco atontada por el vino, le hablé a Churchill de la representación de Acción de Gracias que se realizaría en el colegio de Carrington. Los niños de su clase, disfrazados de colonizadores o de nativos norteamericanos, cantarían dos canciones. Carrington se había negado a formar parte de ninguno de los dos grupos, pues quería ir disfrazada de vaquera. Se había mostrado tan terca respecto a esta cuestión que la señorita Hansen, su profesora, me había telefoneado a casa para contármelo. Yo le expliqué a Carrington que no había vaqueros en 1621 y que, en aquella época, ni siquiera existía Tejas. Por lo visto, a mi hermana le traía sin cuidado la exactitud histórica.

A fin de resolver el problema, al final la señorita Hansen sugirió que Carrington saliera a escena al principio de la representación disfrazada de vaquera y llevando un letrero con la forma del estado en el que se leería: «Acción de Gracias en Tejas.»

Churchill rió entusiasmado al oír mi relato y parecía pensar que la tozudez de mi hermana constituía una virtud.

—Piense en lo que esto significa —declaré yo—, si esta situación es una muestra de lo que me espera en el futuro, cuando Carrington llegue a la adolescencia será terrible.

—Ava tenía dos reglas respecto al trato con los adolescentes —me explicó Churchill—. La primera es que, cuanto más intentas controlarlos, más rebeldes se muestran, y la segunda es que, siempre que dependan de ti para que los lleves al centro, puedes conseguir que se comprometan a algo.

Yo sonreí.

—Tengo que recordar estas reglas. Ava debió de ser una madre estupenda.

—Lo era en todos los sentidos —respondió él con énfasis—. Nunca se quejaba cuando le tocaba la peor parte. A diferencia de la mayoría de las personas, sabía cómo ser feliz.

Yo tuve la tentación de indicarle que la mayoría de las personas se sentirían felices si tuvieran una familia agradable, una gran mansión y todo el dinero que necesitaran, pero mantuve la boca cerrada.

De todas formas, Churchill pareció leer mis pensamientos.

—Con todo lo que has oído en la peluquería, ya debes saber que la gente rica es tan desgraciada como la pobre. De hecho, es más desgraciada.

—Intento ser comprensiva —declaré con sequedad—, pero en mi opinión existe una diferencia entre los problemas reales y los inventados.

—En esto te pareces a Ava —respondió él—. Ella también sabía apreciar la diferencia.

15

Después de cuatro años, por fin conseguí ser peluquera de pleno derecho en Salon One. Sobre todo, me dedicaba a los tintes, pues tenía mucha mano aplicando reflejos y tonalidades. Me encantaba mezclar líquidos y pastas en múltiples y pequeños cuencos, como si fuera una científica loca. También disfrutaba realizando los pequeños pero importantes cálculos respecto a la temperatura y el tiempo de espera y aplicación y me producía una gran satisfacción realizarlo todo con exactitud.

Churchill seguía pidiendo por Zenko para los cortes de pelo, pero yo le recortaba la nuca y las cejas y le hacía la manicura siempre que lo pedía. También continuamos comiendo juntos alguna que otra vez, cuando uno de los dos tenía algo que celebrar. Cuando estábamos juntos, hablábamos de todo y de cualquier cosa. Yo me enteré de muchas cosas acerca de su familia, sobre todo de sus cuatro hijos. Gage era el mayor, tenía cerca de treinta años y era hijo de Joanna, su primera esposa. Los otros tres eran hijos de Ava: Jack, quien tenía veinticinco años, Joe, que era dos años menor que Jack, y Haven, la única hija, quien todavía estudiaba en la universidad. Supe que Gage se volvió reservado cuando perdió a su madre, a la edad de tres años, y que le costaba mucho confiar en los demás, y que una de sus antiguas novias había declarado que padecía fobia al compromiso. Churchill no conocía la jerga psicológica y no entendía el significado de esta expresión.

—Significa que no habla de sus sentimientos —le expliqué yo—, y que no se permite ser vulnerable. Y también que tiene miedo a sentirse atado.

Churchill pareció desconcertado.

—Eso no es tener fobia al compromiso, eso es ser un hombre.

También hablamos de sus otros hijos. Jack era un atleta y un mujeriego. Joe, un aventurero y un adicto a la información. Haven, la menor, había insistido en estudiar en la universidad de Nueva Inglaterra, aunque Churchill le había pedido con énfasis que considerara la posibilidad de estudiar en Rice, UT e incluso en A&M, aunque no era un gran entusiasta de esta última.

Yo le contaba a Churchill las últimas novedades acerca de Carrington y a veces le explicaba cosas de mi vida amorosa. Le había confiado lo que sentía por Hardy y cómo me perseguía su imagen. Hardy era para mí todos los vaqueros vestidos con tejanos desgastados y de caminar desenvuelto con los que me cruzaba, todos los pares de ojos azules, todas las camionetas destartaladas y todos los días calurosos y despejados.

Churchill me indicó que quizá debería dejar de esforzarme tanto en no querer a Hardy y aceptar que una parte de mí lo querría siempre.

—Algunas cosas no podemos cambiarlas y tenemos que aprender a vivir con ellas —declaró Churchill.

—Pero no puedes amar a una persona si no has dejado de querer a la anterior.

—¿Por qué no?

—Porque entonces la relación nueva se ve comprometida.

A Churchill pareció divertirle mi comentario y declaró que todas las relaciones estaban comprometidas de una u otra forma y que era mejor no ser demasiado escrupuloso.

Yo no estaba de acuerdo con él y sentía que tenía que dejar de querer a Hardy por completo, sólo que no sabía cómo hacerlo. Esperaba que, algún día, conocería a alguien que me atrajera tanto que pudiera asumir el riesgo de volver a amar, aunque albergaba serias dudas de que ese hombre existiera.

Sin duda, Tom Hudson, a quien había conocido en una charla para padres que se celebró en el colegio de Carrington, no era ese hombre. Tom estaba divorciado y tenía dos hijos. Era como un gran oso de peluche, con el cabello castaño y una barba también castaña y bien arreglada. Yo llevaba saliendo con él algo más de un año y disfrutaba de la confortable naturaleza de nuestra relación.

Como Tom era el propietario de una tienda de comestibles selectos, mi nevera estaba siempre llena de manjares. Carrington y yo disfrutábamos comiendo quesos belgas y franceses, tomates confitados, pesto genovés, crema Devon, lonchas de salmón ahumado de Alaska de color coralino, crema de espárragos, pimientos marinados y aceitunas tunecinas.

Tom me gustaba mucho e hice lo posible por enamorarme de él. Resultaba evidente que era un buen padre para sus hijos y estaba convencida de que también lo sería para Carrington. Tom tenía tantas cosas buenas..., había tantas razones para que yo lo amara... Sin embargo una de las posibles frustraciones de salir con alguien es que, a veces, esa persona es estupenda y totalmente digna de ser amada, pero no hay entre vosotros la menor pasión.

Tom y yo hacíamos el amor los fines de semana que sus hijos estaban con su ex esposa y yo podía encontrar una canguro para Carrington. Pero por desgracia, el sexo con él era muy aburrido. Como yo no tenía orgasmos cuando él estaba dentro de mí —lo único que sentía era la leve presión interior que se nota cuando el ginecólogo te explora con un espéculo—, él empezó a utilizar los dedos para llevarme al clímax. No funcionaba siempre, aunque, a veces, yo conseguía unos cuantos espasmos gratificantes y, cuando no lo lograba y empezaba a sentir la piel irritada, lo simulaba. A continuación, él me empujaba la cabeza con suavidad hacia abajo y yo lo llevaba a él al orgasmo con la boca o se colocaba encima de mí y se corría en la postura del misionero. La rutina era siempre la misma.

Yo compré un par de libros sobre sexo para intentar mejorar nuestra relación. A Tom le divirtieron mis vergonzosas peticiones de intentar un par de posturas nuevas que había aprendido en los libros y me contestó que, al fin y al cabo, todo se reducía a introducir la pestaña A en la rendija B, pero que si quería probar algo nuevo, él no presentaría ninguna objeción.

Yo me sentí abatida al descubrir que Tom tenía razón. Todo aquello resultaba extraño y ridículo y, por mucho que lo intentara, no alcanzaba el orgasmo, ni siquiera cuando adoptábamos aquellas enrevesadas posturas tipo yoga. La única cosa nueva que Tom no quiso probar fue excitar mi sexo con la boca. Mientras se lo preguntaba, yo tartamudeé y me puse colorada. Creo que aquél fue el momento más bochornoso de mi vida, aparte de cuando Tom me contestó, con tono de disculpa, que a él nunca le había gustado aquella práctica. En su opinión, resultaba antihigiénica y a él no le gustaba el sabor del sexo de las mujeres y me dijo que, si no me importaba, prefería no hacerlo. Yo le contesté que no me importaba en absoluto y que no quería que hiciera nada que no le gustara.

Sin embargo, después de aquel día, siempre que hacíamos el amor y él empujaba mi cabeza hacia abajo, me sentía algo resentida. Después, me sentía culpable, porque Tom era generoso en muchos otros aspectos, y me decía a mí misma que el hecho de no alcanzar el orgasmo no tenía importancia y que podíamos hacer muchas otras cosas en la cama.

Pero en el fondo aquella cuestión me preocupaba, ya que sentía que me estaba perdiendo un aspecto esencial de la vida, de modo que una mañana, antes de abrir la peluquería, se lo conté a Angie. Después de asegurarnos de que todo estaba preparado, de que los carritos estaban llenos y los utensilios limpios, siempre dedicábamos unos minutos a arreglarnos.

Yo me estaba aplicando un producto para dar volumen a mis cabellos y Angie se retocaba el pintalabios. No recuerdo con exactitud qué le pregunté, creo que fue algo acerca de si alguna vez había salido con un chico que no quisiera hacer determinadas cosas en la cama.

La mirada de Angie se encontró con la mía en el espejo.

—¿No le gusta que se la chupes?

Algunas de nuestras compañeras miraron en nuestra dirección.

—No, eso sí que le gusta —susurré yo—. Lo que no le gusta es... hacérmelo a mí.

Sus bien perfiladas cejas se arquearon.

—¿No le gusta comer tortilla?

—No, dice que... —yo noté que me sonrojaba— resulta antihigiénico.

Angie se enfureció.

—¡No es más antihigiénico que hacérselo a él! ¡Menudo perdedor! ¡Qué egoísta! Liberty, a la mayoría de los hombres les encanta chupar el sexo de las mujeres.

—¿Sí?

—Eso les excita.

—¿De verdad?

Aquello eran buenas noticias y me sentí un poco menos avergonzada por habérselo pedido a Tom.

—Chiquilla, tienes que pasar de él —continuó Angie mientras sacudía la cabeza.

—Pero... Pero...

Yo no estaba segura de querer adoptar una medida tan drástica. Tom era el hombre con el que había salido más tiempo seguido en mi vida y me gustaba la seguridad que aquello me proporcionaba. Entonces recordé todas las relaciones fugaces que había tenido mi madre y la comprendí.

Salir con un hombre es como intentar preparar una comida con unas sobras. Algunas sobras, como el pastel de carne o el pudin de plátano, están mejor después de haber reposado durante un tiempo, pero otras, como los donuts o la pizza, deben echarse a la basura si no se consumen en el acto, pues, aunque las calientes, nunca son tan buenas como recién hechas. Yo había esperado que Tom fuera un pastel de carne en lugar de una pizza.

—¡Pasa de él! —insistió Angie.

Heather, una chica rubia y delicada oriunda de California, no pudo evitar intervenir en nuestra conversación. Todo lo que Heather decía parecía una pregunta, incluso cuando no lo era.

—¿Tienes problemas con tu novio, Liberty?

Antes de que pudiera contestar, Angie lo hizo por mí.

—Está saliendo con un sesenta y ocho.

Algunas de las otras peluqueras resoplaron.

—¿Qué es un sesenta y ocho? —pregunté yo.

—Él quiere que tú se la chupes a él, pero no está dispuesto a devolverte el favor —explicó Heather—. Es como un sesenta y nueve..., pero él te debe una.

Alan, quien era más perspicaz respecto a los hombres que el resto de nosotras juntas, me señaló con un cepillo redondeado y me advirtió:

—Déjalo, Liberty, no se puede cambiar a un sesenta y ocho.

—Pero él es agradable en otros aspectos —protesté yo—. Es un buen novio.

—No, no lo es —replicó Alan—. Tú crees que lo es, pero, tarde o temprano, los sesenta y ocho se muestran tal como son fuera del dormitorio. Entonces saldrá con sus amigos mientras tú te quedas en casa, se comprará un coche nuevo mientras tú te quedas con el viejo... Los sesenta y ocho siempre se quedan con el trozo de pastel más grande, cariño. No pierdas el tiempo con él. Créeme, lo sé por experiencia.

—Alan tiene razón —corroboró Heather—. Hace un par de años, yo salí con un sesenta y ocho. Al principio, era increíble, pero al final resultó ser un imbécil. Un auténtico coñazo.

Hasta aquel momento, yo no me había planteado en serio separarme de Tom, pero aquella idea constituyó un verdadero e inesperado alivio para mí. Me di cuenta de que lo que me preocupaba no tenía nada que ver con el hecho de si nos masturbábamos o no el uno al otro. El problema consistía en que nuestra intimidad emocional, como nuestra vida sexual, tenía ciertos límites. Tom no sentía interés por los rincones secretos de mi corazón, y yo tampoco lo sentía por los suyos. Éramos más aventureros en la cata de nuevos manjares que en el territorio inestable de una relación verdadera. Empezaba a darme cuenta de lo difícil que resultaba que dos personas disfrutaran del tipo de conexión que Hardy y yo habíamos experimentado. Y Hardy había renunciado a ella. Había renunciado a mí por las razones equivocadas. Yo esperaba con todas mis fuerzas que a él le costara tanto como a mí construir una relación con otra persona.

—¿Cuál es la mejor forma de dejar una relación? —pregunté yo.

Angie me dio unas palmaditas en la espalda.

—Dile que la relación no va a donde tú esperabas. Dile que no es culpa de nadie, sólo que, para ti, no funciona.

—Y no tires la bomba en tu casa —añadió Alan—, pues siempre resulta más difícil hacer que alguien se vaya que irte tú. Díselo en su casa y, a continuación, lárgate.

Poco después, reuní el valor suficiente para romper con Tom en su piso. Le dije que había disfrutado mucho del tiempo que habíamos pasado juntos, pero que nuestra relación no funcionaba, aunque la culpa no era de él, sino mía. Tom me escuchó con atención y se mostró impasible, salvo por un leve movimiento que percibí en los músculos que su barba ocultaba. No me preguntó nada. Ni siquiera protestó. Yo pensé que a lo mejor nuestra ruptura también constituía un alivio para él. Quizá también sentía que algo faltaba en nuestra relación.

Tom me acompañó a la puerta mientras yo apretaba mi bolso contra mi pecho. Agradecí que no intentara darme un beso de despedida.

—Espero que te vaya bien —declaré.

Aquella frase podía parecer rara y anticuada, pero reflejaba con exactitud lo que yo sentía en aquel momento.

—Gracias —respondió él—. Yo también deseo que te vaya bien, Liberty. Espero que consigas solucionar tu problema.

—¿Mi problema?

—Tu fobia al compromiso —respondió él con amabilidad—. Tu miedo a la intimidad. Tienes que solucionarlo. Buena suerte.

Y, con toda delicadeza, me cerró la puerta en las narices.

Al día siguiente, llegué tarde al trabajo, de modo que tendría que esperar al descanso para contarles a mis compañeros lo que había sucedido. Una de las cosas que aprendes en una peluquería es que a la mayoría de los peluqueros les encanta diseccionar las relaciones personales. Los descansos que teníamos para tomar un café o fumar un cigarrillo parecían sesiones de terapia de grupo.

Yo me sentía contenta por haber roto con Tom, salvo por el consejo que me había dado al despedirnos. Yo no lo culpaba por decirme lo que me había dicho, pues acababa de dejarlo, pero en el fondo me preocupaba que tuviera razón. Quizá me daba miedo la intimidad. Hasta entonces, yo sólo había amado a Hardy, quien estaba anclado en mi corazón. Todavía soñaba con él y, cuando lo hacía, me despertaba con la sangre ardiendo y toda la piel húmeda y viva.

Quizá debería haberme quedado con Tom. Carrington pronto cumpliría diez años y había carecido de influencia paterna durante demasiado tiempo. Necesitábamos a un hombre en nuestra vida.

Nada más entrar en la peluquería, que acababa de abrir al público, Alan se acercó a mí y me informó de que Zenko quería hablar conmigo enseguida.

—Sólo he llegado unos minutos tarde... —empecé a disculparme yo.

—No, no, no se trata de esto, sino del señor Travis.

—¿Viene hoy?

La expresión de Alan era inescrutable.

—No creo.

Yo me dirigí a la parte trasera de la peluquería, donde

Zenko bebía una taza de té caliente. Cuando entré, levantó la vista de la agenda de citas de los clientes.

—Liberty, he revisado tu horario de trabajo para esta tarde. —Pronunció la palabra «horario», que era una de sus favoritas, con acento británico—. Por lo visto estás libre después de las tres y media.

—Sí, señor —respondí con cautela.

—El señor Travis quiere que vayas a su casa a cortarle el pelo. ¿Conoces la dirección?

Yo sacudí la cabeza con desconcierto.

—¿Quiere que vaya yo? ¿Cómo es que no va usted, como siempre?

Zenko me explicó que una actriz famosa venía expresamente a la peluquería desde Nueva York y que no podía cancelar su cita.

—Además —continuó con un deliberado tono monocorde—, el señor Travis ha pedido expresamente que vayas tú. Lo ha pasado bastante mal desde el accidente y ha dicho que le iría bien que...

—¿Qué accidente?

Yo sentí una desagradable descarga de adrenalina, como cuando te salvas por los pelos de caer por unas escaleras y, a pesar de haberte librado del batacazo, tu cuerpo sigue preparado para la catástrofe.

—Creí que ya lo sabías —declaró Zenko—. El señor Travis se cayó de un caballo hace dos semanas.

Para un hombre de la edad de Churchill, caerse del caballo nunca constituía algo sin importancia. Los huesos podían romperse, resultar aplastados, se producían dislocaciones, y la espina dorsal y las cervicales sufrían sacudidas. Una exclamación luchó por brotar, sin éxito, de mi garganta y mis manos se desplazaron, primero hasta mis labios y después se cruzaron sobre mi pecho.

—¿Ha sido grave? —conseguí preguntar por fin.

—No conozco los detalles, pero creo que se ha roto una pierna y ha tenido que pasar por el quirófano. —Zenko se interrumpió y me observó con fijeza—. Estás pálida. ¿Quieres sentarte?

—No, estoy bien, sólo que...

No podía creer lo asustada que me sentía y lo mucho que me preocupaba el estado de Churchill. Quería ir a verlo enseguida. El corazón me latía de una forma dolorosa y mis manos se entrelazaron como las de un niño cuando reza.

Yo intenté apartar de mi mente las imágenes que la cruzaron, las cuales no tenían nada que ver con Churchill Travis.

En ellas aparecía mi madre, quien llevaba puesto un vestido blanco estampado con margaritas; mi padre, que sólo me resultaba accesible en una fotografía en blanco y negro; y el rostro decidido de Hardy iluminado por la potente luz de unos focos de feria... Sombras entre sombras. Me costaba respirar. Pero entonces pensé en Carrington y me aferré a su imagen. Mi hermana, mi pequeña... y el pánico se convirtió en un remolino y desapareció.

Oí que Zenko me preguntaba si deseaba ir a River Oaks para cortarle el pelo a Churchill.

—Sí, claro —respondí intentando que mi voz sonara normal, como si nada hubiera pasado—. Claro que iré.

Cuando finalicé mi último compromiso, Zenko me dio la dirección de Churchill y los números de dos códigos de seguridad distintos.

—A veces, hay un guarda en la verja —me explicó Zenko.

—¿Tiene una verja? ¿Y un guarda? —pregunté yo.

—Sí, un guarda de seguridad —declaró Zenko con un tono impersonal que resultaba mucho más hiriente que el sarcasmo—. La gente rica los necesita.

Yo cogí el papel con la dirección y los códigos.

Mi Honda necesitaba un lavado, pero no tenía tiempo, tenía que ver a Churchill lo antes posible. Tardé sólo quince minutos en llegar a su casa desde la peluquería. En Houston, las distancias se miden en minutos en lugar de kilómetros, pues el tráfico puede convertir un recorrido corto en un viaje infernal de paradas y arranques continuos y en el que la furia se convierte en una técnica de conducción.

Algunas personas comparan River Oaks con el distrito de Highland Park en Dallas, aunque River Oaks es más extenso y más caro. Podría considerarse el Beverly Hills de Tejas. River Oaks es una zona de unas quinientas hectáreas situada a medio camino entre el centro de la ciudad y la zona residencial del norte. Cuenta con dos colegios, un club deportivo, restaurantes y tiendas de lujo y parterres de flores vistosas. Cuando River Oaks se fundó, alrededor de los años veinte, existía lo que llamaron un acuerdo de caballeros por el que se prohibía vivir en aquella zona a las personas que no fueran blancas, salvo a los criados. En la actualidad, aquellos presuntos caballeros ya no existen y en River Oaks hay más diversidad. Ahora sus habitantes ya no son todos blancos, aunque, sin duda, todos son ricos, y las residencias más baratas cuestan, como mínimo, un millón de dólares.

Yo conduje mi destartalado Honda por calles flanqueadas por mansiones y transitadas por Mercedes y BMW. Había casas construidas al estilo colonial español, con porches de piedra, torretas y balcones con barandillas de hierro forjado que resultaban muy ornamentales. Otras habían sido diseñadas al estilo colonial de Nueva Orleans y otras al de Nueva Inglaterra, con columnas blancas, tejados a dos aguas y chimeneas con molduras. Todas eran enormes, con unos jardines preciosos, y los robles, como centinelas gigantes, se alineaban a ambos lados de los senderos que conducían a la puerta principal.

Aunque sabía que la casa de Churchill sería impresionante, no estaba preparada para lo que iba a ver. Se trataba de una finca de, más o menos, una hectárea, con un estanque y una casa de piedra diseñada como un castillo europeo. Detuve el coche frente a la sólida verja de hierro de la entrada e introduje el código en el dispositivo de control. La verja, con una lentitud majestuosa, por suerte se abrió sin problemas. Un camino ancho y pavimentado conducía hasta la casa y, una vez allí, se bifurcaba. Uno de los ramales rodeaba la casa y el otro conducía a un garaje independiente en el que cabían hasta diez coches.

Yo aparqué junto al garaje, en la zona más apartada que pude encontrar. A mi pobre Honda parecía que lo hubieran dejado allí para llevarlo al desguace. Las puertas del garaje eran de cristal y dejaban a la vista un Mercedes sedán, un Bentley blanco y un Shelby Cobra amarillo pintado con las típicas franjas de los coches de carreras. Había más coches, pero yo me sentía aturdida y estaba ansiosa por ver a Churchill y ni siquiera los miré.

El día era fresco y otoñal y agradecí la tímida brisa que refrescó mi sudorosa frente. Me dirigí a la casa con mi bolsa llena de útiles y productos.

Las plantas y los parterres de césped rodeados de setos tenían tan buen aspecto que se diría que los regaban con agua mineral y los podaban con tijeras para las uñas. Yo habría jurado que la sedosa hierba que crecía a ambos lados del camino la habían arreglado con un peine de bolsillo. Alargué el brazo hacia el timbre, que estaba situado debajo de una cámara de vídeo encastrada en la pared, como las que hay en los cajeros automáticos.

Cuando pulsé el timbre, la cámara emitió un zumbido y me enfocó, y yo casi retrocedí unos pasos. Entonces me acordé de que, antes de salir de la peluquería, no me había cepillado el pelo ni había retocado mi maquillaje. Pero ya era demasiado tarde, pensé mientras miraba el timbre de una casa rica que me devolvía la mirada.

En cuestión de segundos, la puerta se abrió. Una mujer madura, delgada y vestida de una forma elegante, con unos pantalones verdes, una blusa de seda estampada y unas zapatillas bordadas me dio la bienvenida. Parecía tener unos sesenta años, pero se conservaba tan bien que lo más probable era que tuviera cerca de setenta. Llevaba el pelo plateado peinado al estilo «desatascador», formando una semicircunferencia abombada y perfecta. Casi teníamos la misma altura, pero su cabello la hacía parecer unos diez centímetros más alta que yo. Unos pendientes de diamantes que parecían adornos de navidad le colgaban hasta más abajo de la mandíbula.

Ella me recibió con una sonrisa sincera y sus ojos se

entornaron hasta convertirse en unas rendijas oscuras que me resultaron familiares. Enseguida supe que se trataba de Gretchen, la hermana mayor de Churchill, quien había estado prometida en tres ocasiones, aunque no se había casado nunca. Churchill me había contado que todos sus prometidos fallecieron en circunstancias trágicas. El primero, en la guerra de Corea, el segundo en un accidente de tráfico y el tercero de una dolencia cardiaca que nadie sabía que la padecía hasta que lo mató sin previo aviso. Después de su fallecimiento, Gretchen declaró que resultaba obvio que su destino no era casarse y había permanecido soltera.

Su historia me conmovió tanto que casi lloré, y me imaginé a la hermana de Churchill como una solterona vestida de negro.

—¿No se siente sola al no haber tenido...? —le pregunté a Churchill con cautela. Me interrumpí mientras buscaba la mejor forma de expresarlo: ¿relaciones carnales?, ¿intimidad física?—. ¿A un hombre en su vida?

—¡Cielos, no! Gretchen no se siente sola —me respondió Churchill con un respingo—. Ella se suelta el pelo siempre que tiene la oportunidad. Ha tenido más hombres de los que se podría esperar, sólo que no se casa con ellos.

Mientras contemplaba a aquella mujer de facciones dulces y ojos chispeantes, pensé: «¡Señora Travis, es usted una mujer de su tiempo!»

—Hola Liberty, soy Gretchen Travis. —Ella me miró como si fuéramos viejas amigas y alargó los brazos para coger mis manos en las suyas. Yo dejé la bolsa en el suelo y le devolví el apretón de manos con timidez. Sus dedos eran cálidos y delgados y sus múltiples anillos entrechocaron—. Churchill me ha hablado de ti, pero no me había contado lo guapa que eres. ¿Tienes sed? ¿La bolsa pesa mucho? Déjala aquí y ordenaré que nos la suban. ¿Sabes a quién me recuerdas?

Como Churchill, formulaba preguntas en grupos de varias a la vez. Yo me apresuré a responderlas.

—Gracias, señora, pero no tengo sed. Y no pesa mucho, puedo llevarla yo sola.

Levanté la bolsa del suelo.

Gretchen me condujo al interior de la casa mientras retenía una de mis manos, como si fuera demasiado joven para dejarme caminar sola por la casa. A mí me resultó extraño pero agradable caminar de la mano de una mujer adulta. Entramos en el vestíbulo, el cual tenía el suelo de mármol y el techo de dos pisos de altura. A lo largo de las paredes había unas hornacinas con unas esculturas de bronce en el interior. Mientras nos dirigíamos a un ascensor que estaba empotrado a un lado de la escalinata en forma de herradura de la entrada, la voz de Gretchen sonó en la habitación con un leve eco.

—Rita Hayworth —declaró Gretchen en respuesta a su anterior pregunta—. Tal como aparecía en *Gilda*, con el cabello ondulado y aquellas pestañas tan largas. ¿Has visto la película?

—No, señora.

—No importa, creo que no acababa bien. —Me soltó la mano y pulsó el botón del ascensor—. Podríamos subir por las escaleras, pero con el ascensor resulta más fácil. Nunca permanezcas de pie si puedes sentarte y nunca camines si puedes ir en coche.

—Sí, señora.

Yo me arreglé la ropa tan discretamente como pude. Estiré mi camiseta negra de cuello en pico por encima de mis tejanos blancos y contemplé las uñas de los dedos de mis pies, que estaban pintadas de rojo y asomaban por debajo de las tiras de mis sandalias de talón bajo y abiertas por detrás. Deseé haber elegido un conjunto mejor para vestirme aquella mañana, pero no tenía ni idea de lo que iba a suceder.

—Señorita Travis —declaré—, por favor, explíqueme cómo...

—Llámame Gretchen —contestó ella—. Sólo Gretchen.

—Gretchen, ¿cómo está él? No me he enterado de su

accidente hasta hoy, si no habría enviado unas flores o una tarjeta...

—Oh, querida, no necesitamos más flores. Nos han enviado tantas que no sabemos qué hacer con ellas. Además hemos intentado no dar publicidad al accidente. Churchill no quiere que le demos mucha importancia. Creo que le avergüenza todo el asunto de la escayola y la silla de ruedas...

—¿Le han enyesado la pierna?

—De momento le han colocado una venda escayolada, pero dentro de dos semanas le colocarán el yeso de verdad. Según el doctor, se ha producido una... —Gretchen entornó los ojos mientras se concentraba— una fractura conminuta de la tibia, una fractura abierta de peroné y también se ha roto los huesos de un tobillo. Le han colocado ocho clavos en la pierna, una varilla metálica en el exterior, que le quitarán más adelante, y una placa metálica para siempre. —Gretchen soltó una risita—. No podrá volver a pasar por el control de seguridad del aeropuerto. Suerte que tiene un avión propio.

Yo asentí con la cabeza, pero no pude hablar. Intenté un viejo truco para no romper a llorar, uno que el señor Ferguson, el marido de Marva, me había enseñado. Cuando creas que estás a punto de echarte a llorar, frota con suavidad la parte blanda del paladar con la punta de la lengua. Según me contó el señor Ferguson, mientras lo haces, las lágrimas no brotan de tus ojos. A mí me funcionó, pero a duras penas.

—Churchill es más fuerte que un roble —declaró Gretchen al ver la expresión de mi rostro—. No tienes por qué preocuparte por él, cariño, sino por el resto de nosotros. Estará en cama durante, al menos, cinco meses y, para cuando se levante, nos habrá vuelto a todos locos.

La casa era como un museo, con pasillos anchos, techos elevados y cuadros con pequeños focos individuales. La atmósfera era serena, pero se notaba que ocurrían cosas en las habitaciones más lejanas: se oía el timbre de un teléfono, una especie de golpeteo o martilleo y el inconfundible tintineo de ollas y sartenes. El ruido de personas que realizaban su trabajo sin ser vistas.

Entramos en el dormitorio más grande que he visto en mi vida. Mi apartamento entero cabía en él y todavía habría sobrado espacio. Los ventanales disponían de postigos. El suelo, que era de madera de nogal cepillada a mano, estaba cubierto, en algunos lugares, con kilims antiguos que debían de costar, cada uno de ellos, como un Pontiac nuevo. Una cama de matrimonio con columnas labradas en espiral estaba colocada en diagonal en una esquina de la habitación. En otra zona había dos sofás, un sillón reclinable y una pantalla de televisión de plasma colgada de la pared.

Enseguida vi a Churchill, quien estaba sentado en una silla de ruedas y con la pierna levantada. Él, que siempre iba tan bien vestido, llevaba puestos unos pantalones de chándal con una pernera cortada y un jersey amarillo de algodón. Parecía un león herido. Yo me acerqué a él con pasos rápidos, lo abracé y besé su coronilla mientras sentía la dura curvatura de su cabeza debajo de su mullido cabello gris. Inhalé su familiar olor a piel curtida con un leve toque a colonia cara. Él deslizó una de sus manos hasta mi hombro y me dio unas palmaditas firmes.

—No, no —declaró con su áspera voz—. No es necesario. Me pondré bien. Para ya.

Yo me sequé las húmedas mejillas, me enderecé y carraspeé para liberar el nudo de mi garganta.

—¿Qué ha ocurrido? ¿Intentaba hacer de doble cinematográfico de un Ranger?

Él frunció el ceño.

—Estaba montando a caballo con un amigo en su finca cuando, de repente, una liebre saltó de detrás de unos arbustos y el caballo se encabritó. Antes de que me diera cuenta, estaba volando por los aires.

—¿Su espalda está bien? ¿Y su cuello?

—Sí, todo está bien, sólo me he roto la pierna. —Churchill suspiró y refunfuñó—. Estaré clavado en esta silla durante meses. Lo único que puedo hacer es ver la porquería de la televisión. Tengo que ducharme sentado en una silla de plástico y me lo tienen que traer todo. No puedo hacer ni una maldita cosa yo solo. Estoy hasta las narices de que me traten como a un inválido.

—Ahora es un inválido —contesté yo—. ¿No puede relajarse y disfrutar de los mimos?

—¿Disfrutar de los mimos? —repitió Churchill con indignación—. Me ignoran, estoy desatendido y deshidratado. Nadie me trae la comida a su hora. Nadie viene cuando llamo. Nadie me llena la jarra de agua. Una rata de laboratorio vive mejor que yo.

—¡Vamos, Churchill, lo hacemos lo mejor que podemos! Es una rutina nueva para todos. Ya nos acostumbraremos —lo tranquilizó Gretchen.

Él la ignoró, pues estaba ansioso por contar sus desgracias a un oído comprensivo. Ya era la hora de tomar el Vicodin y alguien lo había puesto tan al fondo sobre el mueble del lavabo que no alcanzaba a cogerlo, siguió explicándome Churchill.

—Yo se lo traeré —contesté de inmediato mientras me dirigía al lavabo.

Éste era enorme, con azulejos de terracota, mármol jaspeado en tonos cobrizos y una bañera medio encastrada en el centro. La ventana y las paredes de la ducha, que era en sí misma como una pequeña habitación, eran de bloques de cristal. Era una suerte que el lavabo fuera tan grande ahora que Churchill tenía que moverse en una silla de ruedas, pensé. Encontré un montón de frascos de medicamentos en el mueble de la pila, junto con un dispensador de vasos de plástico que parecía fuera de lugar en aquel entorno perfecto de revista.

—¿Una o dos? —grité mientras abría el frasco de Vicodin.

—¡Dos!

Llené uno de los vasos con agua y le llevé las pastillas a Churchill. Él las cogió mientras realizaba una mueca y sus labios empalidecían a causa del dolor. Yo ni siquiera podía imaginarme cuánto le debía de doler la pierna, cómo debían de protestar sus huesos por la implantación de placas y clavos metálicos. Su organismo debía de sentirse abrumado ante la perspectiva de tener que curar tanto daño. Le pregunté si quería descansar y le expliqué que yo podía esperar o regresar otro día. Churchill contestó con énfasis que ya había descansado bastante y que ahora quería buena compañía, la cual había resultado escasa las últimas semanas. Mientras hablaba, lanzó una mirada significativa a Gretchen, quien contestó con serenidad que, si una persona quería atraer buena compañía, tenía que ofrecerla.

Después de un minuto de riña cariñosa, Gretchen le recordó a Churchill que presionara el botón del intercomunicador si necesitaba alguna cosa y salió de la habitación. Yo empujé la silla de ruedas de Churchill hasta el lavabo y la coloqué junto a la pila.

—Nadie contesta cuando llamo por el intercomunicador —me explicó Churchill con enojo mientras contemplaba cómo sacaba los utensilios de la bolsa.

Yo desdoblé una capa negra de una sacudida y se la coloqué alrededor del cuello junto a una toalla.

—Quizá le iría bien un equipo de walkie-talkies. Entonces podría hablar directamente con quien quisiera cuando necesitara algo.

—Gretchen siempre se olvida de dónde ha dejado el móvil —contestó él—, de modo que sería inútil pretender que llevara un walkie-talkie encima.

—¿No tiene un asistente personal o un secretario?

—Lo tenía —afirmó él—, pero lo despedí la semana pasada.

—¿Por qué?

—No soportaba que le gritara. Y nunca tenía la cabeza por encima del culo.

Yo sonreí.

—Tendría que haber esperado a encontrar a otra persona antes de despedirlo.

Yo llené un pulverizador con agua del grifo.

—Ya he pensado en alguien.

—¿De quién se trata?

Churchill hizo un leve gesto para indicar que no tenía importancia y se arrellanó en la silla. Yo le humedecí el cabello y se lo peiné con cuidado. Mientras se lo cortaba, capa por capa, percibí el momento en el que la medicación surtió efecto. Las arrugas marcadas de su rostro se relajaron y sus ojos perdieron su aspecto vidrioso.

—Ésta es la primera vez que le corto el pelo —señalé yo—. Por fin podré anotarlo en mi currículum.

Él se rio.

—¿Cuánto tiempo llevas trabajando para Zenko, cuatro años?

—Casi cinco.

—¿Y cuánto te paga?

Su pregunta me sorprendió levemente y al principio pensé en contestarle que no era de su incumbencia, pero la verdad es que no tenía ninguna razón para no revelarle aquella información.

—Veinticuatro mil anuales —respondí—. Propinas aparte, desde luego.

—Mi ayudante ganaba cincuenta mil al año.

—Eso es mucho dinero. Supongo que debía de sudar de lo lindo para ganárselo.

—En realidad, no. Hacía algunos encargos y llamadas telefónicas para mí, llevaba mi agenda, pasaba a máquina mi libro... Ese tipo de cosas.

—¿Está escribiendo otro libro?

Él asintió con la cabeza.

—Trata, sobre todo, de estrategias de inversión, pero una parte es autobiográfica. Algunas páginas las escribo a mano y otras las dicto a la grabadora. Después, mi asistente lo pasa al ordenador.

—Resultaría más práctico si lo mecanografiara usted directamente.

Volví a peinarle el cabello hacia atrás buscando la línea de división natural.

—Soy demasiado viejo para aprender algunas cosas y mecanografiar es una de ellas.

—Podría contratar a un mecanógrafo temporal.

—No quiero a alguien temporal, sino a alguien a quien conozca, alguien en quien pueda confiar.

Nuestras miradas se encontraron en el espejo y entonces me di cuenta de lo que él intentaba decirme. «¡Santo cielo!», pensé. Unas arrugas de concentración se marcaron en mi frente. Yo me centré en su cabello buscando su caída natural mientras realizaba cortes precisos con las tijeras.

—Yo soy peluquera, no secretaria —declaré sin mirarlo—. Además, si dejara a Zenko, nunca más podría volver a trabajar para él. No podría volver atrás.

—Yo no te estoy ofreciendo un trabajo a corto plazo —replicó Churchill de una forma relajada, lo cual constituyó para mí un indicio de lo buen negociador que debía de ser—. Hay muchas cosas que hacer aquí, Liberty, y la mayoría constituirán para ti un incentivo mucho mayor que arreglarle las cutículas a los demás. No te enfades, no tengo nada en contra de tu trabajo y tú lo haces muy bien...

—¡Vaya, gracias!

—... pero podrías aprender un montón de cosas conmigo. Todavía me falta mucho para retirarme y son innumerables las cosas que quiero hacer, pero necesito la ayuda de alguien en quien pueda confiar.

Yo me reí con incredulidad y cogí la maquinilla eléctrica.

—¿Qué le hace creer que sea digna de confianza?

—No eres una persona que se rinda a las primeras de cambio —contestó él—. Eres perseverante. Y te enfrentas a la vida con la cabeza alta. Eso cuenta mucho más que las habilidades mecanográficas.

—Eso lo dice ahora que todavía no ha visto cómo tecleo.

—Aprenderás a hacerlo.

Yo sacudí la cabeza con lentitud.

—¿De modo que usted es demasiado viejo para aprender pero yo no?

—Exacto.

Yo le sonreí con nerviosismo y puse en marcha la maquinilla. Su continuo zumbido impidió que siguiéramos hablando.

Resultaba obvio que Churchill necesitaba a alguien mucho más cualificado que yo. Los recados no constituían un problema, pero realizar llamadas en su nombre, ayudarle con su libro y relacionarme, aunque sólo fuera superficialmente, con las personas de su ámbito social... Todo aquello eran arenas movedizas para mí.

Al mismo tiempo, me sorprendió experimentar una punzada de ambición. ¡Cuántos universitarios con sus gorras adornadas con borlas y sus flamantes diplomas darían cualquier cosa con tal de contar con una oportunidad como aquélla! Una propuesta como la de Churchill sólo se presentaba una vez en la vida.

Yo incliné la cabeza de Churchill hacia delante y le recorté la nuca con cuidado. Al final, apagué la maquinilla y cepillé los restos de pelo de su nuca.

—¿Y qué pasaría si no funcionara? —oí que preguntaba mi voz—. ¿Me avisaría con una antelación de dos semanas?

—Te avisaría con mucha antelación —respondió él—, y recibirías una suculenta indemnización. Pero funcionará.

—¿Y tendría un seguro médico?

—Os incluiría a Carrington y a ti en la póliza familiar.

«¡Vaya!»

Vacunas aparte, yo había tenido que pagar todos los gastos médicos y sanitarios de Carrington y míos. En relación con la salud, habíamos tenido suerte, pero cualquier tos, resfriado, infección de oído u otro problema leve que pudiera convertirse en grave me habían causado serias preocupaciones. Yo quería tener una tarjeta blanca de plástico con un código de abonado en mi monedero; lo deseaba tanto que, de una forma inconsciente, apreté los puños.

—Confecciona una lista con tus peticiones —declaró

Churchill—. No voy a escatimar en los gastos. Ya me conoces y sabes que seré justo. Sólo hay una cosa que no es negociable.

—¿De qué se trata?

A mí todavía me costaba creer que estuviéramos manteniendo aquella conversación.

—Quiero que Carrington y tú viváis aquí.

Yo me quedé muda e inmóvil mientras lo miraba con fijeza.

—Tanto Gretchen como yo necesitamos a alguien aquí, en la casa —me explicó Churchill—. Yo estoy postrado en esta silla de ruedas e, incluso cuando pueda levantarme, me moveré con dificultad. Y Gretchen ha padecido problemas últimamente, entre ellos la pérdida de memoria. Según ella, volverá a su casa algún día, pero lo cierto es que se quedará aquí para siempre y quiero que alguien se haga cargo de sus citas además de las mías y esa persona no puede ser un desconocido. —Su mirada era astuta y sus palabras fluidas—. Podrás entrar y salir cuando quieras, te encargarás de la organización de la casa y podrás considerarla tu propio hogar. Carrington podría asistir al colegio de River Oaks y en la casa hay ocho habitaciones libres. Podríais escoger las que quisierais.

—Pero..., no puedo sacar a Carrington de su ambiente así, de repente...; no puedo cambiarla de casa y de colegio sin saber si funcionará o no...

—Si me estás pidiendo una garantía, no puedo ofrecértela, lo único que puedo prometerte es que haremos lo posible para que funcione.

—Carrington todavía no ha cumplido diez años. ¿Comprende lo que implicaría para ustedes tenerla aquí, en su casa? Los niños pequeños son ruidosos, desordenados, se meten en...

—Yo he tenido cuatro hijos —replicó él—. Entre ellos una niña y sé cómo son los niños cuando tienen ocho años. —Churchill realizó una pausa y reflexionó—. Te diré lo que haremos, contrataremos a un profesor de lengua para que venga dos días a la semana. Y a lo mejor a Carrington le gustaría aprender a tocar el piano. En la planta de abajo hay un Steinway y nunca lo toca nadie. ¿Le gusta nadar? Haré que coloquen un tobogán en la piscina y el día de su cumpleaños celebraremos una fiesta acuática para ella y sus amigas.

—Churchill —susurré yo—, ¿qué demonios está haciendo?

—Estoy intentando presentarte una oferta que no puedas rechazar. —Yo me temía que había hecho exactamente lo que pretendía—. Dime que sí y todos saldremos ganando.

—¿Y qué ocurre si respondo que no?

—Seguiremos siendo amigos y la oferta seguirá en pie. —Churchill se encogió levemente de hombros y señaló la silla de ruedas con un gesto de la mano—. Resulta obvio que no voy a ir a ninguna parte.

—Yo... —me pasé los dedos por el pelo— necesito pensarlo.

—Tómate el tiempo que necesites. —Churchill me sonrió con amabilidad—. Antes de decidirte, ¿por qué no traes a Carrington para que le de una ojeada a la casa?

—¿Cuándo? —pregunté aturdida.

—Esta noche, a cenar. Cuando termine las actividades extraescolares puedes recogerla y traerla directamente aquí. Gage y Jack también vienen a cenar y supongo que querrás conocerlos.

Yo nunca había sentido ningún interés por conocer a los hijos de Churchill. Su vida y la mía siempre habían estado separadas y el hecho de que las mezcláramos me inquietaba. De algún modo, a lo largo de la vida había adquirido la idea de que algunas personas pertenecían a los campamentos de casas prefabricadas y que otras pertenecían a las mansiones y mi concepto sobre la escalada de clases tenía sus límites.

Sin embargo, ¿quería imponer aquellos límites a Carrington? ¿Y qué ocurriría si la introducía en un estilo de vida tan distinto al que ella había conocido hasta entonces? Si la propuesta de Churchill no funcionaba sería como llevar a Cenicienta al baile en un carruaje y devolverla a su lugar de origen en una calabaza. Cenicienta se lo había tomado bastante bien, pero yo no estaba segura de que Carrington se lo tomara con la misma serenidad. En realidad, tampoco quería que lo hiciera.

16

Como era de esperar, aquel día, Carrington se había ensuciado más de lo habitual. Tenía las rodillas de los tejanos manchadas de hierba y salpicaduras de pintura por toda la parte frontal de la camiseta. Yo la recogí en la puerta de la clase y la llevé al lavabo más cercano. Con rapidez, le limpié la cara y las orejas con unas toallitas y le desenredé la cola de caballo. Cuando me preguntó por qué la arreglaba tanto, le expliqué que íbamos a cenar a la casa de un amigo y que tenía que portarse muy bien, si no...

—¿Si no qué? —me preguntó, como siempre, aunque yo simulé no haberla oído.

Carrington soltó grititos de placer cuando vio la finca e insistió en bajar de su sillita y pulsar las teclas a través de la ventanilla del coche mientras yo le dictaba los números del código de seguridad. Por alguna razón, me alegré de que Carrington fuera tan joven y no se sintiera intimidada por aquel entorno tan lujoso. Llamó al timbre cinco veces antes de que yo pudiera detenerla, hizo muecas delante de la cámara de seguridad y no paró de dar brincos hasta que sus bambas se iluminaron como las luces de una sirena.

En esta ocasión, una ama de llaves de edad abrió la puerta. A su lado, Churchill y Gretchen parecían unos adolescentes. Su cutis estaba tan arrugado que me recordó a una de aquellas muñecas que realizaba de pequeña con una manzana seca y un pedazo de algodón como cabello. Sus ojos, que eran como unos botones negros y brillantes, quedaban realzados por unas gafas de culo de botella. Tenía el acento típico de la zona algodonera de Brazos Bottom y se tragaba las palabras nada más pronunciarlas. Carrington y yo nos presentamos y ella nos dijo que se llamaba Cecily o Cissy, no la entendí bien.

Entonces apareció Gretchen y me explicó que Churchill había bajado en el ascensor y que nos esperaba en la salita. Gretchen dio una ojeada a Carrington y le cogió la cara entre las manos.

—¡Qué niña tan guapa! ¡Menudo tesoro! —exclamó—. Llámame tía Gretchen, cariño.

Carrington soltó una risita y jugueteó con el dobladillo de su camiseta manchada.

—Me gustan tus anillos —declaró mientras contemplaba los destellantes anillos de Gretchen—. ¿Puedo probarme uno?

—Carrington... —empecé a reñirla yo.

—¡Claro que puedes! —exclamó Gretchen—, pero primero vamos a ver al tío Churchill.

Las dos avanzaron por el pasillo cogidas de la mano y yo las seguí de cerca.

—¿Churchill te ha contado lo que hablamos antes? —le pregunté a Gretchen.

—Sí, me lo ha contado —respondió ella volviendo la cabeza hacia mí.

—¿Y qué opinas?

—Creo que sería bueno para todos. Desde que Ava falleció y los chicos se fueron, la casa está demasiado silenciosa.

Pasamos junto a unas habitaciones de techos altos y ventanales con cortinas de seda, encaje y terciopelo. Los suelos de madera de nogal estaban cubiertos, aquí y allá, por alfombras orientales y muebles antiguos y todo estaba decorado en tonos rojos, dorados y crema. A alguien le gustaba mucho leer, pues había librerías empotradas y repletas de libros por todas partes. La casa olía bien, a abrillantador de limón, a cera y a cuero.

La salita era tan grande que en ella podría haberse

organizado incluso una exhibición de automóviles. Había dos chimeneas de gran tamaño situadas en paredes opuestas, y en el centro, una mesa circular con un ramo inmenso de hortensias, rosas rojas y amarillas y espigas de fresia. Churchill estaba en una de las zonas de estar, debajo de un cuadro impresionante en tonos sepia que representaba un barco velero de época. Cuando entramos en la habitación, dos hombres se levantaron de sus asientos en la forma tradicional de cortesía. Yo no los miré, pues toda mi atención estaba centrada en Carrington, quien se dirigió hacia donde estaba Churchill.

Se estrecharon la mano con solemnidad. Yo no podía ver la cara de Carrington, pero sí la de Churchill, quien miraba a Carrington con fijeza, y me sorprendió la diversidad de emociones que percibí en su rostro: asombro, placer, tristeza... Churchill apartó la mirada, carraspeó con fuerza y, cuando volvió a mirar a mi hermana, su expresión se había relajado de tal modo que creí que me había imaginado sus emociones anteriores.

Los dos se pusieron a hablar como viejos amigos. Carrington, quien, en general, era tímida con los desconocidos, le explicó lo deprisa que podría patinar por el pasillo si se lo permitieran, le preguntó cómo se llamaba el caballo que lo había lanzado al suelo, le contó lo que hacía en la clase de plástica y le explicó que Susan, su mejor amiga, había volcado, sin querer, el bote de pintura azul sobre su escritorio.

Mientras ellos charlaban, yo dirigí mi atención a los dos hombres que se habían levantado de los asientos. Después de oír hablar a Churchill sobre sus hijos durante años, me impresionó verlos en persona.

A pesar del afecto que sentía por Churchill, yo era consciente de que había sido un padre muy exigente. Me contó que se había esforzado mucho para que sus tres hijos y su hija no fueran unos niños blandos y mimados, como ocurría en otras familias adineradas. Los había educado para que trabajaran con ahínco, lograran las metas que se propusieran y cumplieran con sus obligaciones.

Como padre, Churchill había sido parco en sus recompensas y severo en sus castigos.

Churchill era un luchador, había recibido golpes duros en la vida y esperaba que sus hijos siguieran su ejemplo. Los había educado para que destacaran en los estudios y en los deportes y para que intentaran superarse en todos los ámbitos. Como le horrorizaba la holgazanería y la exigencia de unos privilegios sin un esfuerzo previo, había aplastado todo indicio de estas características en sus hijos, aunque se había mostrado más condescendiente con Haven, que era su única hija y la más pequeña de la familia, y había sido más estricto con Gage, que era el mayor y el único hijo que había tenido con su primera esposa.

Después de oírle hablar acerca de sus hijos, deduje que era Gage en quien había puesto sus mayores expectativas, y que también era él de quien se sentía más orgulloso. Cuando tenía doce años, y mientras estudiaba en un internado de elite, Gage arriesgó su vida para salvar a otros alumnos del colegio. Una noche, se produjo un incendio en una sala de la tercera planta. El edificio carecía de sistema pulverizador contra incendios y, según me contó Churchill, Gage no salió hasta que estuvo seguro de que todos sus compañeros se habían despertado y estaban a salvo. Gage fue el último en salir, se salvó por los pelos y sufrió síntomas de asfixia y quemaduras de segundo grado. Aquella historia me impresionó, y todavía lo hizo más el comentario de Churchill: «Gage sólo hizo lo que yo esperaba de él, lo que habría hecho cualquier otro Travis.»

En otras palabras, salvar a unas personas de un edificio en llamas no constituía una gran cosa para Churchill y apenas merecía que se mencionara.

Gage se había graduado en la UT y había estudiado Administración de Empresas en Harvard. En aquel momento trabajaba en la empresa de inversiones de Churchill y también dirigía su propia empresa. Los otros hijos de Churchill habían seguido caminos distintos. Me pregunté si Gage había elegido trabajar con su padre por voluntad propia o si, simplemente, había asumido el papel que se esperaba de él y si albergaba algún resentimiento por tener que vivir bajo la pesada carga de las expectativas de su padre.

El menor de los dos hermanos que estaban en la sala se acercó a mí y se presentó. Se llamaba Jack, era de sonrisa fácil y estrechó mi mano con firmeza. Sus ojos eran negros como el café y brillaban en el rostro bronceado de un hombre que amaba la actividad al aire libre.

Después, se acercó Gage. Sobrepasaba a su padre en una cabeza y era moreno, de constitución robusta y delgado. Debía de tener unos treinta años, pero su aspecto maduro le hacía parecer mayor. Esbozó una sonrisa breve y superficial, como si no dispusiera de muchas y tuviera que racionarlas. Enseguida se percibían dos cosas en Gage Travis: la primera es que no era el tipo de persona que reía con facilidad y la segunda que, a pesar de su educación privilegiada, era un hijo de puta implacable, un pitbull con pedigrí.

Gage se presentó y alargó el brazo para estrecharme al mano.

Sus ojos eran de un gris claro fuera de lo común, brillantes y de mirada afilada y, durante un instante, reflejaron el ímpetu contenido que se escondía tras su serena fachada, un tipo de energía tensa y retenida que sólo había percibido en otra ocasión antes, en Hardy. Aunque el magnetismo de Hardy constituía una invitación para acercarse a él, mientras que el de aquel hombre constituía una advertencia para mantenerse alejado. Su energía me alteró tanto que me costó estrecharle la mano.

—Yo soy Liberty —declaré con voz débil.

Mis dedos desaparecieron entre los suyos y, tras estrechar mi mano de una forma ligera pero ardiente, la soltó tan deprisa como le fue posible. Yo me volví a un lado enseguida, pues deseaba mirar cualquier cosa menos aquellos ojos inquietantes. Entonces mi mirada se posó en una mujer que estaba sentada en el sofá.

La mujer era alta y guapa, de facciones delicadas y labios abultados y una cascada de pelo rubio con reflejos caía por debajo de sus hombros hasta el apoyabrazos del sofá. Churchill me había contado que Gage salía con una modelo y no tuve ninguna duda de que aquella mujer era la modelo. El diámetro de sus brazos era como el de los bastoncillos para las orejas y caían en línea vertical desde la articulación de sus hombros, y sus caderas sobresalían de su ropa como las aletas de un abrelatas. Si no hubiera sido modelo, la habrían ingresado de inmediato en una clínica por padecer trastornos alimentarios.

A mí nunca me ha preocupado mi peso, el cual considero que es normal. Dispongo de una buena figura, la figura de una mujer con pechos y caderas de mujer y con un trasero más grande del que me habría gustado tener. Con la ropa adecuada, tengo buen aspecto, pero con la ropa inadecuada, no tanto. En general mi cuerpo me gusta, pero al lado de aquella mujer esquelética, me sentí como una vaca de cría holandesa merecedora del primer premio.

—Hola —saludé yo con una sonrisa forzada mientras ella me miraba de arriba abajo—. Me llamo Liberty Jones y soy... una amiga de Churchill.

Ella me miró con desdén y ni siquiera se molestó en presentarse. Yo pensé en todos los años de hambre y privaciones por los que debía de haber pasado para conseguir aquella figura. Nada de helados ni barbacoas, nada de tartas de limón ni pimientos rellenos de queso blanco y cremoso. Una vida así tenía que agriarle el carácter a cualquiera.

Jack intervino de inmediato.

—¿De dónde eres, Liberty?

—Yo... —Lancé una mirada rápida a Carrington, quien examinaba el panel de los botones de la silla de ruedas de Churchill—. No pulses ninguna de esas teclas, Carrington.

Tuve una visión repentina en la que, como en una película de dibujos animados, ella accionaba un mecanismo que catapultaba a Churchill de la silla.

—No pensaba hacerlo —protestó mi hermana—, sólo estoy mirando.

Yo volví mi atención a Jack.

—Vivimos en Houston, cerca de la peluquería.

—¿Qué peluquería? —preguntó Jack con una sonrisa afable.

—Salon One, que es donde yo trabajo. —Se produjo un silencio corto pero incómodo, como si a nadie se le ocurriera nada que decir o preguntar acerca de mi trabajo en la peluquería y sentí el impulso de llenar el vacío con mis palabras—. Antes vivíamos en Welcome.

—Creo que he oído hablar dc Welcome —comentó Jack—, aunque no recuerdo qué he oído decir o dónde.

—Es sólo una ciudad pequeña como tantas otras. Hay una cosa de cada —declaré yo.

—¿Qué quieres decir?

Yo me encogí de hombros.

—Hay una zapatería, un restaurante mexicano, una tintorería...

Aquellas personas estaban acostumbradas a mantener conversaciones con personas de su misma clase acerca de personas, lugares y cosas que yo desconocía y me sentí como un cero a la izquierda. De repente, me molestó que Churchill me hubiera colocado en aquella situación, entre personas que se reirían de mí en cuanto saliera de la habitación. Intenté mantener la boca cerrada, pero se produjo otro silencio incómodo y no pude evitar romperlo.

Volví a dirigirme a Gage.

—¿Trabajas con tu padre, no?

Intenté recordar lo que Churchill me había contado, que Gage participaba en la empresa familiar de inversiones y que, al mismo tiempo, había fundado su propia empresa, la cual se dedicaba al desarrollo de tecnologías alternativas para la producción de energía.

—Por lo visto tendré que viajar en su lugar durante un tiempo —contestó él—. Tenía programado dar una conferencia en Tokio la semana que viene, pero tendré que ir yo —declaró con frialdad y cortesía y sin el menor atisbo de una sonrisa en los labios.

—Cuando das una conferencia en lugar de Churchill, ¿dices exactamente lo que él tenía previsto? —pregunté yo.

—No sostenemos siempre las mismas opiniones.

—Eso significa que no.

—Eso significa que no —corroboró él en voz baja.

Gage me miró con fijeza y yo experimenté en el estómago una sensación leve y agradable que me sorprendió. De repente, me sonrojé.

—¿Te gusta viajar? —le pregunté.

—La verdad es que ya estoy cansado de hacerlo. ¿Y a ti?

—No lo sé, nunca he salido del estado.

A mí no me parecía que fuera un comentario tan extraño, pero los tres me miraron como si tuviera dos cabezas.

—¿Churchill no te ha llevado a ningún lugar? —preguntó la mujer del sofá mientras jugueteaba con un mechón de su cabello—. ¿No quiere que te vean con él?

La modelo sonrió como si acabara de contar un chiste, aunque el tono de su voz habría sido suficiente para helar un desierto.

—Gage es un hombre hogareño —me explicó Jack—, pero al resto de los Travis nos encanta conocer mundo.

—Pues a Gage le gusta París —dijo la mujer mientras lanzaba a Gage una mirada de complicidad—. Allí es donde nos conocimos. Yo estaba posando para la portada de *Vogue*.

Yo intenté parecer impresionada.

—Lo siento, pero no he oído tu nombre.

—Dawnelle.

—Dawnelle... —repetí mientras esperaba que me dijera el apellido.

—Sólo Dawnelle.

—La acaban de elegir para una campaña nacional muy importante —me explicó Jack—, para el lanzamiento de un perfume nuevo de una famosa compañía de cosméticos.

—No es un perfume, sino una fragancia —le corrigió Dawnelle—. Y se llama Provocación.

—Estoy convencida de que lo harás de maravilla —comenté yo.

Después de tomar unas bebidas cenamos en un comedor de forma ovalada y techo de doble altura del que colgaba una araña con cristales en forma de lágrima. Una puerta con arco conducía a la cocina y, en el otro extremo de la habitación, había otra puerta con una verja de hierro forjado. Churchill me explicó que ésta conducía a una bodega con comedor incluido que contenía unas diez mil botellas de vinos y licores. Cenamos en una mesa de caoba rodeada de sólidas sillas tapizadas con terciopelo de color aceituna.

El ama de llaves y una joven hispana llenaron nuestras copas de boca ancha con vino tinto y le trajeron un Seven-Up en vaso largo a Carrington. Mi hermana se sentó a la izquierda de Churchill y yo me senté a su lado. Le recordé, en un susurro, que pusiera la servilleta sobre su regazo y que no dejara el vaso demasiado cerca del borde de la mesa. Ella se portó de maravilla y se acordó de pedir las cosas por favor y de dar las gracias.

Sólo experimenté un momento de preocupación cuando llegaron los segundos platos y no pude identificar de qué se trataba. Mi hermana no era maniática respecto a la comida, pero tampoco podía decirse que tuviera un paladar aventurero.

—¿Qué es esto? —me susurró Carrington mientras contemplaba con recelo el surtido de lonchas y bolas que había en su plato.

—Es carne —respondí con la boca de medio lado.

—¿Qué tipo de carne? —insistió ella mientras pinchaba una de las bolas de carne con las púas del tenedor.

—No lo sé, sólo cómetela.

Pero Churchill ya se había dado cuenta de la expresión ceñuda de Carrington.

—¿Qué ocurre? —preguntó él.

Carrington señaló el plato con el tenedor.

—No voy a comer algo que no sé lo que es.

Churchill, Gretchen y Jack rompieron a reír mientras Gage nos observaba de una forma inexpresiva. Dawnelle, mientras tanto, le estaba explicando al ama de llaves que quería que se llevaran su plato de vuelta a la cocina y pesaran su comida con meticulosidad. No quería más de setenta y cinco gramos de carne.

—Ésa es una buena norma —le contestó Churchill a Carrington y le dijo que acercara su plato al de él—. Se trata de una parrillada de carne. Mira, estas tiras pequeñas son de venado. Esto de aquí es alce, las albóndigas son de ciervo y la salchicha es de pavo salvaje. —Churchill me lanzó una mirada y añadió—: Nada de emú. —Y me guiñó un ojo.

—Es como comerse un episodio entero de *Mundo salvaje* —comenté yo divertida ante la visión de Churchill intentando convencer a una niña de ocho años para que hiciera algo que no deseaba.

—A mí no me gusta el alce —declaró Carrington.

—No puedes estar segura hasta que lo hayas probado. Vamos, toma un bocado.

Carrington, obediente, comió un poco de aquella carne y también vegetales y patatas asadas. Después nos pasaron unos cestos con panecillos y rebanadas de pan de maíz y, para mi consternación, Carrington se puso a hurgar en uno de los cestos.

—Cariño, no hagas eso —susurré yo—. Coge el trozo de arriba.

—Quiero el pan normal —se quejó ella.

Yo lancé a Churchill una mirada de disculpa.

—Lo siento, yo normalmente preparo el pan de maíz en una sartén.

—¡Vaya! —Churchill sonrió en dirección a Jack—. Así es como lo preparaba tu madre, ¿no?

—Sí —respondió Jack con una sonrisa nostálgica—. Yo solía trocearlo y echarlo en un vaso de leche cuando todavía estaba caliente. ¡Aquello era comer bien!

—Liberty hace el mejor pan de maíz del mundo —declaró Carrington con entusiasmo—. Tienes que pedirle que te lo prepare alguna vez, tío Churchill.

Por el rabillo del ojo vi que Gage se ponía tenso al oír la palabra «tío».

—Así lo haré —contestó Churchill mientras me miraba con una sonrisa cariñosa.

Después de cenar, Churchill quiso enseñarnos la mansión, a pesar de yo insistí en que debía de sentirse cansado. Los demás se trasladaron a la salita para tomar un café y Churchill, Carrington y yo nos fuimos por nuestra cuenta.

Nuestro anfitrión entró y salió del ascensor y recorrió los pasillos maniobrando con la silla de ruedas con dificultad y deteniéndose frente a la puerta de las habitaciones que quería que viéramos. Ava había decorado en persona toda la casa, nos explicó con orgullo. A ella le gustaba el estilo europeo y los objetos franceses y había elegido piezas antiguas con marcas visibles de desgaste para equilibrar la elegancia con el confort.

Durante el recorrido, vimos habitaciones con balcón propio y ventanas con cristales labrados. Algunas estaban decoradas como las de un castillo, con paredes envejecidas con pintura a la esponja y vigas inclinadas en el techo. Visitamos una biblioteca, un gimnasio con sauna, una pista de *squash*, una sala de música con muebles tapizados en terciopelo beige, una sala de proyecciones con una pantalla de televisión que cubría toda una pared... También vimos una piscina cubierta y otra al aire libre; esta última rodeada de una zona ajardinada y con un pabellón, una cocina de verano, unos porches cubiertos y una chimenea.

Churchill desplegó su encanto en toda su extensión. En varias ocasiones, el pícaro sinvergüenza me lanzó una mirada significativa, como cuando Carrington corrió hasta el piano y pulsó unas cuantas teclas o cuando se emocionó al ver la piscina exterior. «Ella podría disfrutar de esto en todo momento —me decía sin palabras—. Sólo depende de ti.» Y se reía cuando yo lo miraba con el entrecejo fruncido.

En cualquier caso, su opinión respecto a la reacción de Carrington había quedado confirmada. Yo también me di cuenta de otra cosa, de algo que me sorprendió y de lo que quizás él no era del todo consciente: la forma en que se relacionaban, lo cómodos que estaban el uno con el otro. Mi hermana no había tenido un padre ni un abuelo y él no había dedicado mucho tiempo a sus hijos cuando eran jóvenes. Churchill me había confesado en una ocasión que se arrepentía de no haber pasado más tiempo con ellos, aunque, debido a su forma de ser, no podría haber actuado de otra manera. Sin embargo, ahora había llegado a donde quería y, al mirar atrás, veía los momentos que se había perdido.

A mí me preocupaba el bienestar de ambos... Tenía mucho en lo que pensar.

Cuando ya estábamos completamente maravilladas y Churchill empezaba a sentirse cansado, nos reunimos con los demás. Yo percibí el tono gris del rostro de Churchill y consulté mi reloj.

—Es la hora de tomar el Vicodin —le susurré—. Subiré a su habitación y se lo traeré.

Él asintió con la cabeza mientras apretaba la mandíbula para contener el dolor que se aproximaba. Determinados dolores tienen que cogerse antes de que empiecen, si no uno no consigue librarse de ellos por completo.

—Te acompañaré —declaró Gage mientras se levantaba de su asiento—. Quizá no recuerdes el camino.

Aunque el tono de su voz era amable, sus palabras pusieron fin a la sensación de bienestar que me había producido el paseo con Churchill.

—Gracias —contesté con recelo—, pero lo encontraré yo sola.

Él no se rindió.

—Te acompañaré un trozo. Resulta fácil perderse en esta casa.

—Gracias, eres muy amable.

Camino de la puerta, me di cuenta de la que se me venía encima. Gage quería decirme alguna cosa y, sin duda, no sería nada agradable. Cuando llegamos al pie de las escaleras y ya estábamos fuera del alcance del oído de los demás, Gage se detuvo y me hizo girarme hacia él. El contacto de su mano me heló la sangre.

—Mira —declaró con voz cortante—, no me importa en absoluto si te estás tirando al viejo. Eso no es de mi incumbencia.

—Tienes razón —respondí yo.

—Pero pongo el límite en el hecho de que pretendas trasladarte a esta casa.

—No es tu casa.

—Churchill la construyó para mi madre. Esta casa es donde se reúne la familia y donde pasamos las vacaciones. —Gage me miró con desprecio—. Te estás moviendo en terreno peligroso. Si vuelves a poner un pie en esta casa, yo mismo me encargaré de echarte de una patada, ¿comprendes lo que te digo?

Yo lo comprendía, pero no me amedrenté en lo más mínimo. Hacía tiempo que había aprendido a no huir de los pit bulls.

Mi rostro pasó del rubor a la palidez absoluta y la sangre pareció quemar la superficie interior de mis venas. Él no sabía nada de mí. Aquel estúpido arrogante no sabía nada acerca de las elecciones que yo había realizado, de las cosas a las que había renunciado y de las salidas fáciles que podía haber tomado pero que no tomé. ¡No las tomé! Y él era tan imbécil que, si de repente estallara en llamas, ni siquiera me habría molestado en escupirle.

—Tu padre necesita la medicación —declaré con rostro inexpresivo.

Él entornó los ojos y yo intenté sostenerle la mirada, pero no pude, pues debido a los sucesos del día tenía las emociones demasiado a flor de piel, de modo que fijé la vista en un punto distante, al otro lado de la habitación y me concentré en no sentir nada ni demostrar nada. Después de un rato largo e insoportable, oí que decía:

—Será mejor que ésta sea la última vez que te vea por aquí.

—Vete al infierno —respondí yo, y subí las escaleras con paso comedido, aunque mis sentidos me empujaban a correr como una liebre.

Aquella noche sostuve otra conversación con Churchill en privado. Jack hacía rato que se había ido y, por suerte, Gage también, para acompañar a su novia de talla cero a su casa. Gretchen le estaba enseñando a Carrington su colección de huchas antiguas. Una tenía la forma de Humpty-Dumpty, y otra, la de una vaca que pateaba a un granjero cuando introducías una moneda en la ranura. Mientras se entretenían con las huchas, yo estaba sentada en un sillón al lado de Churchill.

—¿Has pensado en mi propuesta? —preguntó él.

Yo asentí con la cabeza.

—Churchill, algunas personas no se sentirán felices si seguimos adelante con su plan.

Él sabía a lo que yo me refería.

—Nadie te ocasionará ningún problema, Liberty. En esta casa yo soy el perro grande —contestó.

—Necesito un par de días para pensarlo.

—Tómate el tiempo que necesites.

Churchill sabía cuándo debía presionar y cuándo no.

Los dos contemplamos a Carrington, quien se reía complacida mientras un mono introducía una moneda en la ranura de la hucha con la cola.

Aquel fin de semana, fuimos a cenar a casa de Miss Marva. La casa olía a carne asada y puré de patatas. Se diría que Miss Marva y el señor Ferguson llevaban casados cincuenta años, pues se los veía muy cómodos el uno con el otro.

Mientras Miss Marva iba con Carrington a la sala de costura, yo le conté al señor Ferguson el dilema que me preocupaba. Él me escuchó en silencio, con una expresión amable en el rostro y las manos cruzadas sobre su barriga.

—Ya sé cuál es la elección más segura —reflexioné yo en voz alta—. Si lo analizo a fondo, no existe ninguna razón por la que deba asumir este riesgo. En la peluquería me va muy bien, a Carrington le gusta su colegio y me temo que le dolería dejar a sus amigas para intentar encajar en un lugar nuevo en el que acompañan a los niños al colegio en Mercedes. Ojalá que...

Los ojos marrones y afables del señor Ferguson se animaron con una sonrisa.

—Tengo la sensación, Liberty, de que esperas que alguien te dé permiso para hacer lo que quieres hacer.

Yo apoyé la cabeza en el respaldo del sillón.

—Soy tan distinta a esas personas —declaré mientras miraba el techo de la habitación—. ¡Si hubiera visto usted aquella casa, señor Ferguson! Me hizo sentir tan... ¡no sé! Como una hamburguesa de cien dólares.

—No sé a qué te refieres.

—Aunque te la sirvan en un plato de porcelana china en un restaurante de lujo, no deja de ser una hamburguesa.

—Liberty —contestó el señor Ferguson—, no existe ninguna razón para que te sientas inferior a ellos. A nadie. Cuando tengas mi edad, te darás cuenta de que todas las personas somos iguales.

Era lógico que el director de una funeraria pensara así. Fuera cual fuera la situación financiera, la raza o cualquiera de los otros aspectos que distinguían a las personas de los demás, todos acabábamos desnudos en sus dependencias.

—Entiendo que lo vea usted de esta forma, señor Ferguson —declaré—, pero desde donde yo lo veía la otra noche en River Oaks, aquellas personas son, sin lugar a dudas, diferentes a Carrington y a mí.

—¿Te acuerdas de Willie, el hijo mayor de los Hopson? El que abandonó el cristianismo.

Yo me pregunté qué tenía que ver Willie Hopson con mi dilema, aunque, si tenías paciencia, al final descubrías que las historias que contaba el señor Ferguson tenían un propósito.

—Antes de terminar los estudios universitarios —continuó el señor Ferguson—, Willie realizó un curso en España para saber cómo vivía la gente en otros lugares y aprender algo acerca de su forma de pensar y sus principios. Aquel viaje le hizo mucho bien. Creo que deberías pensar en hacer lo mismo que él.

—¿Quiere que me vaya a España?

Él se echó a reír.

—Ya sabes a qué me refiero, Liberty. Podrías pensar en la familia Travis como en un curso en el extranjero. No creo que pasar un tiempo en un lugar al que no pertenecéis os haga daño ni a ti ni a Carrington. Incluso podría beneficiaros en aspectos que ni siquiera imaginas.

—O no —contesté yo.

Él sonrió.

—Sólo hay una forma de averiguarlo, ¿no crees?

17

Cada vez que Gage Travis me miraba, resultaba evidente que habría querido arrancarme las extremidades, pero no en un ataque de furia, sino en un proceso de desmembramiento lento y metódico.

Jack y Joe solían pasar por la casa una vez a la semana, pero Gage visitaba a su padre todos los días: lo ayudaba a entrar y salir de la ducha, a vestirse y lo acompañaba a las citas con los médicos. Por mucho que Gage me desagradara, tenía que admitir que era un buen hijo. Gage podría haberle pedido a Churchill que contratara a una enfermera, pero prefería cuidar de su padre él mismo. Venía todos los días a las ocho de la mañana, ni un minuto antes ni un minuto después. Su visita le sentaba bien a Churchill, a quien el aburrimiento, el dolor y las molestias constantes lo habían convertido en un cascarrabias. Sin embargo, por mucho que Churchill gruñera y hablara con brusquedad, Gage nunca mostró el menor signo de impaciencia. Siempre se mostró tranquilo, competente y tolerante.

Menos cuando yo estaba presente, entonces se comportaba como un auténtico imbécil. Gage dejaba claro que, en su opinión, yo era un parásito, una cazafortunas o algo peor. A Carrington, prácticamente la ignoraba, salvo para demostrar con sequedad que era consciente de que había una niña pequeña en la casa.

El día que nos trasladamos a vivir a la casa con todas nuestras cosas en cajas de cartón, creí que Gage me iba a echar de allí a la fuerza. Yo había empezado a desempacar mis cosas en el dormitorio que había elegido para mí. Se trataba de una habitación muy bonita, con ventanas amplias, las paredes pintadas de color verde claro y las molduras de color beige. Lo que me había decidido a elegirla era un grupo de fotografías en blanco y negro que colgaban de una de las paredes. Eran imágenes de Tejas: un cactus, una valla de alambre con púas, un caballo y, para mi gran satisfacción, un primer plano de un armadillo que miraba directamente a la cámara. Yo consideré que aquella fotografía constituía un buen augurio. Carrington dormiría dos puertas más allá, en una habitación pequeña pero bonita, con las paredes forradas con un papel a franjas blancas y amarillas.

Mientras abría mi maleta, que había colocado encima de la cama de matrimonio del dormitorio, Gage apareció en el umbral de la puerta. Mis puños se cerraron de tal forma en el borde de la maleta que podría haber rallado zanahorias en los nudillos. Aunque sabía que estaba razonablemente a salvo, pues Churchill sin duda impediría que Gage me asesinara, me sentí intranquila. Gage ocupaba todo el hueco de la puerta y su aspecto era poderoso, malvado y despiadado.

—¿Qué demonios estás haciendo aquí?

El tono suave de su voz me inquietó más que si me hubiera gritado.

—Churchill me dijo que podía elegir la habitación que quisiera —contesté yo con la boca seca.

—Si no te vas por voluntad propia, yo mismo te echaré. Créeme, será mejor que salgas tú misma.

Yo no me moví.

—Si tienes algún problema, habla con tu padre. Él quiere que me quede.

—No me importa una mierda. ¡Sal de aquí!

Una gota de sudor bajó por mi columna, pero no me moví.

Él se acercó a mí y me cogió del brazo de una forma dolorosa. Yo exhalé una exclamación de sorpresa.

—¡Quítame las manos de encima!

Me puse en tensión y lo empujé, pero su pecho era tan duro como el tronco de un roble.

—Ya te advertí que no pensaba...

Gage me soltó de una forma tan repentina que me tambaleé hacia atrás. Nuestras respiraciones agitadas rompieron el silencio que reinó en la habitación. Gage contemplaba con fijeza la cómoda del dormitorio, donde yo había colocado unas fotografías. Temblando, llevé una mano a la zona del brazo por la que me había cogido y la froté, como si quisiera borrar de mis células el tacto de su piel, pero todavía sentía la huella invisible de sus dedos en mi brazo.

Él se dirigió a la cómoda y cogió una de las fotografías.

—¿Quién es?

Se trataba de una fotografía de mi madre, que le habían tomado poco después de que se casara con mi padre, y estaba muy joven y guapa.

—¡No la toques! —grité mientras corría para arrancarle la fotografía de las manos.

—¿Quién es? —repitió él.

—Mi madre.

Gage inclinó la cabeza sobre mí y me examinó la cara de una forma especulativa. Yo me sentía tan desconcertada por la forma repentina en que había terminado nuestra pelea que no encontré las palabras para preguntarle qué demonios le ocurría. Sin saber por qué, fui consciente del ritmo contrapuesto de nuestras respiraciones, el cual, poco a poco, se fue ajustando hasta igualarse. La luz que se filtraba por las tablillas de la persiana derramaba franjas de luz sobre nuestros cuerpos y extendía la sombra picuda de sus pestañas sobre sus mejillas. Percibí los poros oscuros de su bien afeitada mandíbula, los cuales hacían prever que, a media tarde, su barba ya habría reiniciado su crecimiento.

Humedecí mis secos labios con la punta de la lengua y él siguió el movimiento de ésta con la mirada. Estábamos demasiado cerca el uno del otro. Percibí el olor a almidón del cuello de su camisa y el de su piel cálida y masculina y la reacción de mi cuerpo me sorprendió. A pesar de todo lo que había ocurrido, deseé acercarme más a él y olerlo más profundamente.

Él arrugó el entrecejo.

—Esto no ha terminado —murmuró, y, sin más, salió de la habitación.

Yo estaba segura de que había ido directamente a hablar con Churchill, pero transcurrió mucho tiempo antes de que averiguara qué se dijeron en aquel encuentro o por qué Gage había decidido abandonar nuestra discusión. Lo único que supe entonces es que Gage no volvió a interferir en nuestro traslado. Se fue antes de la cena, mientras Churchill, Gretchen, Carrington y yo celebrábamos nuestra primera noche juntos. Comimos pescado cocinado al vapor y arroz con verduras troceadas tan finas que parecían confeti.

Cuando Gretchen nos preguntó si nos gustaban nuestras habitaciones y si teníamos todo lo que necesitábamos, tanto Carrington como yo respondimos afirmativamente y con entusiasmo. Carrington dijo que la cama con dosel la hacía sentirse como una princesa y yo declaré que mi habitación también me encantaba, que el color verde claro de las paredes resultaba muy relajante y que, sobre todo, me gustaban las fotografías en blanco y negro de la pared.

—Tendrás que decírselo a Gage —contestó Gretchen radiante—. Él tomó esas fotografías para un trabajo de la universidad. Permaneció tumbado en el suelo dos horas, hasta que el armadillo salió de su madriguera.

Una horrible sospecha cruzó mi mente.

—Gretchen —empecé mientras tragaba saliva con dificultad—, por casualidad, ¿no será esa la habitación de...? —Apenas podía pronunciar su nombre—. ¿De Gage?

—Pues sí —contestó ella con dulzura.

¡Santo cielo, de todas las habitaciones de la segunda planta había tenido que elegir la de él! Cuando pasó junto a la puerta y me vio allí, tomando posesión de su territorio... Me extrañaba que no me hubiera embestido como un toro.

—No lo sabía —declaré con un hilo de voz—. Alguien debería habérmelo dicho. Me trasladaré a otra.

—No, no, él nunca se queda a dormir en casa —contestó Gretchen—. Vive a sólo diez minutos de aquí y la habitación lleva años vacía. Estoy segura de que le encantará que alguien la utilice.

«¡Sí, mucho...!», pensé yo mientras cogía mi copa de vino.

Más tarde, aquella misma noche, vacié mis bolsas de cosméticos junto a la pila del lavabo. Cuando abrí el cajón superior, oí que algo rodaba en su interior y encontré unos cuantos artículos personales que parecían llevar allí mucho tiempo. Se trataba de un cepillo de dientes usado, un peine de bolsillo, un viejo tubo de gel para el pelo y una caja de condones.

Antes de examinar la caja más de cerca, cerré la puerta del lavabo. De las doce bolsitas de condones de la caja, quedaban tres. Eran de una marca que no había visto nunca, una marca inglesa, y en el interior de la caja había una frase curiosa: «Con el sello de la cometa, para su tranquilidad.» ¿El sello de la cometa? ¿Qué demonios significaba aquello? Parecía una versión europea del sello de calidad norteamericano. Me llamó la atención una etiqueta amarilla que indicaba: «Extra grande.» No podía ser de otra manera, reflexioné con amargura, pues para mí Gage Travis era un grandísimo capullo.

Me pregunté qué debía hacer con aquellos objetos. De ningún modo pensaba devolverle a Gage sus condones olvidados, aunque tampoco podía tirar sus pertenencias, pues cabía la posibilidad de que algún día me preguntara qué había hecho con ellas. Al final, las empujé al fondo del cajón, coloqué mis cosas en la parte delantera e intenté no pensar en el hecho de que Gage Travis y yo compartíamos un cajón.

Durante las primeras semanas de mi estancia en la casa de Churchill, estuve más ocupada de lo que lo había estado nunca y me sentí más feliz de lo que lo había sido desde antes de la muerte de mi madre. Carrington hizo nuevas amistades muy deprisa y se adaptó enseguida al colegio, el cual disponía de un departamento de ciencias naturales, una sala de ordenadores, una biblioteca bien surtida y de todo tipo de facilidades docentes y recreativas. Yo estaba pendiente de ella, por si tenía problemas de adaptación, pero, de momento, parecía no tener ninguno. Quizá su edad le permitía habituarse con facilidad a aquel mundo extraño en el que, de repente, se encontraba.

En general, las personas del entorno de Churchill se mostraron amables conmigo y me dispensaron el trato distante pero amistoso con que se trata a los empleados. Mi puesto como asistente personal de Churchill garantizaba que recibiera un buen trato. Yo me daba cuenta de cuándo un cliente de Salon One me reconocía y no sabía de dónde. Los círculos frecuentados por los Travis estaban formados por personas que gozaban de un alto nivel de vida. Algunas eran ricas y de familia de prestigio y otras, sólo ricas; sin embargo, tanto si habían heredado su lugar en la cumbre como si lo habían ganado por su propio esfuerzo, estaban decididas a disfrutarlo.

Los miembros de la alta sociedad de Houston son rubios, bronceados y elegantes. También son delgados y de musculatura tonificada, a pesar de que la ciudad de Houston figure, año tras año, en la lista de las Diez Ciudades más Obesas. Pero la gente rica está muy en forma, somos el resto de nosotros, los que nos hinchamos a burritos, pimientos rellenos y pollo frito, los que desequilibramos la media. En Houston, si no puedes costearte ser miembro de un gimnasio, eres gordo. No se puede hacer ejercicio al aire libre debido al calor intenso que hace la mayor parte de los días y a los niveles letales de hidrocarburos de la atmósfera. De todos modos, aunque la calidad del aire fuera buena, los lugares públicos, como el parque Memorial, son peligrosos y están abarrotados de gente.

Como a los houstonianos no les importa tomar la vía fácil, en Houston la cirugía plástica es más popular que en cualquier otro lugar, salvo en California. Se diría que todo el mundo se ha hecho algún que otro arreglo y, si no puedes costeártelo en Norteamérica, siempre puedes cruzar la frontera y conseguir unos implantes o una liposucción a precio de ganga más al sur. Además, si pagas el viaje con la tarjeta de crédito, puedes conseguir suficientes puntos para pagarte los billetes.

Un día, acompañé a Gretchen a una comida de Botox en la que ella y sus amigas charlaron, comieron y se turnaron para recibir las inyecciones. Gretchen me pidió que la acompañara, porque después de aquellas sesiones, solía tener dolor de cabeza. Se trataba de una comida totalmente blanca y con esto no me refiero al color de la piel de las comensales, sino a la comida misma. El primer plato consistía en una sopa blanca de coliflor y Gruyère y una ensalada de jícama y espárragos blancos aderezada con una salsa de albahaca; el segundo, en pechuga de pollo con peras escaldadas; y el postre, en un bizcocho de coco y chocolate blanco.

Yo estuve encantada de comer en la cocina y observar a los camareros, quienes trabajaban y se interrelacionaban con la precisión de las piezas de un reloj. Su forma de moverse y desplazarse sin chocar nunca entre ellos parecía un baile.

Cuando nos íbamos, todas las asistentes recibieron como regalo un pañuelo de Hermès. Nada más entrar en el coche, Gretchen me dio el suyo.

—Toma, cariño, como recompensa por haberme acompañado.

—¡No, no! —protesté yo. No sabía con exactitud cuánto costaba el pañuelo, pero era consciente de que cualquier objeto de Hermès tenía que costar una barbaridad—. No tienes por qué regalármelo, Gretchen.

—Acéptalo —insistió ella—. Yo ya tengo demasiados.

Me resultó difícil aceptarlo. No porque no agradeciera su gesto, sino porque después de tantos años de contar hasta el último centavo, me sentía sobrecogida ante tanto lujo.

Compré un equipo de walkie-talkies para Churchill y para mí, y yo siempre llevaba el mío colgado del cinturón. Los primeros días, él debió de llamarme como mínimo cada quince minutos. No sólo estaba encantado por la comodidad del sistema, sino que, para él, constituyó un alivio no sentirse tan aislado en el dormitorio.

Carrington me pedía constantemente que le dejara mi walkie-talkie y, cuando cedía y se lo prestaba unos minutos, ella se paseaba por toda la casa conversando con Churchill y las palabras «corto», «cambio» y «te pierdo, colega» retumbaban por los pasillos. Al poco tiempo, acordamos que Carrington sería la recadera de Churchill durante la hora anterior a la cena y compramos otro aparato para ella. Si Churchill no le encargaba suficientes tareas, ella se quejaba, de modo que él se veía obligado a inventarse recados para mantenerla ocupada. En cierta ocasión, vi que Churchill tiraba el mando a distancia del televisor al suelo para que Carrington pudiera acudir en su ayuda.

También compré muchas cosas a fin de solucionar los problemas que la escayola le ocasionaba a Churchill. A él le molestaba tener que vestirse siempre con pantalones de chándal, aunque no podía utilizar unos pantalones normales a causa del volumen del yeso. Encontré una solución que le pareció aceptable: unos pantalones de excursionista con cremallera a los lados con los que podía tener una pierna al aire libre y la otra cubierta. Seguían siendo demasiado informales para su gusto, pero admitió que eran mejores que los de chándal.

También compré metros y metros de venda tubular de algodón para cubrir el yeso de Churchill por las noches y evitar que agujereara las resistentes sábanas de hilo de su cama. Mi mejor hallazgo fue una barra larga de aluminio con un asa en un extremo y unas mordazas en el otro. Este utensilio permitía a Churchill coger cosas que, de otro modo, le habrían resultado inalcanzables.

Enseguida adoptamos una rutina. Gage acudía a la casa temprano todas las mañanas y, después, regresaba a

1800 Main, que es donde vivía y trabajaba. Los Travis eran los propietarios de todo el edificio, que estaba situado cerca de la sede del Bank of America y de las torres de cristal azul que antes fueron las torres norte y sur de la compañía Enron. El edificio de los Travis era el más anodino de Houston, como una caja lisa y gris, hasta que Churchill lo compró a un precio de ganga, lo rediseñó y lo reformó. Sustituyeron el recubrimiento exterior por planchas de fibra de vidrio azul y en la parte superior construyeron una especie de pirámide truncada azul que me recordaba a una alcachofa.

El edificio albergaba oficinas de lujo, un par de restaurantes de categoría y cuatro áticos que valían unos veinte millones de dólares cada uno. También contenía una media docena de pisos relativamente baratos, de unos cinco millones de dólares cada uno. Gage vivía en uno de estos pisos y Jack en otro. A Joe, el hijo menor de Churchill, no le gustaba vivir en un piso y se había decantado por una casa.

Cuando Gage venía para ayudar a Churchill a ducharse y a vestirse, a menudo traía documentación para la elaboración de su libro. Juntos revisaban artículos, informes y listas de datos durante unos minutos y analizaban alguna que otra cuestión. Parecían disfrutar mucho en aquellas reuniones. Yo intentaba pasar inadvertida mientras retiraba la bandeja del desayuno de Churchill, le llevaba más café, su grabadora o su libreta de notas. Gage hacía todo lo posible por ignorarme y, como yo sabía que mi mera respiración lo molestaba, intentaba mantenerme alejada de él. Cuando nos cruzábamos en las escaleras, no nos saludábamos y, cuando en una ocasión, él se dejó las llaves en el dormitorio de Churchill y tuve que correr tras él para devolvérselas, apenas pudo darme las gracias.

—Gage es así con todo el mundo —me explicó Churchill. Aunque yo nunca le conté nada acerca de la frialdad del trato de Gage, ésta resultaba obvia—. Siempre ha sido un estirado. Le cuesta mostrarse afectuoso con los demás.

Los dos sabíamos que esto no era cierto y que Gage sentía hacia mí una animadversión especial. Yo le aseguré a Churchill que su actitud no me importaba en absoluto, aunque esto tampoco era cierto. Complacer a los demás siempre ha constituido una de mis debilidades. Esta característica ya resulta penosa en sí misma, pero cuando eres complaciente y estás junto a alguien que siempre piensa lo peor de ti, te sientes miserable. Mi única defensa era sentir la misma antipatía hacia él que la que él sentía hacia mí y, en este sentido, Gage era de gran ayuda.

Cuando Gage se iba, empezaba la mejor parte del día. Yo me sentaba en un rincón con un ordenador portátil y mecanografiaba las notas de Churchill o transcribía sus dictados de la grabadora. Él me animaba a que le preguntara cualquier cosa que no entendiera y tenía la habilidad de resolver mis dudas con términos que me resultaban muy fáciles de comprender.

Yo realizaba llamadas y escribía e-mails en su nombre, organizaba su agenda y tomaba notas cuando se reunía en la casa con otras personas. En general, Churchill obsequiaba a sus visitas con regalos como corbatas vaqueras o botellas de Jack Daniel's. Al señor Ichiro Tokegawa, un hombre de negocios japonés con quien Churchill mantenía una amistad desde hacía años, le regaló un sombrero Stetson de piel de castor y chinchilla que costaba cuatro mil dólares. En aquellas reuniones, yo permanecía sentada y en silencio mientras escuchaba, con fascinación, las ideas que expresaban y las diferentes conclusiones a las que llegaban a partir de una misma información. Sin embargo, aunque estuvieran en desacuerdo, los demás siempre respetaban la opinión de Churchill.

Todos comentaban el buen aspecto que tenía Churchill a pesar de lo que había pasado y que nada podía con él; sin embargo, a Churchill le costaba mantener aquella apariencia de bienestar y, cuando sus invitados se iban, parecía desinflarse, se sentía cansado y se volvía quejumbroso. Los largos períodos de inactividad física le enfriaban el cuerpo y yo lo cubría con mantas y le llevaba bolsas de agua caliente. Cuando padecía calambres musculares, yo le daba masajes en los pies o en la pierna sana y le ayudaba a realizar ejercicios para evitar que se produjeran adherencias en los tejidos.

—Necesita una esposa —le comenté una mañana cuando entré en su dormitorio para retirar la bandeja del desayuno.

—Yo ya he tenido una esposa —contestó él—. En realidad, dos. Volver a intentarlo sería como pedirle al destino que me diera una patada en el trasero. Además, ya me va bien con mis amigas.

Entendí su punto de vista. No existía ninguna razón práctica para que Churchill se casara. La verdad es que no tenía problemas a la hora de contar con compañía femenina. Recibía llamadas y notas de varias mujeres. Una de ellas era una atractiva viuda llamada Vivian, quien, a veces, se quedaba a dormir en la casa. Yo estaba convencida de que, en aquellas ocasiones, dormían juntos, a pesar de las incomodidades de la pierna enyesada. Y después de aquellas visitas, Churchill siempre estaba de buen humor.

—¿Por qué no te buscas tú un marido? —replicó él—. No deberías esperar demasiado, si no, te volverás inflexible.

—De momento, no he encontrado a ningún hombre con el que merezca la pena casarse —contesté yo.

Churchill se echó a reír.

—Cásate con uno de mis hijos —respondió él—. Son jóvenes y saludables. Material casadero de primera calidad.

Yo puse los ojos en blanco.

—No me casaría con uno de sus hijos aunque me lo ofrecieran en bandeja de plata.

—¿Por qué no?

—Joe es demasiado joven. Jack es un mujeriego y no está preparado para una responsabilidad como la del matrimonio y Gage... Bueno, cuestiones de personalidad aparte, sólo sale con mujeres cuyo porcentaje corporal de grasa consta de un sólo dígito.

Una voz nueva intervino en la conversación.

—En realidad, eso no constituye un requisito.

Yo volví la cabeza y vi que Gage entraba en la habitación. Me morí de vergüenza y deseé con todo mi ser haber mantenido la boca cerrada.

Me preguntaba por qué Gage salía con una mujer como Dawnelle, quien era muy guapa, pero parecía carecer de intereses, salvo ir de compras y leer las revistas del corazón. Jack la había definido con gran acierto: «Dawnelle está muy buena, pero después de pasar diez minutos en su compañía, notas cómo tu coeficiente intelectual se desmorona.»

La única conclusión posible era que Dawnelle salía con Gage a causa de su dinero y su posición social y que él la utilizaba para exhibirla como a un trofeo, y que su relación se limitaba a practicar el sexo sin sentimientos.

¡Dios, cómo los envidiaba!

Yo echaba de menos el sexo, incluso el mediocre que practicaba con Tom. Yo era una mujer saludable de veinticuatro años y tenía necesidades que no podía satisfacer. La masturbación no contaba, es como la diferencia que hay entre pensar uno solo o disfrutar de una buena conversación con alguien. El placer radica en el intercambio. Además, parecía que todo el mundo, incluida Gretchen, disfrutaba de una vida amorosa salvo yo.

Una noche, me tomé una taza de la infusión relajante que le preparaba a Churchill para ayudarlo a dormir, pero no me causó ningún efecto. Aquella noche dormí intranquila y me desperté con las sábanas enrolladas como cuerdas alrededor de mis piernas. Unas imágenes eróticas que, por primera vez en mi vida, no estaban relacionadas con Hardy llenaron mi mente. Yo me incorporé de golpe después de soñar que las manos de un hombre jugueteaban con delicadeza en mi entrepierna mientras su boca succionaba mis pechos y, tras retorcerme de placer y suplicarle que no se detuviera, vi que sus ojos despedían un destello gris en la oscuridad.

Tener un sueño erótico con Gage Travis era la cosa

más estúpida, vergonzosa y desconcertante que me había sucedido en toda la vida, pero la impresión de aquel sueño, la pasión, la oscuridad, los abrazos y el roce de nuestros cuerpos permanecieron imborrables en un rincón de mi mente. Era la primera vez que me había sentido atraída sexualmente por un hombre al que no soportaba. ¿Cómo podía ser? Aquello constituía una traición a la memoria de Hardy, pero allí estaba yo, albergando deseos lujuriosos hacia un frío desconocido a quien yo no le importaba nada.

«No seas frívola», me dije a mí misma. Mortificada por la dirección que seguían mis pensamientos, apenas pude mirar a Gage cuando entró en el dormitorio de Churchill.

—Me alegro de oírlo —declaró Churchill como respuesta al comentario de Gage—, porque no sé cómo una mujer con el tipo de un palillo podría darme unos nietos saludables.

—Yo de ti no pensaría en nietos por ahora —replicó Gage mientras se acercaba a la cama de Churchill—. Hoy la ducha tendrá que ser rápida, papá, pues tengo una reunión con Ashland a las nueve.

—Tienes un aspecto horrible —dijo Churchill mientras escudriñaba sin disimulos las facciones de Gage—. ¿Qué te ocurre?

Tras oír el comentario de Churchill, superé mi vergüenza y miré a Gage. Churchill tenía razón, Gage tenía un aspecto horrible. Su piel bronceada no ocultaba su palidez y unas arrugas profundas surcaban sus labios. Como daba la impresión de ser una persona infatigable, resultaba preocupante verlo sin su habitual vitalidad.

Gage suspiró, se pasó la mano por el pelo y algunos de ellos se le quedaron de punta.

—Tengo un dolor de cabeza que no se me va. —Gage se masajeó las sienes con suavidad—. Esta noche no he podido dormir y me siento como si me hubiera arrollado un camión.

—¿Te has tomado algo? —le pregunté, aunque eran

raras las ocasiones en las que me dirigía a él directamente.

—Sí.

Gage me miró con los ojos inyectados de sangre.

—Porque si no...

—Me encuentro bien.

Yo sabía que se encontraba muy mal. Los hombres de Tejas afirman que se encuentran bien aunque les acaben de cortar una extremidad y se estén desangrando ante tus ojos.

—Si quieres, podría traerte una bolsa de hielo y un analgésico —declaré con cautela.

—He dicho que me encuentro bien —soltó Gage con brusquedad, y se volvió hacia su padre—. Vamos, de hecho, ya llego tarde.

«¡Imbécil!», pensé yo, y salí de la habitación con la bandeja de Churchill.

Los dos días siguientes, no vimos a Gage. Jack fue el encargado de venir en su lugar, pero como, según él, padecía de «inercia de sueño», me preocupaba que Churchill se hiciera daño en la ducha. Aunque Jack se movía, hablaba y daba la sensación de estar en funcionamiento, no era del todo él mismo hasta mediodía. En realidad, su inercia de sueño se parecía mucho a una resaca. Por las mañanas, Jack soltaba tacos, tropezaba continuamente y sólo escuchaba a medias lo que le decían, de modo que constituía más un obstáculo que una ayuda. Churchill declaró con irritación que la inercia de sueño de Jack mejoraría mucho si no estuviera de pendoneo todas las noches.

Mientras tanto, Gage guardaba cama debido a una gripe. Como nadie recordaba la última vez que se había tomado un día libre por enfermedad, todos coincidimos en que debía de encontrarse muy mal. No teníamos noticias de él y, cuando pasaron cuarenta y ocho horas sin que respondiera al teléfono, Churchill empezó a preocuparse.

—Estoy convencida de que sólo está descansando —lo tranquilicé yo.

Churchill contestó con un resoplido evasivo.

—Seguramente, Dawnelle está cuidando de él —continué yo, con lo cual me gané una amarga mirada de escepticismo.

Tuve la tentación de insinuar que sus hermanos deberían visitarlo, pero entonces recordé que Joe había ido a pasar un par de días a la isla St. Simon con su novia y que la capacidad de cuidar a los demás de Jack había llegado a su límite después de ayudar a ducharse a su padre dos días seguidos. Estaba bastante segura de que rehusaría de lleno cambiar su rutina para cuidar a otro miembro de la familia.

—¿Quiere que vaya a ver si se encuentra bien? —pregunté a Churchill con reticencia. Aquélla era mi noche libre y había quedado con Angie y otras compañeras de Salon One para ir al cine. Hacía tiempo que no las veía y deseaba verlas y charlar con ellas de nuestras cosas—. Podría pasar por 1800 Main antes de encontrarme con mis amigas.

—Sí —contestó Churchill.

Yo enseguida me arrepentí de haber realizado aquel ofrecimiento.

—Dudo que me deje entrar.

—Te daré una llave —contestó Churchill—. No es típico de Gage desaparecer de esta manera y quiero saber si está bien.

Para llegar a los ascensores de 1800 Main tenías que cruzar un pequeño vestíbulo de suelo de mármol en el que había una escultura de bronce que parecía una pera con joroba. En la entrada había un portero vestido con un uniforme negro con ribetes dorados y detrás del mostrador había dos recepcionistas. Yo intenté simular que estaba habituada a moverme en edificios de pisos de coste multimillonario.

—Tengo una llave —declaré mientras me detenía para enseñársela a las recepcionistas—. He venido a ver al señor Travis.

—Muy bien —declaró una de ellas—. Ya puede subir, señorita...

—Jones —respondí yo—. Su padre me ha enviado para ver cómo se encuentra.

—Está bien. —La recepcionista señaló unas puertas automáticas de cristal biselado—. Los ascensores están allí.

Yo me sentía como si tuviera que convencerla de algo.

—El señor Travis lleva enfermo un par de días —le expliqué.

Ella pareció genuinamente preocupada.

—Vaya, lo siento.

—He venido para ver cómo se encuentra. Sólo tardaré unos minutos.

—Muy bien, señorita Jones.

—De acuerdo, gracias.

Yo sostuve en alto la llave por si no la había visto antes y ella respondió con una sonrisa paciente y volvió a señalar los ascensores, esta vez con la cabeza.

El interior del ascensor estaba forrado con paneles de madera, el suelo era de azulejos blancos y negros y en una de las paredes había un espejo enmarcado en bronce. Subió a tal velocidad que apenas tuve tiempo de pestañear antes de llegar a la planta dieciocho.

Los pasillos, estrechos y sin ventanas, formaban una gran H y en ellos reinaba un silencio inquietante. El sonido de mis pasos se vio amortiguado por una moqueta de lana de color claro y textura mullida. Yo tomé el pasillo de la derecha y leí el número de las puertas hasta que encontré el 18 A. Llamé con firmeza.

No obtuve ninguna respuesta.

Volví a llamar con más fuerza, pero sin ningún resultado.

Entonces empecé a preocuparme. ¿Y si Gage estaba inconsciente? ¿Y si padecía alguna enfermedad como el dengue, la enfermedad de las vacas locas o la gripe aviar? ¿Y si su enfermedad era contagiosa? A mí no me entusiasmaba la idea de coger una enfermedad exótica. Por otro lado, le había prometido a Churchill que averiguaría si se encontraba bien.

Hurgué en mi bolso y saqué la llave del piso, pero justo antes de que la introdujera en la cerradura, la puerta se abrió. Me encontré frente a un Gage Travis que parecía estar a las puertas de la muerte. Iba descalzo y llevaba puesta una camiseta gris y unos pantalones de franela a cuadros. No se había peinado en días. Me miró con unos ojos vidriosos y enrojecidos y se rodeó con los brazos mientras temblaba como un animal a las puertas del matadero.

—¿Qué quieres? —preguntó con voz áspera y seca.

—Tu padre me ha enviado para...

Me interrumpí al ver que volvía a temblar y, ante la carencia de otro recurso mejor, le puse la mano en la frente. La piel le ardía. El hecho de que me hubiera permitido tocarlo constituía un indicio de lo mal que se encontraba. Gage cerró los ojos al sentir la frescura de mis manos.

—¡Cielos qué bien sienta esto!

Aunque había fantaseado acerca de ver caer a mi enemigo, no sentí placer al verlo reducido a aquel penoso estado.

—¿Por qué no has contestado al teléfono?

El sonido de mi voz pareció devolverlo a la realidad y apartó la cabeza.

—No lo he oído —contestó con el ceño fruncido—. He estado durmiendo.

—Churchill está muy preocupado. —Yo volví a hurgar en mi bolso—. Lo telefonearé para decirle que todavía estás vivo.

—En el pasillo no hay cobertura.

Gage se volvió, entró en el piso y dejó la puerta abierta. Yo lo seguí y cerré la puerta detrás de mí.

La decoración del piso era muy bonita, con accesorios ultramodernos, iluminación indirecta y un par de cuadros de círculos y cuadrados que incluso mis ojos inexpertos percibieron que eran de un valor incalculable. Algunas paredes estaban formadas por ventanales que ofrecían vistas de Houston con el sol poniéndose en el lejano y colorido horizonte. El mobiliario era de estilo contemporáneo, confeccionado con maderas valiosas, tejidos de tinte natural y sin adornos de ningún tipo. Pero todo se veía demasiado perfecto, demasiado ordenado, y no había ningún cojín ni nada que indicara suavidad. También se percibía un cierto olor a plástico, como si nadie hubiera vivido allí mucho tiempo.

La cocina, que estaba incorporada al salón, tenía las encimeras de cuarzo gris, los armarios lacados en negro y los accesorios de acero inoxidable, y su aspecto era estéril, sin vida. Se notaba que apenas se utilizaba. Yo me acerqué a la encimera y telefoneé a Churchill.

—¿Cómo está? —exclamó Churchill nada más descolgar el auricular.

—No muy bien. —Yo seguí con la mirada a Gage, quien se dirigió tambaleándose a un sofá de formas geométricas perfectas y se dejó caer en él cuan largo era—. Tiene fiebre y está tan débil que ni siquiera podría transportar a un gato a rastras.

—¿Para qué demonios querría transportar a un gato a rastras? —declaró Gage desde el sofá con voz enojada.

Yo estaba demasiado ocupada escuchando a Churchill y no le contesté.

—Tu padre quiere saber si estás tomando algún tipo de medicación antivírica —le informé.

Gage negó con la cabeza.

—Demasiado tarde, el doctor me dijo que, si no inicias el tratamiento durante las primeras cuarenta y ocho horas, no sirve de nada.

Yo repetí aquella información a Churchill, quien estaba sumamente enojado y declaró que, si Gage había sido tan idiota como para esperar tanto, bien se merecía encontrarse mal. Y colgó el auricular.

Se produjo un breve pero denso silencio.

—¿Qué ha dicho? —preguntó Gage sin mucha curiosidad.

—Ha dicho que espera que te mejores pronto y que recuerdes beber mucho líquido.

—¡Tonterías! —Gage giró la cabeza hacia mí sobre el respaldo del sofá, como si pesara mucho y no pudiera levantarla—. Ya has cumplido con tu cometido, ahora puedes marcharte.

Su propuesta me parecía estupenda. Era sábado por la noche, mis amigas me esperaban y yo estaba deseando irme de aquel lugar frío y elegante, pero el piso estaba demasiado silencioso y, camino de la puerta, supe que mi noche ya estaba arruinada. La idea de que Gage estaba enfermo y solo en aquel piso oscuro me perseguiría durante toda la velada.

Volví sobre mis pasos y contemplé el salón, en el que había una chimenea con portezuela de cristal y un televisor apagado. Gage continuaba tendido en el sofá y no pude evitar percibir cómo se ceñía la camiseta al pecho y a los hombros. Su cuerpo era largo y delgado, y disciplinado como el de un atleta. ¡De modo que era eso lo que Gage ocultaba detrás de los trajes oscuros y las camisas de Armani!

Debí de haberme imaginado que Gage practicaría el ejercicio físico como practicaba todo lo demás, sin cuartel. Incluso a las puertas de la muerte, se notaba que era muy guapo. Sus facciones, austeras y huesudas, no conservaban el menor rastro de su época juvenil. Gage era el Prada de los solteros. A desgana, reconocí que, si hubiera mostrado aunque sólo fuera un poco de encanto, lo habría considerado el hombre más sexy que había conocido nunca.

Cuando llegué a su lado, Gage entreabrió los ojos. Unos mechones de su negro pelo le caían sobre la frente, lo cual resultaba sumamente inusual, pues Gage mantenía un orden estricto en todas sus cosas. Yo deseé apartar de su cara aquellos mechones de pelo. Quería tocarlo otra vez.

—¿Qué? —preguntó él con voz cortante.

—¿Has tomado algo para la fiebre?

—Tylenol.

—¿Viene alguien para ayudarte?

—¿Para ayudarme con qué? —Gage volvió a cerrar los ojos—. No necesito nada, puedo superar esto yo solo.

—Así que puedes superarlo solo —repetí yo con tono de burla—. Dime, vaquero, ¿cuándo fue la última vez que comiste algo?

No se produjo ninguna respuesta. Gage permaneció inmóvil, con sus curvadas pestañas apoyadas en sus pálidas mejillas. O se había desmayado o esperaba que yo fuera un mal sueño que desaparecería si mantenía los ojos cerrados.

Me dirigí a la cocina y abrí los armarios de una forma metódica. En ellos encontré licores caros, cristalería moderna, platos negros de forma cuadrada en lugar de redonda... Al final, encontré el armario de la comida, en el que había una caja de Wheaties de fecha de caducidad indeterminada, una lata de crema de langosta y unos cuantos botes de especias exóticas. El contenido de la nevera era tan penoso como el del armario despensa: una botella de zumo de naranja casi vacía, una caja con dos pastelitos de hojaldre duros como una piedra, un envase de medio litro de crema de leche y un único huevo en una huevera de cartón.

—Aquí no hay nada comestible —comenté—. Unas calles más allá pasé por una tienda. Me acercaré allí y te compraré...

—No, estoy bien. Ahora mismo, no puedo comer nada. Yo... —Gage consiguió levantar la cabeza. Resultaba evidente que intentaba, desesperadamente, encontrar las palabras mágicas que me hicieran desaparecer—. Te lo agradezco, Liberty, pero yo sólo... —su cabeza volvió a caer sobre el respaldo del sofá— necesito dormir.

—Está bien.

Cogí el bolso y titubeé mientras pensaba con nostalgia en Angie, mis amigas y la película romántica que habíamos planeado ver, pero Gage se veía tan desvalido, con su enorme cuerpo doblado en el incómodo sofá y el pelo enmarañado como el de un niño... ¿Cómo podía el heredero de una enorme fortuna, un hombre de negocios de éxito por derecho propio, por no mencionar un cotizado soltero, acabar solo y enfermo en su piso de cinco millones de dólares? Yo sabía que él tenía cientos de amigos, por no hablar de una novia.

—¿Dónde está Dawnelle? —no pude evitar preguntarle.

—La campaña de *Cosmo* es la semana próxima y no quiere contagiarse —murmuró Gage.

—No la culpo, pues tengas lo que tengas, no parece muy divertido.

La sombra de una sonrisa curvó sus labios secos.

—No lo es, créeme.

Su leve sonrisa pareció clavarse en una fisura invisible de mi corazón y ensancharla. De repente, sentí una opresión y una enorme calidez en el pecho.

—Tienes que comer algo —declaré con decisión—, aunque sólo sea una tostada antes de que se produzca el rígor mortis. —Gage empezó a decir algo, pero yo levanté el dedo como una maestra severa—. Estaré de vuelta dentro de quince o veinte minutos.

Él hizo una mueca huraña.

—Cerraré la puerta con llave.

—Tengo una copia, ¿recuerdas? No podrás evitar que entre. —Colgué el bolso de mi hombro en un gesto de indiferencia hacia él que sabía que le molestaría—. Y mientras estoy fuera, y te lo digo de la forma más diplomática posible, Gage, no estaría mal que te ducharas.

18

Una vez en el coche, telefoneé a Angie y me disculpé por darle plantón.

—Tenía unas ganas infinitas de poder hacer una salida con vosotras —le expliqué—, pero el hijo de Churchill está enfermo y tengo que realizar unos encargos para él.

—¿Qué hijo?

—Gage, el mayor. Es un redomado imbécil, pero padece el peor caso de gripe que he visto en mi vida. Y es el hijo favorito de Churchill, de modo que no tengo elección. Lo siento, yo...

—¡Bien hecho, Liberty!

—¿Cómo?

—Ahora piensas exactamente como una joven con aspiraciones.

—¿Ah, sí?

—Ahora tienes dispuesto un plan B por si tu amigo generoso te deja plantada. Pero ten mucho cuidado, no vayas a quedarte sin tu amigo actual antes de haberte enrollado con el hijo.

—Yo no me estoy enrollando con nadie —protesté—, sólo se trata de compasión por otro ser humano, créeme, Gage no es mi plan B.

—No, claro. Telefonéame, cariño, y cuéntame qué ha sucedido.

—No va a suceder nada —repliqué yo—. La verdad es que no nos tragamos.

—¡Qué suerte tienes! Ése es el mejor tipo de sexo.

—Está medio muerto, Angie.

—Telefonéame —repitió ella, y colgó.

Al cabo de unos tres cuartos de hora, regresé al piso de Gage con dos bolsas de comestibles. Él no estaba a la vista. Yo seguí el rastro de pañuelos de papel usados que conducía hasta el dormitorio y oí el sonido de la ducha. Por lo visto, Gage había hecho caso de mi sugerencia, y sonreí. Regresé a la cocina mientras recogía los pañuelos y los eché en un cubo de basura que parecía que nadie había utilizado nunca. Pero eso iba a cambiar enseguida. Saqué los comestibles de las bolsas, guardé cerca de la mitad en el armario y la nevera y limpié un pollo en el fregadero antes de ponerlo a hervir en una olla.

Puse un canal de noticias de la televisión y subí el volumen para poder oírlo desde la cocina. Prepararía caldo de pollo con pasta fresca, la mejor cura que conocía. Mi versión era bastante buena, aunque no se acercaba, ni de lejos, a la de Miss Marva.

Formé una montaña de harina blanca sobre una tabla de madera. Su tacto era como el de la seda. Hacía siglos que no cocinaba y no me había dado cuenta de cuánto lo echaba de menos. Eché unos pellizcos de mantequilla sobre la harina, hice un hueco en la parte alta del montículo, rompí un huevo y vertí su contenido gelatinoso en el hueco. Mezclé los ingredientes y los amasé con dedos ágiles, como Miss Marva me había enseñado. La mayoría de las personas utilizan un tenedor, me había explicado ella, pero la calidez de las manos hace que la masa resulte mejor.

La única dificultad surgió cuando intenté encontrar un rodillo, pues no había ninguno, de modo que improvisé y utilicé un vaso largo que espolvoreé, previamente, con harina. Funcionó de maravilla, de modo que formé una hoja fina y uniforme con la masa y la corté en tiras.

Por el rabillo del ojo, percibí un movimiento y volví la mirada hacia el pasillo. Gage estaba allí, de pie y con aspecto desconcertado. Llevaba puesta una camiseta blanca limpia y unos pantalones grises y viejos de chándal. Todavía iba descalzo. Su pelo reluciente estaba húmedo a causa de la ducha que se acababa de dar. Se lo veía tan distinto al Gage pulido y almidonado que estaba acostumbrada a ver, que supongo que mi mirada era de desconcierto, como la de él. Por primera vez, lo vi como a un ser humano accesible, en lugar de una especie de encarnación del mal.

—No creí que volvieras —comentó Gage.

—¿Y perderme la oportunidad de mangonearte?

Gage continuó mirándome mientras se tumbaba con cuidado en el sofá. Parecía débil e inseguro.

Yo llené un vaso de agua y se lo llevé junto con dos ibuprofenos.

—Tómate esto.

—Ya me he tomado un Tylenol.

—Si alternas el Tylenol con el ibuprofeno cada cuatro horas, la fiebre te bajará más deprisa.

Gage cogió las pastillas y se las tragó con un gran sorbo de agua.

—¿Dónde has oído esa teoría?

—Me la han contado los pediatras. Es lo que me recomiendan cuando Carrington tiene fiebre. —Vi que Gage tenía la piel de gallina y me dispuse a encender la chimenea. Pulsé un interruptor y unas llamas brotaron de unos troncos de cerámica—. ¿Tienes escalofríos? —pregunté con amabilidad—. ¿Dónde puedo encontrar una manta?

—Hay una en el dormitorio, pero no necesito...

Antes de que pudiera terminar la frase, yo ya había recorrido la mitad del pasillo.

Su dormitorio estaba decorado con el mismo estilo minimalista que el resto del piso. La cama era baja, el colchón estaba colocado encima de una plataforma y el edredón era de color azul marino y crema. Dos almohadas estaban apoyadas contra la pared forrada de paneles de madera. En la habitación sólo había un cuadro, una reproducción al óleo del mar en calma.

Encontré, en el suelo, una manta de cachemira de color marfil y la llevé al salón junto con una de las almohadas.

—Toma —declaré con tono enérgico mientras lo cubría con la manta.

Le hice una seña para que se incorporara y acomodé la almohada en su espalda. Cuando me incliné sobre él, percibí un leve jadeo en su respiración. Titubeé antes de volver a enderezarme. Gage olía tan bien, a limpio, a hombre, y también percibí el aroma fugaz que había percibido antes, un aroma a ámbar, a algo cálido y veraniego. El olor que despedía me atrajo tanto que me costó separarme de él, pero aquella cercanía era peligrosa, pues estaba provocando que algo se desatara en mi interior, algo para lo que no estaba preparada. Entonces ocurrió algo muy extraño, Gage volvió su cabeza hacia mí de una forma deliberada, de modo que, cuando me aparté de él, un mechón de mi pelo rozó su mejilla.

—Lo siento —declaré con voz entrecortada, aunque no sabía por qué me disculpaba.

Él sacudió levemente la cabeza. Su mirada, aquellos ojos claros e hipnóticos cuyos iris estaban rodeados por un aro negro como el carbón, me hechizó. Coloqué la mano en su frente para comprobar su temperatura. Todavía estaba muy caliente, como si un fuego ardiera bajo su piel.

—¿Tienes algo en contra de los cojines? —pregunté mientras retiraba la mano.

—No me gustan las habitaciones abarrotadas de cosas.

—Créeme, ésta es la casa menos abarrotada de cosas que he visto en mi vida.

Él dirigió la mirada hacia la olla que estaba en los fogones.

—¿Qué estás preparando?

—Sopa de pollo con pasta.

—Eres la primera persona que ha cocinado aquí aparte de mí.

—¿De verdad? —Yo aparté de mi cara los mechones de pelo que caían sobre ella y rehice mi cola de caballo—. No sabía que te desenvolvieras bien en la cocina.

Uno de sus hombros se encogió de una forma leve.

—Hace un par de años asistí a un curso de cocina con mi novia. Formaba parte de la terapia de pareja.

—¿Estabais prometidos?

—No, sólo salíamos, pero cuando le dije que quería dejarlo, ella quiso que, antes, acudiéramos a una terapia de pareja y yo accedí.

—¿Y qué dijo la terapeuta? —pregunté divertida.

—Sugirió que aprendiéramos algo juntos, como bailes de salón o fotografía y nos decidimos por la cocina de fusión.

—¿Qué es eso? Suena a experimento científico.

—Consiste en una mezcla de estilos culinarios, como japonés, francés y mexicano. Como un aliño de saki y cilantro.

—¿Y os fue bien? —pregunté yo—. Me refiero a la relación con tu novia.

Gage negó con la cabeza.

—Rompimos a mitad de curso. Ella descubrió que odiaba cocinar y que yo padecía de un miedo incurable a la intimidad.

—¿Y tenía razón?

—No estoy muy seguro. —Gage sonrió con lentitud y aquella sonrisa, la primera sonrisa real que lo veía esbozar, aceleró mi corazón—. Pero sé preparar unas escalopas rebozadas como nadie.

—¿Terminaste el curso sin ella?

—Demonios, sí, ya lo había pagado.

Yo me eché a reír.

—Yo también padezco de miedo a la intimidad. Al menos eso alega mi último novio.

—¿Y tiene razón?

—Es posible, aunque, en mi opinión, si estás con la persona adecuada no tienes que esforzarte tanto en alcanzar la intimidad. Creo..., espero, que en ese caso suceda de una forma natural. Por otro lado, si te abres a la persona equivocada...

Hice una mueca.

—Es como poner munición en sus manos —terminó Gage.

—Exacto. —Cogí el mando a distancia del televisor y se lo entregué a Gage—. Si quieres poner el canal deportivo... —le sugerí mientras me dirigía hacia la cocina.

—No. —Gage dejó el canal de las noticias y bajó el volumen—. Estoy demasiado débil para emocionarme con un partido. La excitación me mataría.

Yo me lavé las manos y deposité las tiras de pasta en la humeante superficie del caldo de pollo. El aire estaba inundado de un olor casero. Gage se volvió en el sofá para observarme.

—Bébete el agua, estás deshidratado —murmuré sumamente consciente de la fijeza de su mirada.

Él cogió el vaso de agua y me obedeció.

—No deberías estar aquí —declaró—. ¿No te preocupa coger la gripe?

—Nunca me pongo enferma, además padezco de un impulso compulsivo que me empuja a cuidar a los Travis que están enfermos.

—Pues eres la única. Los Travis nos ponemos de un humor de perros cuando caemos enfermos.

—Tampoco se puede decir que seáis demasiado amables cuando os encontráis bien.

Gage esbozó una sonrisa mientras bebía un sorbo de agua.

—Podrías abrir una botella de vino —declaró después de un rato.

—Uno no puede beber cuando está enfermo.

—Eso no significa que tú no puedas hacerlo.

Gage dejó el vaso de agua sobre la mesa y reclinó la cabeza en el sofá.

—Tienes razón, después de todo lo que estoy haciendo por ti, al menos me debes una copa de vino. ¿Qué vino va bien con la sopa de pollo?

—Un blanco neutro. Busca un Pinot blanco o un Chardonnay en la nevera de las bebidas.

Como yo no sé nada de vinos, en general los elijo por

el diseño de la etiqueta. Encontré una botella con unas flores rojas y delicadas y unas palabras en francés en la etiqueta y me serví una copa. A continuación, empujé la capa de pasta al interior de la olla con una cuchara sopera e introduje otra capa.

—¿Saliste mucho tiempo con él? —oí que Gage me preguntaba—. Me refiero a tu último novio.

—No. —Ya había introducido toda la pasta en la sopa y ahora tenía que hervir durante un rato, de modo que regresé al salón con la copa de vino—. Nunca consigo salir con nadie durante mucho tiempo. Todas mis relaciones son cortas y agradables. Bueno, dejémoslo en cortas.

—Las mías también.

Me senté en un sillón de cuero que había cerca del sofá. Era de un diseño moderno, pero muy incómodo, pues tenía la forma de un cubo y estaba rodeado por una estructura cromada.

—Supongo que eso es malo, ¿no? —comenté yo.

Él sacudió la cabeza.

—Creo que no se tarda mucho en descubrir si alguien es la persona correcta para uno o no y, si tardas mucho en averiguarlo, es que estás ciego o espeso.

—O quizás estás saliendo con un armadillo.

Gage me lanzó una mirada perpleja.

—¿Perdona?

—Alguien que resulta difícil de conocer, alguien tímido y con una sólida coraza.

—¿Y feo?

—Los armadillos no son feos —protesté yo mientras soltaba una carcajada.

—Son lagartijas con un chaleco antibalas.

—Yo creo que tú eres un armadillo.

—Yo no soy tímido.

—Pero tienes una coraza sólida.

Gage reflexionó acerca de mi afirmación, pero lo disimuló con un leve asentimiento de la cabeza.

—Durante la terapia de pareja aprendí algo acerca de

las proyecciones y yo diría que tú también eres un armadillo.

—¿Qué es una proyección?

—Proyectar algo significa que tú padeces de las mismas cosas de las que me acusas.

—¡Santo cielo, no me extraña que tus relaciones sean cortas! —exclamé mientras me llevaba la copa de vino a los labios.

Él sonrió con lentitud y se me erizó el vello de los brazos.

—Cuéntame por qué rompiste con tu último novio.

Yo no tenía una coraza tan sólida como me habría gustado tener, porque la verdad enseguida acudió a mi mente: «Él era un sesenta y ocho.» Aunque, sin lugar a dudas, no iba a contárselo a Gage. Me ruboricé. El problema de ruborizarse es que, cuanto más intentas evitarlo, más te ruborizas, de modo que allí estaba yo, poniéndome de color escarlata mientras intentaba encontrar una respuesta banal a su pregunta.

Y, ¡maldición!, Gage pareció leer en el interior de mi mente.

—Interesante —respondió con suavidad.

Yo fruncí el ceño, me levanté y le dije:

—Bébete el agua.

—¡Sí, señora!

Yo limpié y ordené la cocina mientras deseaba que Gage encontrara un canal que lo entretuviera, pero él siguió mirándome como si le fascinara mi forma de limpiar las encimeras.

—Por cierto —señaló con un tono insustancial—, he llegado a la conclusión de que no te acuestas con mi padre.

—¡Muy bien! —respondí yo—. ¿Y qué te ha encendido la lucecita?

—El hecho de que quiera que lo ayude todas las mañanas a ducharse. Si fueras su amante, estarías en la ducha con él.

La pasta ya estaba hervida y, como no pude encontrar un cucharón, utilicé una taza para servir la sopa en unos cuencos de forma cuadrada. La verdad es que aquella sopa saludable no encajaba con aquellos recipientes ultra modernos, pero despedía un olor delicioso, y supe que aquélla era una de las ocasiones en que mejor me había salido. Supuse que Gage estaba demasiado cansado para sentarse en la mesa del comedor, de modo que le llevé el cuenco a la mesa de centro de cristal biselado.

—Supongo que para ti constituye una molestia ir a la casa de tu padre cada mañana, ¿no? Sin embargo, nunca te quejas —comenté.

—Mi molestia no es nada comparada con la que sufre mi padre —respondió él—. Además, lo considero una devolución. Cuando era un niño, yo sí que lo molesté.

—No me extraña nada.

Yo extendí un paño de la cocina sobre su pecho e introduje una de las esquinas por el cuello de su camiseta, como si se tratara de un niño de ocho años. Lo toqué de una forma accidental, pero cuando mis nudillos rozaron su piel, sentí que se me encogía el estómago. Le tendí el cuenco medio lleno y una cuchara y le advertí:

—No te quemes la lengua.

Él llenó la cuchara de sopa y sopló.

—Tú tampoco te quejas nunca por haber tenido que hacer de madre de tu hermana. Supongo que ella fue la causa de que algunas de tus relaciones fueran cortas.

—Así es. —Yo cogí mi cuenco de sopa—. En realidad, su influencia me ha ido bien, pues ha evitado que malgaste el tiempo con los hombres equivocados. Si a un tío le asustan las responsabilidades, no es el adecuado para nosotras.

—Pero tú no sabes lo que es estar soltera y sin hijos.

—Eso nunca me ha importado.

—¿De verdad?

—De verdad. Carrington es... lo mejor para mí.

Iba a hablar más, pero Gage se había tragado una cucharada de sopa con pasta y había cerrado los ojos y su rostro mostraba una expresión que tanto podía reflejar dolor como éxtasis.

—¿Qué? —le pregunté—. ¿Te gusta?

Él volvió a llenar la cuchara.

—Creo que sobreviviré a la enfermedad —declaró—, aunque sólo sea para tomar otro plato de esta sopa.

Después de tomar dos platos, Gage adquirió mejor aspecto y su palidez se cambió por un toque de color.

—¡Santo cielo, es increíble! —exclamó—. No te creerías lo mejor que me siento.

—No te precipites, todavía tienes que descansar bastante.

Yo introduje los cuencos en el lavavajillas y vertí el resto de la sopa en un recipiente para guardarla en la nevera.

—Necesito tomar más de esta sopa —declaró él—. Tendría que conservar unos cuantos litros en la nevera.

Yo tuve la tentación de decirle que, siempre que me sobornara con una copa de vino blanco, le prepararía una olla de sopa, pero mi comentario parecía una proposición y eso era lo último que yo deseaba. Ahora que ya no se lo veía tan destrozado y que su mirada ya no resultaba tan vidriosa, estaba segura de que pronto recuperaría su antigua forma de ser. Nada garantizaba que nuestra tregua fuera a durar, de modo que esbocé una sonrisa evasiva.

—Es tarde —declaré—. Tengo que regresar a casa.

Gage arrugó la frente.

—Ya es medianoche. No resulta seguro ir por ahí a estas horas, al menos no en Houston. Y menos en ese cacharro que tienes como coche.

—Mi coche funciona bien.

—Quédate aquí, hay una habitación extra.

Yo solté una carcajada de sorpresa.

—Bromeas, ¿no?

Gage pareció molesto.

—No, no estoy bromeando.

—Agradezco tu preocupación, pero he conducido mi cacharro por Houston miles de veces y mucho más tarde que hoy. Además, llevo conmigo el móvil. —Me acerqué a él y apoyé la mano en su frente. Estaba fresca y algo húmeda—. Ya no tienes fiebre —comenté con satisfacción—. Ya es la hora del Tylenol. Será mejor que te lo tomes, aunque sólo sea para asegurarte de que no vas a empeorar. —Gage intentó incorporarse, pero yo realicé un gesto indicándole que permaneciera tumbado en el sofá—. Descansa, puedo ir yo sola.

Gage no me hizo caso y me siguió hasta la puerta, adonde llegó al mismo tiempo que yo. Una vez allí, apoyó la palma de la mano en la superficie de madera. Su antebrazo era musculoso y estaba cubierto de vello. Su acto resultaba agresivo, pero me volví hacia él y la sutil súplica que reflejaban sus ojos me tranquilizó.

—No estás en condiciones de impedirme hacer nada, vaquero —declaré yo—. Podría derribarte en menos de diez segundos.

Él se inclinó hacia mí y respondió en voz muy baja:

—Inténtalo.

Yo solté una risa nerviosa.

—No quiero hacerte daño. Déjame salir, Gage.

Se produjo un silencio cargado de electricidad. Yo percibí, por el movimiento de su garganta, que tragaba saliva.

—Tú nunca podrías hacerme daño.

Gage no me tocaba, pero yo era terriblemente consciente de su cuerpo, de su calor y solidez y, de repente, supe cómo sería hacer el amor con él: mis caderas elevándose hacia su cuerpo..., la firmeza de su espalda en mis manos... Experimenté un hormigueo en la entrepierna, unos nervios secretos me produjeron un cosquilleo y una oleada de calor invadió mi interior.

—Por favor —murmuré, y me sentí muy aliviada cuando él separó la mano de la puerta y se apartó para dejarme pasar.

Gage esperó en el umbral de la puerta más tiempo del necesario mientras yo me iba. Pudo ser imaginación mía, pero cuando llegué al ascensor y volví la cabeza, él me pareció desamparado, como si acabara de arrebatarle alguna cosa.

Cuando Gage retomó su rutina, constituyó un alivio para todos, sobre todo para Jack. El lunes por la mañana, Gage se presentó en la casa con un aspecto tan saludable que Churchill, en un alarde de buen humor, lo acusó de simular su enfermedad.

Yo no mencioné que me había quedado con él la noche del sábado, pues decidí que era mejor dejar que todos supusieran que había salido con mis amigas, como había planeado en un principio. Y me di cuenta de que Gage tampoco había explicado nada al respecto, de lo contrario, Churchill me habría comentado alguna cosa. Sin embargo, aunque no pasó nada, aquel pequeño secreto que guardábamos entre nosotros me hacía sentir incómoda.

En cualquier caso, algo había cambiado, pues en lugar de tratarme con su habitual reserva, Gage hacía lo posible por ayudarme: arreglaba mi ordenador portátil cuando se bloqueaba, retiraba la bandeja del desayuno de Churchill antes de que yo pudiera hacerlo... También me dio la impresión de que acudía a la casa con más frecuencia y de que aparecía en momentos insospechados, siempre con la excusa de comprobar cómo se encontraba su padre.

Yo intenté no darles mucha importancia a sus visitas, pero no podía negar el hecho de que, cuando él estaba en la casa, el tiempo transcurría con mayor rapidez y todo parecía más interesante. Gage no era un hombre que pudiera encasillarse de una forma clara. Su familia, que sentía el típico rechazo texano hacia las actitudes intelectuales, se burlaba de una forma afectuosa de él por ser el más intelectual de todos ellos.

Pero a Gage le habían puesto el nombre, y con acierto, de la familia de su madre, quienes eran descendientes de los combativos pioneros escoceses e irlandeses. Según Gretchen, quien, como entretenimiento, había investigado la genealogía de la familia, la austera independencia y dureza de los Gage los habían convertido en los candidatos perfectos para establecer las fronteras de Tejas. El aislamiento, las privaciones, el peligro..., los Gage lo aceptaron todo con placer. Su naturaleza, prácticamente, pedía aquellas experiencias. Y, a veces, se podía percibir en Gage la reminiscencia de aquellos inmigrantes de rígida disciplina.

Jack y Joe eran mucho más encantadores y de trato más fácil y ambos conservaban un aire juvenil del que su hermano mayor carecía por completo. Y después estaba Haven, la hermana, a quien conocí cuando acudió a la casa durante unas vacaciones universitarias. Haven era una muchacha morena y delgada, con los ojos oscuros de Churchill y la sutileza de un barril de pólvora. Lo comunicó a su padre y a todo el que la escuchara que se había convertido en una feminista, que había cambiado las asignaturas principales de sus estudios por otras de temática feminista y que no pensaba tolerar la cultura texana de represión patriarcal. Haven hablaba tan deprisa que me costaba bastante seguir sus diatribas, como cuando me llevó a un aparte para expresar su solidaridad hacia mi gente por la explotación que sufríamos y la privación del derecho al voto y me garantizó su ferviente apoyo a la reforma de las políticas de inmigración y los programas de trabajo para extranjeros. Antes de que pudiera pensar en cómo responderle, ella se alejó como una exhalación y se sumergió en una discusión entusiasta con Churchill.

—No le hagas caso —declaró Gage mientras contemplaba a su hermana con una leve sonrisa—. No existe ninguna causa con la que no se haya identificado. El hecho de no verse privada del derecho al voto constituyó para ella la mayor decepción de su vida.

Gage era distinto a sus hermanos. Trabajaba con ahínco, se ponía a prueba a sí mismo de una forma compulsiva y parecía mantener a distancia a todo el que no fuera miembro de la familia. Sin embargo, a mí había empezado a tratarme con una prudente simpatía a la que no pude evitar responder del mismo modo. Y también empezó a mostrarse cada vez más amable con mi hermana. Todo empezó con pequeños detalles, como cuando arregló la cadena de la bicicleta rosa de Carrington, que se había roto, o la acompañó en coche al colegio una mañana que llegábamos tarde.

Y también estaba el detalle del proyecto escolar de los bichos. Después de estudiar los insectos, Carrington y sus compañeros de clase tuvieron que redactar un trabajo y confeccionar un modelo en tres dimensiones del insecto que eligieran. Carrington se decidió por una luciérnaga. Yo la acompañé a una tienda de manualidades y nos gastamos cuarenta dólares en pintura, espuma de poliestireno, yeso y desatascadores de desagües. A Carrington no le comenté nada acerca del coste del material, pues mi competitiva hermana estaba decidida a realizar el mejor bicho de la clase y yo pensaba hacer todo lo que fuera preciso para ayudarla.

Confeccionamos el cuerpo de la luciérnaga, lo cubrimos con tiras húmedas de tejido enyesado y, cuando se secó, lo pintamos de negro, rojo y amarillo. Durante el proceso, la cocina se había convertido en una zona de desastre. El insecto estaba bien hecho, pero Carrington se sintió decepcionada porque la pintura fosforescente que habíamos utilizado en la parte inferior del bicho no era tan efectiva como esperábamos. Carrington declaró con desánimo que apenas brillaba y yo le prometí que intentaría encontrar una pintura de mejor calidad para que aplicara otra capa.

Después de pasarme la tarde mecanografiando un capítulo del libro de Churchill, me sorprendió descubrir que Gage estaba sentado con mi hermana a la mesa de la cocina, que estaba llena de herramientas, cables, tacos de madera, pilas, cola y una regla. Gage sostenía la luciérnaga en una mano mientras realizaba cortes en la parte inferior con un cúter.

—¿Qué estáis haciendo?

Las dos cabezas se levantaron, una morena y la otra rubia.

—Realizando una pequeña intervención quirúrgica —respondió Gage mientras extraía con destreza un trozo rectangular de espuma.

La mirada de Carrington brillaba de excitación.

—¡Está poniendo una luz de verdad en el interior del insecto, Liberty! Estamos haciendo un circuito eléctrico con cables y un interruptor y cuando lo pulse la luciérnaga brillará de verdad.

—¡Oh!

Desconcertada, me senté a la mesa. Siempre agradecía cualquier ayuda cuando se nos ofrecía, pero nunca imaginé que, entre todas las personas que conocía, Gage se involucrara en nuestro proyecto. No sabía si Carrington le había pedido que la ayudara o si él se había ofrecido por iniciativa propia y no estaba segura de por qué me inquietaba verlos juntos en una actitud tan amigable.

Gage le enseñó a Carrington, con paciencia, a conectar el circuito eléctrico y a utilizar el destornillador y mantuvo los elementos del interruptor juntos mientras ella los pegaba. Carrington resplandecía gracias a las silenciosas alabanzas de Gage y su pequeño rostro irradiaba entusiasmo mientras trabajaban juntos. Por desgracia, el peso de la bombilla y de los cables provocó que las piernas de la luciérnaga, formadas con los desatascadores, cedieran. Yo tuve que ocultar una sonrisa repentina mientras Gage y Carrington contemplaban al postrado insecto.

—Se trata de una luciérnaga con inercia de sueño —declaró Carrington, y los tres nos echamos a reír.

Gage tardó otra media hora en reforzar las piernas del insecto con unas perchas de alambre. Al final, colocó la luciérnaga terminada en el centro de la mesa y apagó las luces de la cocina.

—Muy bien, Carrington —declaró—. Vamos a probarlo.

Carrington cogió con nerviosismo la caja del interruptor y lo accionó. La luciérnaga empezó a brillar a intervalos regulares y Carrington soltó una exclamación de triunfo.

—¡Oh, es tan guai! ¡Mira, mira mi insecto, Liberty!

—¡Es fantástico! —contesté yo sonriente al ver lo emocionada que ella estaba.

—¡Choca esos cinco! —le dijo Gage a Carrington mientras levantaba la mano.

Para su sorpresa y la mía, Carrington ignoró su gesto y se lanzó sobre él rodeando su cintura con los brazos.

—¡Eres el mejor! —declaró ella con el rostro pegado a la camisa de Gage—. ¡Gracias, Gage!

Durante unos segundos, Gage no se movió, sólo contempló la pequeña cabeza rubia de Carrington y, después, la rodeó con los brazos. Ella, sin dejar de abrazarlo, lo miró con una amplia sonrisa y él le acarició con dulzura el cabello.

—Tú has realizado la mayor parte del trabajo, pequeña. Yo sólo te he ayudado un poco.

Yo me mantuve fuera del momento, maravillada por la facilidad con que se había establecido la conexión entre ellos. Carrington siempre se había llevado bien con los hombres de cierta edad, como el señor Ferguson o Churchill, pero se había mostrado distante con aquellos con los que yo salía y yo no entendía la razón de que hubiera aceptado tan bien a Gage.

Sin embargo, no resultaba conveniente que se encariñara con él, pues sin duda Gage no formaría parte de su vida de una forma permanente y esto sólo le produciría decepción e incluso sufrimiento, y el corazón de Carrington era demasiado valioso para mí como para permitir que algo así sucediera.

Cuando Gage me miró con una sonrisa, yo no pude devolvérsela, me di la vuelta con la excusa de limpiar la cocina y me puse a recoger los trocitos de cable sobrantes con unos dedos tan tensos que las yemas perdieron su color.

19

Mientras escribía el capítulo titulado «Por qué la paranoia es buena», Churchill me explicó cosas acerca de los puntos de inflexión estratégicos. Según me contó, un punto de inflexión estratégico es cuando se produce un hecho decisivo en el desarrollo de la vida de una compañía, como un avance tecnológico, el cual cambia la forma en que se realizaba todo hasta ese momento. Como cuando se produjo el desmembramiento de Bell en 1984 o cuando Apple anunció la comercialización del iPod. Un punto de inflexión puede lanzar a una compañía a la estratosfera o hundirla sin esperanza alguna de recuperación. Sin embargo, sean cuales sean los resultados, las reglas del juego cambian para siempre.

El punto de inflexión estratégico de mi relación con Gage tuvo lugar el fin de semana después de que Carrington entregara el trabajo de la luciérnaga en el colegio. Era bien entrada la mañana del domingo y Carrington había salido al jardín para jugar mientras yo me duchaba con tranquilidad. Se trataba de una mañana fría con unas ráfagas de viento que escocían la piel. El territorio llano que rodea Houston no ofrece obstáculo alguno al viento, ni siquiera algún que otro árbol solitario interrumpe la línea del horizonte y las extensas explanadas proporcionan un espacio largo y ancho en el que el viento adquiere gran velocidad.

Yo me vestí con unos tejanos, una camiseta de manga larga y un jersey grueso de lana con capucha. Aunque, en general, me estiro el pelo para que se vea liso y brillante, aquel día decidí no hacerlo y dejé que se rizara libremente sobre mis hombros y por la espalda.

Atravesé el salón de techo elevado, donde Gretchen dirigía a un equipo de decoradores navideños. Aquel año, había elegido el tema de los ángeles, por lo que los decoradores se vieron obligados a subirse a escaleras de gran altura para colgar del techo querubines, serafines y guirnaldas doradas. De fondo se oía una música navideña de ritmo animado, la canción *Baby, It's Cold Outside*, interpretada por Dean Martin.

Salí al jardín trasero mientras daba saltitos al compás de la música. Oí la risa vital de Churchill y los grititos de júbilo de Carrington. Me puse la capucha y me dirigí al lugar de donde procedían las voces.

Churchill estaba sentado en la silla de ruedas de cara a un desnivel del terreno en dirección norte. Yo me detuve de golpe al ver a mi hermana junto al extremo más elevado de un cable de deslizamiento con polea que iba desde la parte alta del desnivel hasta la parte más baja.

Gage, vestido con unos tejanos y una vieja sudadera azul, estaba tensando el extremo inferior del cable mientras Carrington lo apremiaba para que se diera prisa.

—¡Un momento! —exclamó Gage mientras sonreía ante la impaciencia de mi hermana—. Espera hasta que esté seguro de que el cable no cederá por tu peso.

—¡Voy a tirarme ahora mismo! —declaró ella con determinación mientras se sujetaba de las asas de la polea.

—¡Espera! —le advirtió Gage mientras tiraba del cable para probarlo.

—¡No puedo esperar!

Gage rompió a reír.

—¡Está bien, pero no me eches la culpa si te caes!

Yo percibí con horror que el cable estaba colocado demasiado alto. Si se rompía o si Carrington no se agarraba con fuerza, podía romperse el cuello.

—¡No! —grité yo mientras avanzaba hacia ellos—. ¡Carrington, no lo hagas!

Ella me miró con una amplia sonrisa.
—¡Hola, Liberty, mírame! ¡Voy a volar!
—¡Espera!
Sin embargo, Carrington, aquella pequeña mula obstinada, ignoró mi llamada, se agarró de la polea y saltó del desnivel. Su pequeño cuerpo se deslizó a gran velocidad por encima del suelo. Demasiado alto, demasiado rápido..., mientras sus piernas se balanceaban en el aire. Carrington soltó un grito de júbilo. Durante un instante, se me nubló la vista y mis mandíbulas se encajaron de una forma dolorosa. Corrí y, medio tropezando, llegué donde estaba Gage casi al mismo tiempo que mi hermana.
Él la cogió con facilidad, la descolgó y la dejó en el suelo. Los dos rieron y brincaron sin prestarme atención.
Oí que Churchill me llamaba, pero no le contesté.
—¡Te he dicho que esperaras! —le grité a Carrington.
Me sentía mareada debido a la rabia y el alivio que experimentaba y los restos del miedo que había sentido todavía vibraban en mi garganta. Carrington guardó silencio y empalideció mientras me miraba con sus ojos azules muy abiertos.
—No te había oído —respondió ella.
Se trataba de una mentira y ambas lo sabíamos. Yo me sentí furiosa al ver que ella se deslizaba hacia Gage, como si buscara su protección. ¡De mí!
—¡Sí que me habías oído! Y no creas que te librarás tan fácilmente, Carrington. ¡Te voy a castigar para el resto de tu vida! —Me volví hacia Gage—. ¡Este estúpido artilugio está demasiado alto y no tienes ningún derecho a proponerle algo peligroso a mi hermana sin preguntármelo antes!
—No es peligroso —contestó Gage con calma mientras sostenía mi mirada—. Teníamos uno igual a éste cuando éramos niños.
—¡Seguro que os caíais! —repliqué yo—. ¡Seguro que os disteis más de un batacazo!
—Desde luego, y todos vivimos para contarlo.
Mi rabia visceral aumentaba segundo a segundo.

—¡Estúpido arrogante, no sabes nada de niñas de ocho años! Ella es frágil, podría haberse roto el cuello...

—¡Yo no soy frágil! —exclamó Carrington con indignación.

Se pegó al costado de Gage y él apoyó una mano en su hombro.

—Ni siquiera llevabas puesto un casco y ya sabes que no debes hacer algo así sin la protección de un casco.

Gage me miró de una forma inexpresiva.

—¿Quieres que quite el cable?

—¡No! —gritó Carrington con los ojos llenos de lágrimas—. Nunca me dejas divertirme. ¡No eres justa! Me pienso tirar del cable y tú no podrás impedírmelo. ¡No eres mi madre!

—¡Eh, eh..., pequeña! —declaró Gage con voz más suave—. No hables así a tu hermana.

—¡Estupendo! —solté yo—. Ahora soy la mala de la película. A la mierda, Gage, no necesito que me defiendas, tú...

Levanté las manos en un gesto defensivo y con los puños apretados. Una ráfaga de viento frío me golpeó la cara. Sentí como si unas agujas se me clavaran en el lagrimal y me di cuenta de que estaba a punto de echarme a llorar. Los contemplé mientras permanecían allí, juntos y frente a mí, y oí que Churchill volvía a llamarme.

Los tres contra mí.

De repente, me di la vuelta. Apenas veía nada debido a las lágrimas que brotaban de mis ojos. Era el momento de retirarse. Me alejé con pasos largos y rápidos y cuando pasé junto a Churchill solté sin aminorar la marcha:

—Usted también se ha metido en problemas.

Cuando llegué al cálido refugio de la cocina, estaba completamente helada. Busqué el rincón más escondido y estrecho de la antecocina, donde se guardaba la vajilla en armarios con puerta de cristal y no me detuve hasta llegar al fondo. Allí me rodeé con los brazos mientras temblaba e intentaba ocupar el menor espacio posible.

Mis instintos gritaban que Carrington era mía y que

nadie tenía derecho a poner en duda mis decisiones. Yo la había cuidado, me había sacrificado por ella. «¡Tú no eres mi madre!» ¡Ingrata! ¡Traidora! Quería salir y decirle que me habría resultado muy fácil darla en adopción cuando nuestra madre murió, que las cosas me podrían haber ido mucho mejor. «¡Mamá...!» ¡Cómo deseaba poder retirar todas las cosas odiosas que le había dicho a mi madre cuando era una adolescente! Entonces comprendí la injusticia de la paternidad. Cómo intenta uno mantenerlos sanos y salvos y, a cambio, recibe reproches en lugar de gratitud, rebelión en lugar de cooperación.

Alguien entró en la cocina y cerró la puerta. Yo permanecí inmóvil y rogué no tener que hablar con nadie, pero una sombra atravesó la oscura cocina, una sombra corpulenta que no podía pertenecer a nadie más que a Gage.

—¿Liberty?

Yo no pude seguir callada.

—No quiero hablar —declaré con resentimiento.

Gage llenó la estrecha entrada de la antecocina y me arrinconó. Las sombras eran muy densas y no pude vislumbrar su rostro.

Entonces dijo la única cosa que nunca habría esperado oír de su boca:

—Lo siento.

Si hubiera dicho cualquier otra cosa, mi rabia habría aumentado, pero aquellas dos palabras provocaron que las lágrimas rebosaran de mis ojos escocidos por el viento. Yo bajé la cabeza y exhalé un suspiro tembloroso.

—Está bien. ¿Dónde está Carrington?

—Mi padre está hablando con ella. —Gage se acercó a mí—. Tenías razón. Acerca de todo. Le he dicho a Carrington que, a partir de ahora, tendrá que ponerse un casco para descender por el cable y lo he bajado medio metro. —Se produjo una breve pausa—. Tendría que haber pedido tu opinión antes de colocarlo. No volverá a suceder más.

Gage tenía la increíble virtud de sorprenderme. Yo creía que se mostraría mordaz y con ánimos de discutir.

La tensión abandonó mi garganta. Levanté la cabeza, la oscuridad se hizo más leve y percibí el contorno de su cabeza. Él conservaba en su piel el olor a aire libre, a viento, a hierba seca y a algo fresco, como la madera recién cortada.

—Supongo que soy sobreprotectora —declaré.

—En absoluto —razonó él—. Ésa es tu función. Si no lo fueras... —Al vislumbrar el brillo de una lágrima en mi mejilla, Gage se interrumpió y dio un respingo—. Mierda. No, no hagas eso. —Gage se volvió hacia unos cajones, hurgó en el interior y sacó una servilleta—. Maldición, Liberty, no llores. Lo siento. Siento mucho haber colocado el maldito cable. Lo quitaré ahora mismo.

Gage, quien solía ser muy habilidoso, me secó las mejillas con torpeza.

—No —repliqué yo sorbiendo—. No qui-quiero que lo quites.

—De acuerdo, de acuerdo. Lo que tú quieras. Lo que sea, pero no llores.

Yo cogí la servilleta, me soné la nariz y suspiré temblorosa.

—Siento haber explotado ahí afuera. No debería haber reaccionado de una forma tan exagerada.

Él vaciló, se quedó quieto y, a continuación, se agitó como un animal enjaulado.

—Te has pasado la mitad de la vida cuidando de ella, protegiéndola y, de repente, un imbécil la lanza por el aire a una altura de un metro y medio y sin casco. Claro que estás enojada.

—Es sólo que... es lo único que tengo. Y si algo le ocurriera... —Sentí un nudo en la garganta, pero me obligué a continuar—. Sé, desde hace tiempo, que Carrington necesita la influencia de un hombre en su vida, pero no quiero que se encariñe contigo o con Churchill porque esto, el hecho de que vivamos aquí, no durará para siempre, ésa es la razón de que...

—Tienes miedo de que Carrington se encariñe —repitió él con lentitud.

—Sí, tengo miedo de que se implique emocionalmente. Cuando nos vayamos, será duro para ella. Creo... Creo que constituyó un error.

—¿Qué es lo que constituyó un error?

—Todo. Todo esto. No debí aceptar el ofrecimiento de Churchill. Nunca debimos trasladarnos a esta casa.

Gage permaneció en silencio. Sus ojos brillaron como si despidieran una luz propia.

—¿Qué? —pregunté a la defensiva—. ¿Por qué no dices nada?

—Hablaremos de esto más tarde.

—Podemos hablar ahora. ¿Qué estás pensando?

—Que estás proyectando otra vez.

—¿Qué es lo que estoy proyectando?

Él alargó los brazos hacia mí y yo me puse en tensión. Cuando sentí el tacto de sus manos, el calor de su piel masculina, mis pensamientos se dispersaron en todas direcciones. Las piernas de Gage aprisionaron las mías y percibí sus sólidos músculos a través de la fina y desgastada tela de sus tejanos. Jadeé un poco al notar que su mano se deslizaba hasta mi nuca. Gage me rozó el cuello con un movimiento lento del pulgar y, para mi vergüenza, aquella suave caricia me excitó.

Gage habló junto a mi cabeza y sus palabras se hundieron en mi cabellera.

—No finjas que todo esto sólo está relacionado con Carrington. También te preocupa tu propia implicación emocional.

—No es verdad —protesté yo con la boca seca.

Él echó mi cabeza hacia atrás y se inclinó sobre mí. Sus palabras socarronas me hicieron cosquillas en la oreja.

—Lo despides por todos los poros, cariño.

Gage tenía razón. Había sido muy ingenua al creer que, en cierta manera, estábamos de visita en el mundo de los Travis, como si fuéramos unas turistas que pasaríamos por allí sin implicarnos emocionalmente. Sin embargo, de alguna forma, las conexiones se habían establecido, mi corazón se había agarrado a lugares insospechados y en aquel momento estaba más implicada de lo que nunca habría imaginado.

Me eché a temblar y el estómago se me encogió mientras los labios de Gage se deslizaban por el borde de mi mandíbula y la comisura de mis labios. Retrocedí hasta que mi espalda chocó contra los armarios y se produjo un suave tintineo de cristal y porcelana. La parte baja de mi espalda se arqueó debido a la presión de uno de los brazos de Gage. Con cada respiración, mi pecho rozaba el suyo.

—Liberty, permíteme... Permíteme...

Yo no podía hablar ni moverme y permanecí impotente y expectante mientras Gage deslizaba su boca sobre la mía.

Cerré los ojos y me abrí a su sabor, a los lentos besos que exploraban sin exigencias, mientras él cubría mi mejilla con su mano. Desarmada por su dulzura, mi cuerpo se relajó en el de él. Gage me besó más profundamente, empujando con suavidad, acariciándome, pero sin abandonar aquella contención enloquecedora que provocó que mi corazón latiera como si acabara de correr una maratón.

Gage apartó a un lado mi espesa cabellera, me besó en el cuello y deslizó la boca muy lentamente hasta el hueco de detrás de mi oreja. Cuando alcanzó aquel lugar, mi cuerpo se retorcía buscando su cercanía y mis dedos se agarraban con fuerza a la sólida musculatura de sus brazos. Gage suspiró, me cogió por las muñecas y deslizó mis manos hasta su espalda. Yo me puse de puntillas con todos los músculos en tensión.

Gage me sostuvo con firmeza, apoyó mi cuerpo contra la sólida estructura del suyo y volvió a besarme en la boca. En esta ocasión, sus besos fueron más largos, apasionados, húmedos y devoradores, y yo apenas podía respirar. Me pegué a él hasta que no quedó ni un milímetro de espacio entre nosotros. Gage me besó como si ya estuviera dentro de mí. Me besó con unos besos ansiosos, con la lengua, con los dientes, con los labios. Con una dulzura tan inmensa que deseé perder el sentido, pero en lugar de hacerlo, me agarré a su cuerpo y gemí en su boca. Sus manos se deslizaron hasta mi trasero, lo cogieron con ternura y presionaron haciéndome sentir la prominencia de su dureza. Me sentí transportada a otro mundo y el deseo se convirtió en enloquecimiento. Yo quería que me tumbara en el suelo y que me hiciera cualquier cosa. Todo. Su boca se alimentó de la mía, introdujo la lengua a fondo y todos mis impulsos y pensamientos se disolvieron en un zumbido vibrante y ruidoso, en un placer salvaje que subió hasta el extremo superior de mi cabeza.

Gage deslizó la mano por debajo del dobladillo de mi camiseta hasta la piel de mi espalda, que estaba blanda y ardiente, como si me hubieran escaldado. El roce de sus frescos dedos constituyó un alivio indescriptible. Yo arqueé la espalda con un deseo frenético mientras su mano se desplegaba, como un abanico, y recorría mi espalda hacia arriba.

La puerta de la cocina se abrió de golpe.

Nos separamos de una forma repentina y yo me alejé de Gage unos cuantos pasos mientras todo mi cuerpo palpitaba. Me arreglé la camiseta intentando volver a colocarla en la posición correcta. Gage permaneció al fondo de la antecocina, con los brazos apoyados en los armarios y la cabeza baja. Percibí que sus músculos se encogían debajo de su ropa. Su cuerpo estaba rígido debido a la frustración, la cual emanaba de su ser en oleadas. Yo estaba sorprendida por mi respuesta a su acercamiento, por la oleada de puro erotismo que había experimentado.

Oí la voz titubeante de Carrington.

—¿Liberty, estás ahí?

Yo salí con rapidez.

—Sí, estaba... Necesitaba un poco de intimidad.

Me dirigí al otro extremo de la cocina, donde estaba mi hermana. Su pequeño rostro se veía tenso y ansioso y estaba despeinada de una forma cómica, como una muñeca troll. Parecía que estuviera a punto de echarse a llorar.

—Liberty...

Cuando quieres a un niño, lo perdonas incluso antes de que te lo pida. En realidad, ya le has perdonado cosas que ni siquiera ha hecho.

—Está bien —susurré yo mientras alargaba los brazos para abrazarla—. Está bien, cariño.

Carrington corrió hacia mí y me rodeó fuertemente con sus delgados brazos.

—Lo siento —declaró llorosa—. Lo que dije antes no lo dije en serio. Nada de lo que dije.

—Lo sé.

—Sólo quería divertirme.

—Claro que querías divertirte. —Yo le di el abrazo más fuerte y acogedor que pude y apoyé la mejilla en su coronilla—. Pero mi trabajo consiste en asegurarme de que te diviertes lo menos posible. —Las dos reímos y nos abrazamos durante un largo rato—. Carrington, intentaré no estropearte la diversión todo el tiempo. Pero estás en la edad en la que la mayoría de las cosas que quieres hacer para divertirte son, al mismo tiempo, las cosas que hacen que me preocupe por tu seguridad.

—Haré todo lo que me digas —declaró ella demasiado deprisa.

Yo sonreí.

—Cielos, no te estoy pidiendo una obediencia ciega, pero tenemos que alcanzar un compromiso cuando no estemos de acuerdo en algo. ¿Sabes lo que quiere decir alcanzar un compromiso?

—Ajá. Es cuando tú no consigues que todo sea como tú quieres y yo no consigo que todo sea como yo quiero y nadie está contento. Como cuando Gage bajó el cable.

Yo solté una carcajada.

—Exacto.

Al oírla hablar del cable, volví la cabeza hacia la antecocina. Por lo que pude ver, estaba vacía. Gage se había ido sin producir el menor ruido. Yo no tenía ni idea de qué le diría la próxima vez que lo viera. La forma en que me había besado, mi respuesta...

Algunas cosas es mejor no saberlas.

—¿Qué habéis hablado Churchill y tú? —le pregunté a Carrington.

—¿Cómo sabes que estábamos hablando?

—Lo he supuesto —declaré mientras pensaba con rapidez—. Bueno, me imagino que te habrá dicho algo, pues siempre tiene una opinión respecto a todo. Además, como no has entrado enseguida, he deducido que estabais manteniendo una conversación.

—Sí que estábamos hablando. Él me ha explicado que ser una madre no es tan fácil como parece y que, aunque no eres mi madre de verdad, eres la mejor suplente que ha visto nunca.

—¿Eso te ha dicho Churchill?

Yo me sentí complacida y halagada.

—Y también me ha dicho —continuó Carrington— que no debo quitar importancia al hecho de tenerte, porque, en tu lugar, muchas chicas de tu edad me habrían dejado en una familia de acogida cuando mamá murió. —Carrington apoyó la cabeza en mi pecho—. ¿Pensaste en dejarme en una familia de acogida, Liberty?

—Nunca —respondí con firmeza—. Ni siquiera durante un segundo. Te quería demasiado para abandonarte y quiero que formes parte de mi vida para siempre.

Yo me incliné y la acerqué más a mí.

—¿Liberty? —preguntó ella con la voz amortiguada por mi pecho.

—¿Sí, cariño?

—¿Qué hacíais Gage y tú en la antecocina?

Yo levanté la cabeza de golpe, sin duda con una expresión de culpabilidad total.

—¿Lo has visto?

Carrington asintió con inocencia.

—Salió de la cocina hace un minuto. Parecía que se estaba escabullendo.

—Creo que quería que tuviéramos intimidad —declaré con voz titubeante.

—¿Estabais discutiendo acerca del cable?

—¡Oh, sólo estábamos charlando! Eso es todo, sólo charlando. —Me dirigí hacia la nevera—. Tengo hambre. Comamos alguna cosa.

Gage desapareció durante el resto del día, pues, de repente, se acordó de unos recados urgentes que tenía que realizar y que lo mantendrían ocupado un tiempo indeterminado. Yo me sentí aliviada. Necesitaba tiempo para pensar en lo que había ocurrido y en cómo iba a actuar a partir de aquel momento.

Según el libro de Churchill, la mejor manera de actuar cuando se produce un punto de inflexión estratégico es superar con rapidez la etapa de negación, aceptar el cambio y planear la estrategia para el futuro. Después de reflexionar sobre lo que había ocurrido con detenimiento, decidí que los besos que nos habíamos dado Gage y yo respondían a un momento transitorio de locura y que lo más probable era que él se arrepintiera. Por lo tanto, la mejor estrategia consistía en simular que no había pasado nada. Yo actuaría de una forma calmada, relajada e impersonal.

Estaba tan decidida a demostrarle a Gage lo poco que me había afectado todo aquello y sorprenderlo con mi sofisticada frialdad que me sentí decepcionada cuando, el lunes por la mañana, en lugar de él apareció Jack. Éste explicó con voz siniestra que Gage no lo había avisado con antelación, que lo había telefoneado al romper el alba y que le había dicho que moviera el culo hasta allí porque él no podía ir.

—¿Qué es tan importante para que no pueda venir? —preguntó Churchill con enojo.

Si Jack deseaba poco acudir a la casa de su padre para ayudarlo, Churchill todavía deseaba menos que lo hiciera.

—Se ha ido a Nueva York para ver a Dawnelle —explicó Jack—. La llevará a cenar después de la sesión fotográfica con Demarchelier.

—¿Y se ha ido así, de repente? —Churchill puso mala cara y arrugó la frente—. ¿Por qué demonios hace esto? Hoy tiene una reunión con Syncrude, la compañía petrolífera canadiense. —Churchill entornó los ojos y adoptó una actitud peligrosa—. Será mejor que no haya cogido la avioneta Gulfstream sin previo aviso, si no...

—No, no ha cogido la Gulfstream.

La respuesta de Jack lo tranquilizó.

—Estupendo, porque la última vez ya le advertí que...

—Ha cogido la Citation.

Churchill gruñó y cogió su teléfono móvil y yo me llevé la bandeja del desayuno. Resultaba ridículo, pero la noticia de que Gage se había ido a Nueva York para estar con su novia me golpeó como un puñetazo en las entrañas. Una gran ansiedad se apoderó de mí cuando pensé en Gage con la guapa Dawnelle de figura de galgo, la del pelo rubio y liso y el importante contrato del perfume. Era lógico que hubiera ido a verla, pues para él yo no había sido más que un impulso momentáneo, un capricho, un error.

Los celos me atormentaban, me angustiaban; además, sentía celos de la peor persona que podría haber elegido para sentir celos. No me lo podía creer. «¡Estúpida! —me regañé a mí misma con enojo—. ¡Estúpida! ¡Estúpida!» Pero mi reprimenda no me hizo sentir mejor.

Durante el resto del día, tomé determinaciones y me formulé promesas drásticas. Intenté eliminar de mi mente cualquier pensamiento acerca de Gage y me concentré en Hardy, el amor de mi vida, quien había significado para mí mucho más de lo que Gage Travis significaría nunca. Hardy, quien era un hombre sexy, encantador y espontáneo, a diferencia de Gage, quien era un imbécil y un arrogante.

Pero pensar en Hardy tampoco me ayudó, de modo que me concentré en avivar las llamas del enfado de Churchill mencionando a Gage y la Citation a la menor oportunidad. Esperaba que Churchill cayera sobre su hijo mayor como una plaga de Egipto.

Para mi decepción, el malhumor de Churchill desapareció después de que hablara con su hijo por teléfono.

—Nuevos acontecimientos en la relación con Dawnelle —declaró Churchill complacido.

Yo no creí que fuera posible, pero mi estado de ánimo se hundió todavía más. El comentario de Churchill sólo podía significar una cosa, que Gage le había pedido que fuera a vivir con él. Quizás hasta la había pedido en matrimonio.

Después de trabajar todo el día y de ayudar a Carrington a practicar los desplazamientos estratégicos del fútbol en el jardín, me sentía exhausta. Aun más, deprimida. Nunca encontraría a nadie. Me pasaría el resto de la vida durmiendo sola en una cama de matrimonio hasta convertirme en una vieja maniática que no hacía otra cosa más que regar las plantas, cotillear acerca de los vecinos y cuidar de sus numerosos gatos.

Me sumergí en un largo baño que Carrington había adornado con espuma de la marca Barbie, la cual olía a chicle. Después, me arrastré hasta la cama y permanecí allí, tumbada y con los ojos abiertos.

Al día siguiente, me desperté con una sensación de rabia contenida pero a punto de estallar, como si el sueño hubiera catalizado mi depresión a un estado de cabreo general. Churchill arqueó las cejas cuando le informé de que no estaba de humor para estar subiendo y bajando las escaleras todo el día y que le agradecería que concretara sus peticiones en una sola lista. Entre los encargos que me encomendó, estaba el de reservar una mesa para ocho personas en un restaurante nuevo.

—Un amigo mío ha realizado una importante inversión en el restaurante y he decidido invitar a toda la familia a cenar allí esta noche. Te sugiero que Carrington y tú os pongáis algo elegante.

—Carrington y yo no iremos.

—Sí que iréis. —Churchill contó a los invitados con los dedos—. Vendréis vosotras dos, Gretchen, Jack y su novia, Vivian y yo y Gage.

De modo que, a la hora de la cena, Gage ya habría regresado de Nueva York. Mis entrañas se pusieron en tensión, como si las hubieran comprimido con una plancha de plomo.

—¿Y qué hay de Dawnelle? —pregunté con voz cortante—. ¿También irá a la cena?

—No lo sé. Será mejor que reserves una mesa para nueve. Por si acaso.

Si Dawnelle asistía a la cena, si ella y Gage estaban prometidos, estaba segura de que no podría soportar aquella reunión.

—Reservaré una mesa para siete —le indiqué a Churchill—. Carrington y yo no formamos parte de la familia, de modo que no iremos.

—Sí que iréis —replicó Churchill con rotundidad.

—Mañana es un día escolar, de modo que Carrington tiene que acostarse temprano.

—Entonces cenaremos pronto.

—Me pide demasiado —solté yo de una forma repentina.

—¿Y para qué demonios te pago, Liberty? —me preguntó Churchill, aunque sin desdén.

—Me paga para que trabaje para usted, no para que salga a cenar con su familia.

Él me miró sin parpadear.

—Esta noche pienso hablar de trabajo durante la cena, de modo que lleva tu bloc de notas.

20

Creo que pocas cosas he temido en mi vida tanto como aquella cena. Estuve nerviosa durante todo el día. A las cinco de la tarde, me sentía como si tuviera el estómago lleno de cemento y estaba convencida de que no podría comer ni un bocado.

De todos modos, el orgullo me empujó a sacar del armario mi mejor vestido, uno rojo de lana de manga larga y con el cuello en pico que dejaba ver el inicio de mis pechos. Era ceñido en la parte del tronco, y la falda tenía un ligero vuelo. Me pasé al menos tres cuartos de hora alisándome el cabello. Después me apliqué una leve capa de sombra gris en los párpados, un toque de brillo de labios y ya estaba lista para la cena. A pesar de mi estado de ánimo taciturno, sabía que nunca había tenido mejor aspecto.

Me dirigí a la habitación de mi hermana y descubrí que la puerta estaba cerrada con llave.

—Carrington —la llamé—, son las seis. Ya es hora de irnos, sal de la habitación.

—Necesito unos minutos más —respondió ella con voz apagada.

—Date prisa, Carrington —la apremié con cierta exasperación—. Déjame entrar y te ayudaré.

—Puedo hacerlo yo sola.

—Quiero verte en el salón dentro de cinco minutos.

—¡De acuerdo!

Yo resoplé y me dirigí al ascensor. Normalmente, utilizaba las escaleras, pero no cuando calzaba unos zapatos con un tacón de seis centímetros. La casa estaba extrañamente silenciosa, salvo por el taconeo metálico de mis zapatos en el suelo de mármol, el cual quedó amortiguado en las zonas donde el suelo era de madera y desapareció cuando caminaba sobre las alfombras.

El salón estaba vacío, aunque un fuego crepitaba y chisporroteaba en la chimenea. Sorprendida, me dirigí al mueble bar y rebusqué entre las licoreras y las botellas mientras pensaba que, como no iba a conducir y Churchill me obligaba a salir con su familia, como mínimo me debía una copa. Me serví una Coca-Cola con un chorro de ron Zaya y lo mezclé con el dedo índice. Ingerí un trago de aquella mezcla medicinal y el frío líquido descendió por mi garganta produciéndome un vivo ardor. Quizás había echado demasiado Zaya.

Para mi desgracia, cuando estaba a medio tragar, me volví ligeramente y vi que Gage entraba en la habitación. Durante unos segundos, luché para no escupir el líquido y, cuando conseguí tragarlo, empecé a toser con vehemencia y dejé el vaso sobre el mueble.

Gage acudió junto a mí al instante.

—¿Se te ha ido por el otro lado? —me preguntó solícito mientras me frotaba la espalda realizando círculos con la mano.

Yo asentí con la cabeza y seguí tosiendo mientras mis ojos se humedecían.

Él pareció preocupado y divertido al mismo tiempo.

—Es culpa mía. No pretendía asustarte.

Continuó apoyando la mano en mi espalda, lo cual no ayudó nada a que yo recobrara el ritmo de la respiración.

Enseguida me di cuenta de dos cosas, la primera es que Gage estaba solo, y la segunda, que estaba muy sexy con su jersey negro de cachemira, sus pantalones grises y sus mocasines negros de Prada.

Yo tosí por última vez y, sin poder evitarlo, me encontré mirando los ojos claros y cristalinos de Gage.

—Hola —lo saludé de una forma penosa.

—Hola —me saludó él con una leve sonrisa.

La proximidad de Gage provocó que una peligrosa ola de calor inundara mi cuerpo. Me sentía feliz de estar junto a él, pero también me sentía miserable por un sinfín de razones, y humillada por el deseo que me embargaba de lanzarme entre sus brazos. La agitación que sentí al experimentar todos aquellos sentimientos al mismo tiempo casi superó mi capacidad de aguante.

—¿Dawnelle ha... ha venido contigo?

—No. —Durante un instante, pareció que iba a añadir algo más, pero se contuvo y echó una ojeada a la habitación—. ¿Dónde está todo el mundo?

—No lo sé. Creí que Churchill había dicho a las seis.

Su sonrisa se volvió irónica.

—No sé por qué estaba tan interesado en reunirnos a todos esta noche. La única razón de que haya venido es porque esperaba que encontráramos unos minutos para hablar tú y yo más tarde. —Se produjo una breve pausa y Gage añadió—: Solos.

Un ligero estremecimiento de nerviosismo recorrió mi espalda.

—De acuerdo.

—Estás muy guapa —declaró Gage—. Claro que siempre lo estás. —Antes de que pudiera responder, él continuó—: Mientras venía, Jack me ha telefoneado y me ha dicho que no podrá acompañarnos esta noche.

—Espero que no haya caído enfermo.

Intenté parecer preocupada, aunque, en aquel momento, Jack no me preocupaba en absoluto.

—No, se encuentra bien, pero, por lo visto, su novia lo ha sorprendido con dos entradas para un concierto de Coldplay.

—A Jack no le gusta nada Coldplay —declaré, pues lo había oído realizar comentarios en este sentido.

—Lo sé, pero le gusta acostarse con su novia.

En aquel momento, Gretchen y Carrington entraron en el salón y Gage y yo nos volvimos hacia ellas. Gretchen iba vestida con una falda de tela fina de color lavanda, una blusa de seda a juego y un pañuelo de Hermès anudado al cuello. Para mi consternación, Carrington iba vestida con tejanos y un jersey rosa.

—Carrington, ¿todavía no te has vestido? —le dije—. Te he dejado preparada la falda azul y...

—No puedo ir —replicó ella con júbilo—. Tengo muchos deberes, de modo que iré con tía Gretchen a la reunión de su grupo de lectura y los haré allí.

Gretchen nos miró con pesar.

—Acabo de acordarme de que hoy se reúne el grupo de lectura y no puedo dejar de ir. Mis compañeras son muy estrictas con la asistencia. Dos faltas injustificadas y...

Gretchen deslizó un dedo con la uña pintada de color coral a través de su garganta.

—Parecen implacables —comenté yo.

—¡Oh, querida, no te imaginas lo implacables que son! Una vez que te han expulsado, no vuelven a aceptarte. Jamás. Entonces tendría que buscarme otra actividad para los martes por la noche, y la única que conozco aparte del club de lectura son las reuniones de mujeres que juegan al Bunko. —Gretchen miró a Gage con expresión de disculpa—. Y ya sabes cómo odio el Bunko.

—No, no sabía que lo odiaras.

—Si formas parte de un grupo de Bunko, te engordas —le informó ella—. Con tanto picoteo... Y a mi edad...

—¿Dónde está papá? —la interrumpió Gage.

—El tío Churchill nos ha dicho que os digamos que le duele la pierna y que se quedará en casa viendo una película con su amiga Vivian —contestó Carrington con inocencia.

—Como vais tan guapos y arreglados, lo mejor será que vayáis a cenar sin nosotros y que os divirtáis.

Las dos desaparecieron como si actuaran en una comedia de enredo y nos dejaron allí, totalmente desconcertados.

Se trataba de una conspiración.

Atónita y avergonzada, me volví hacia Gage.

—Yo no he tenido nada que ver con esto, te prometo que...

—Lo sé. Lo sé. —Gage parecía algo exasperado, pero entonces se echó a reír—. Como ves, a mi familia no le importa un comino la sutileza.

Al ver una de sus raras sonrisas, una oleada de placer recorrió mi cuerpo.

—No es necesario que vayamos a cenar —declaré—. Debes de estar cansado después del viaje a Nueva York. Además, supongo que a Dawnelle no le gustaría mucho la idea de que saliéramos solos.

Su sonrisa se apagó.

—En realidad, Dawnelle y yo rompimos ayer.

Yo creí que no lo había oído bien. Tenía miedo de sacar conclusiones a partir de sus palabras. Sentí que mi pulso se aceleraba por debajo de mi piel, en mis mejillas, en mi garganta y en la parte interna de mis brazos. Sin duda, mi expresión debía de ser de una confusión patética, pero Gage no dijo nada, sólo esperó mi respuesta.

—Lo siento —pude decir por fin—. ¿Por eso fuiste a Nueva York? ¿Para... romper con ella?

Gage asintió con la cabeza y colocó un mechón suelto de mi cabello detrás de mi oreja mientras su pulgar rozaba el borde de mi mandíbula. Yo enrojecí y permanecí en tensión, pues sabía que, si relajaba aunque sólo fuera un músculo, me desplomaría.

—Me di cuenta de que, si estaba tan obsesionado con una mujer que no podía dormir por las noches, no tenía sentido que saliera con otra, ¿no crees? —declaró Gage.

Yo no podría haber pronunciado una palabra aunque me fuera la vida en ello. Deslicé la mirada hasta su hombro y sentí un deseo intenso de reposar mi cabeza en él. Su mano jugueteó con mi cabello con una suavidad electrizante.

—Entonces..., ¿les seguimos el juego? —oí que Gage me preguntaba después de unos instantes.

Yo recobré fuerzas y lo miré. Estaba guapísimo. El fuego de la chimenea derramaba un juego de luces y sombras sobre su piel y producía destellos en sus ojos. Los ángulos de sus facciones resaltaban con nitidez. Necesitaba un corte de pelo. Su espeso cabello empezaba a curvarse en el borde superior de sus orejas y en su nuca. Yo recordé su tacto entre mis dedos, que era como una seda áspera, y experimenté un ardiente deseo de tocar su cabeza y de acercarla a la mía. ¿Qué me había preguntado? ¡Ah, sí, que si les seguíamos el juego!

—Odiaría darles esa satisfacción —respondí.

Él sonrió.

—Tienes razón. Por otro lado, tenemos que comer. —Su mirada se deslizó por mi cuerpo—. Y estás demasiado guapa para quedarte en casa esta noche. —Gage apoyó una mano en la parte baja de mi espalda y me empujó con suavidad—. Salgamos de aquí.

Su coche estaba aparcado en la entrada. En general, Gage conducía un Maybach, que es un coche para gente rica a la que no le gusta alardear. Ésta es la razón de que no se vean muchos Maybach en Houston. Por unos trescientos mil dólares, consigues una imagen tan discreta que los aparcacoches rara vez lo aparcan en primera fila junto a los BMW o los Lexus. El interior está forrado de piel de primera calidad y de una madera noble que se extrae de una jungla indonesia a lomos de unos elefantes blancos, por no mencionar que lleva incorporadas dos pantallas de vídeo, dos soportes para copas y una mininevera diseñada para enfriar botellines de champán. Además, puede acelerar de cero a cien kilómetros por hora en menos de cinco segundos.

Gage me ayudó a entrar en su coche aerodinámico y me abrochó el cinturón de seguridad. Yo me relajé en el asiento e inhalé el olor a piel lustrosa mientras contemplaba el salpicadero, que parecía el de una avioneta. El motor del Maybach ronroneó y nos alejamos de la casa.

Gage condujo con una mano, cogió un móvil que colgaba de la consola delantera y me lanzó una mirada breve.

—¿Te importa si realizo una llamada rápida?

—No, claro que no.

Cruzamos la verja de la finca. Yo contemplé las mansiones junto a las que pasamos, los rectángulos iluminados de las ventanas, a una pareja que paseaba a un perro por la tranquila calle... Se trataba de una noche corriente para algunas personas, mientras que, para otras, estaban sucediendo cosas inimaginables.

Gage pulsó una tecla y alguien respondió a su llamada. Él habló sin siquiera saludar.

—Hace sólo dos horas que he llegado de Nueva York, papá. No he tenido tiempo ni de deshacer el equipaje. Te sorprenderá, pero, como verás, no siempre hago las cosas según tu agenda.

Churchill le contestó.

—Sí —respondió Gage—, lo entiendo, pero te lo advierto, de ahora en adelante ocúpate de tu propia vida amorosa y no interfieras en la mía. —Gage cerró el móvil con un movimiento rápido—. ¡Viejo metomentodo! —murmuró.

—Se entromete en los asuntos de todo el mundo —declaré yo casi sin aliento ante la implicación de que yo formaba parte de su vida amorosa—. Es su forma de demostrar afecto.

Gage me lanzó una mirada sarcástica.

—¡Ya!

Una idea cruzó por mi mente.

—¿Él sabía que ibas a romper con Dawnelle?

—Sí, yo mismo se lo conté.

Churchill lo sabía y no me había dicho nada. Quería matarlo.

—De modo que ésa es la razón de que se tranquilizara después de hablar contigo por teléfono —reflexioné en voz alta—. Me imagino que no era un gran fan de Dawnelle.

—No creo que Dawnelle le importara mucho, ya sea en un sentido o en otro, pero se preocupa mucho por ti.

El placer se desparramó en mi interior como si fuera un montón de fruta que no pudiera sostener más.

—Churchill se preocupa por mucha gente —declaré como restándole importancia a su afirmación.

—En el fondo, no. Con la mayoría de las personas es

bastante reservado. Yo he heredado esa forma de ser de él.

Sentí el impulso de contárselo todo, de relajarme por completo en su presencia, pero se trataba de un impulso peligroso. Por otro lado, aquel coche era como un oscuro capullo de lujo y me inspiró un sentimiento de intimidad hacia aquel hombre al que apenas conocía.

—Churchill me habló de ti durante años —le expliqué yo—. Y también acerca de tus hermanos y tu hermana. Siempre que acudía a la peluquería, me ponía al corriente de lo que ocurría en la familia. Por lo que me contaba, daba la impresión de que tú y él siempre estabais discutiendo, aunque se notaba que era de ti de quien se sentía más orgulloso. Incluso cuando se quejaba de ti, lo hacía con orgullo.

Gage sonrió levemente.

—En general, no es tan parlanchín.

—Te sorprendería lo que cuenta la gente mientras le hacen la manicura.

Él sacudió la cabeza sin apartar la mirada de la calle.

—Mi padre es el último hombre a quien me imaginaría haciéndose la manicura. Cuando me enteré, enseguida me pregunté cómo era la mujer que había conseguido que se la hiciera. Como supondrás, fue la causa de más de un comentario especulativo en la familia.

Lo que Gage pensaba de mí me importaba mucho.

—Yo nunca le pedí nada —declaré con ansiedad—. Nunca pensé en él como un..., ya sabes, un amante generoso. Nunca me hizo regalos ni...

—Liberty —me interrumpió Gage con dulzura—. No pasa nada. Lo comprendo.

—¡Oh! —Solté un suspiro largo—. Bueno, ya sé lo que parecía.

—Enseguida me di cuenta de que no había ese tipo de relación entre vosotros, pues deduje que cualquier hombre que se acostara contigo querría hacerlo continuamente.

Se produjo un silencio.

Su provocativo comentario encauzó mis pensamientos en dos direcciones, una de deseo y la otra de una profunda inseguridad. Pocas veces había querido tanto a un hombre como quería a Gage, pero yo no era suficiente para él. No tenía experiencia ni habilidades y, mientras practicaba el sexo, me distraía con facilidad. Nunca conseguía acallar los caprichos de mi mente, la cual, en medio del acto sexual, se ponía a pensar cosas como: «¿He firmado ya la autorización para la salida escolar de Carrington?» o «¿Podrán eliminar la mancha de café de mi blusa blanca en la tintorería?». En pocas palabras, yo era un desastre en la cama. Y no quería que aquel hombre se enterara.

—¿Hablaremos de aquello? —preguntó Gage.

Yo sabía que se refería al beso.

—¿A qué te refieres? —contesté.

Él rio con suavidad.

—Supongo que no.

Gage se apiadó de mí y me preguntó cómo le iba a Carrington en el colegio. Yo, aliviada, le conté las dificultades que tenía mi hermana con las matemáticas, y la conversación derivó a nuestros recuerdos escolares. Gage enseguida me distrajo con el relato de todos los líos en los que él y sus hermanos se metieron cuando eran jóvenes.

Antes de que me diera cuenta, ya habíamos llegado al restaurante. Un portero uniformado me ayudó a bajar del coche y el aparcacoches cogió las llaves que Gage le tendió.

—Podemos ir a cualquier lugar —declaró Gage mientras me cogía por el codo—. Si no te gusta el aspecto de este restaurante sólo tienes que decírmelo.

—Estoy convencida de que será maravilloso.

Se trataba de un restaurante francés, con las paredes pintadas de un color claro, las mesas cubiertas con manteles blancos de lino y un pianista. Gage le explicó al encargado que la reserva de los Travis había cambiado de nueve a dos y el encargado nos condujo a una mesa pequeña situada en un rincón y que, gracias a un biombo, disponía de cierta intimidad.

Mientras Gage leía una carta de vinos tan extensa como un listín telefónico, un camarero solícito llenó nuestras copas de agua y extendió la servilleta sobre mi regazo. Gage encargó el vino y pedimos la cena, que consistió en sopa de alcachofas salpicada con trocitos de langosta de Maine caramelizada, orejas de mar de California y lenguado de Dover acompañado de una ensalada de berenjenas y pimientos de Nueva Zelanda.

—Mi cena ha viajado más que yo —comenté.

Gage sonrió.

—¿Si pudieras elegir sin limitaciones, adónde te gustaría ir?

Su pregunta me animó. Siempre había imaginado que viajaba a lugares que sólo había visto en las revistas o las películas.

—¡Oh, no lo sé...! Para empezar, quizás a París. O a Londres... o a Florencia... Cuando Carrington sea un poco mayor, ahorraré para realizar con ella uno de esos viajes en los que se recorre Europa en autocar.

—¡No querrás ver Europa a través de la ventanilla de un autocar! —comentó él.

—¿Ah, no?

—No. Tienes que ir con alguien que te lleve a los mejores sitios. —Gage sacó el móvil y lo abrió con un golpe de la muñeca—. ¿Adónde?

Yo sonreí y sacudí la cabeza confundida.

—¿Qué quieres decir con «adónde»?

—¿A París o a Londres? El avión puede estar listo en dos horas.

Yo decidí seguirle la corriente.

—¿Cogeremos la Gulfstream o la Citation?

—Para ir a Europa, sin lugar a dudas, cogeremos la Gulfstream.

Entonces me di cuenta de que hablaba en serio.

—Ni siquiera tengo una maleta —contesté atónita.

—Te compraré todo lo que necesites cuando lleguemos a nuestro destino.

—Dijiste que estabas cansado de tanto viajar.

—Me refería a los viajes de negocios. Además, me gustaría visitar París con alguien que no ha estado nunca allí.

—Gage suavizó la voz—. Sería como verla de nuevo por primera vez.

—No, no, no... Las personas no viajan a Europa en su primera cita.

—Sí que lo hacen.

—Las personas como yo no. Además, Carrington se asustaría si hiciera algo espontáneo como eso...

—Ya estás proyectando —murmuró Gage.

—Está bien, me asustaría a mí. No te conozco lo suficiente para viajar contigo.

—Esto va a cambiar.

Yo lo miré maravillada. Estaba más relajado de lo que lo había visto nunca y una sonrisa flotaba en sus ojos.

—¿Qué te ha sucedido? —le pregunté medio aturdida.

Él sonrió y sacudió la cabeza.

—No estoy seguro, pero creo que voy a seguir así.

Charlamos durante toda la cena. ¡Había tantas cosas que quería contarle!, y muchas más que quería preguntarle. Con tres horas de conversación no teníamos ni para empezar. Gage sabía escuchar y parecía sentir verdadero interés por lo que yo le contaba acerca de mi pasado, incluso por los detalles, los cuales deberían de haberle aburrido mortalmente. Le hablé de mi madre, de cuánto la echaba de menos y de las diferencias que habían surgido entre nosotras. Incluso le hablé del sentimiento de culpabilidad que había albergado durante años en el sentido de que, por mi culpa, mi madre no había estado muy unida a Carrington.

—En aquel momento, yo creía que estaba llenando un vacío —le expliqué—, pero cuando mi madre murió, me pregunté si no me había... Creo que quise tanto a Carrington desde el principio que, simplemente, me hice cargo de ella, y con frecuencia me he preguntado si, a mi madre, no la... No encuentro la palabra...

—¿Marginaste?

—¿Qué quiere decir?

—Dejarla de lado.

—Sí, sí, eso es lo que hice.

—Tonterías —comentó Gage con voz dulce—. Las cosas no funcionan así, cariño. Al querer a Carrington, tú no le arrebataste nada a tu madre. —Gage tomó mi mano y la rodeó con sus cálidos dedos—. Por lo que cuentas, yo diría que Diana estaba absorta en sus propios problemas. Lo más probable es que se sintiera agradecida de que estuvieras allí para darle a Carrington el cariño que ella no podía darle.

—Eso espero —contesté yo sin convencimiento—. Yo... ¿Cómo es que sabes su nombre?

Gage se encogió de hombros.

—Mi padre debió de mencionarlo.

Durante el cálido silencio que se produjo a continuación, recordé que Gage había perdido a su madre cuando tenía sólo tres años.

—¿Recuerdas algo de tu madre?

Gage negó con la cabeza.

—Ava me cuidaba cuando estaba enfermo, me contaba cuentos y me consolaba cuando me había peleado, aunque después me regañaba por haberlo hecho. —Gage exhaló un suspiro—. ¡Dios, cómo la echo de menos!

—Tu padre también la añora. —Hice una pausa antes de atreverme a preguntar—: ¿Te molesta que tu padre tenga novias?

—¡Cielos, no! —De repente, esbozó una sonrisa amplia—. Siempre que tú no seas una de ellas.

Cuando regresamos a River Oaks era cerca de medianoche. Yo estaba un poco achispada debido a las dos copas de vino que había bebido y al oporto que nos habían servido con el postre, el cual consistió en queso francés con unas rodajas muy finas de pan de dátiles. Me sentía mejor de lo que me había sentido en toda la vida. Quizás incluso mejor que durante aquellos momentos idílicos que había vivido con Hardy hacía ya tanto tiempo. Sentirme tan feliz casi me preocupó. Yo tenía mil maneras de conseguir que un hombre no se acercara a mí de verdad. El sexo no era, en realidad, tan difícil o peligroso como la intimidad.

Sin embargo, aquella vaga preocupación no enraizó en mi corazón, porque algo en Gage me empujaba a confiar en él por mucho que intentara lo contrario. Me pregunté cuántas veces en mi vida había hecho algo sólo porque deseaba hacerlo, sin sopesar las consecuencias.

Gage y yo guardamos silencio mientras él aparcaba el coche delante de la casa. El aire vibraba con preguntas no formuladas. Yo permanecí inmóvil en el asiento sin mirar a Gage. Después de unos segundos cortantes e intensos, busqué, con torpeza, el cierre del cinturón de seguridad. Gage salió del coche sin prisas y se acercó a mi portezuela.

—Es tarde —comenté con banalidad mientras él me ayudaba a bajar del coche.

—¿Estás cansada?

Caminamos hasta la puerta principal. El aire nocturno era fresco y agradable y las nubes atravesaban, en capas inquietantes y transparentes, la superficie lunar.

Yo respondí que sí, que estaba cansada, aunque no era cierto. Estaba nerviosa. De vuelta en territorio familiar, me resultaba difícil no adoptar de nuevo mis viejos recelos. Nos detuvimos frente a la puerta y yo me volví para mirar a Gage. A causa de los tacones de mis zapatos, que eran muy altos, mi equilibrio era inestable. Debí de tambalearme un poco, porque Gage me cogió por la cintura y sus dedos se apoyaron en el ángulo superior de mis caderas. Mis manos cerradas formaban una pequeña barricada entre nosotros. Las palabras brotaron de mi garganta: le agradecí la cena e intenté expresarle lo mucho que la había disfrutado.

Mi voz se apagó cuando Gage tiró de mí y apoyó sus labios en mi frente.

—No tengo prisa, Liberty, puedo ser paciente.

Gage me sostenía con dulzura, como si yo fuera frágil y necesitara cobijo. Yo me relajé, de una forma vacilante, contra su cuerpo, y mis manos subieron, poco a poco, hasta sus hombros. En todas las partes de mi cuerpo que rozaban el de él, sentí la promesa física de lo bueno que podía ser..., que iba a ser, y algo empezó a desencadenarse en todos los lugares vulnerables de mi cuerpo.

Su boca, ancha y firme, se deslizó hasta mi mejilla y la besó con dulzura.

—Nos vemos mañana.

Y se apartó de mí.

Yo, aturdida, lo contemplé mientras empezaba a bajar las escaleras.

—¿No me vas a dar un beso de buenas noches?

Su suave risa flotó en el aire. Gage regresó con lentitud a mi lado y apoyó una mano en la puerta.

—Liberty, cariño... —Su voz era más grave de lo habitual—. Puedo ser paciente, pero no soy un santo. Un beso es todo lo que puedo soportar esta noche.

—De acuerdo —susurré yo.

Gage inclinó su morena cabeza sobre la mía y los latidos de mi corazón se dispararon. Él sólo me tocó con la boca y rozó mis labios con ligereza hasta que los abrí. Percibí el mismo sabor elusivo que me había perseguido durante las dos noches anteriores. Estaba en su aliento, en su lengua... Un sabor dulce y embriagador. Intenté absorberlo tanto como pude mientras rodeaba la nuca de Gage con mis brazos para que no se fuera. Un sonido bajo y grave surgió de su garganta. Sus pulmones seguían un ritmo irregular y Gage rodeó mis caderas con un brazo y me acercó a él.

Gage me besó de una forma más prolongada y apasionada, hasta que terminamos apoyados en la puerta. Una de sus manos subió por mi cuerpo desde la cintura, se movió con indecisión alrededor de mi pecho y se apartó de golpe. Yo cogí su mano y la coloqué, con torpeza, donde yo quería. Sus dedos cubrieron la redondez de mi pecho y su pulgar realizó círculos y frotó mi pecho con lentitud, hasta que mi pezón, ansioso, se puso en tensión. Gage lo cogió entre los dedos y tiró con una suavidad exquisita.

Yo quería sentir su boca y sus manos en mi cuerpo, toda su piel contra la mía. Necesitaba tanto..., demasiado..., y la forma en que me tocaba y me besaba me hizo desear cosas imposibles.

—Gage...

Él me rodeó con los brazos en un intento por calmar mis estremecimientos. Su boca estaba hundida en mi cabello.

—¿Sí?

—Acompáñame a mi habitación. Por favor.

Él entendió lo que yo le estaba ofreciendo y se tomó un tiempo para contestar.

—Puedo esperar.

—No... —Yo lo rodeé con los brazos como si me estuviera ahogando—. Yo no quiero esperar.

21

En algún punto entre la puerta principal y el dormitorio, las dudas aplacaron mi pasión. No es que pensara volverme atrás, pues deseaba a Gage con locura. Y, aunque lo aplazáramos, estaba convencida de que, a la larga, acabaríamos acostándonos. Pero mi mente no dejaba de dar vueltas a mis deficiencias en la cama y a cómo compensarlas. Intenté imaginar qué querría Gage, qué cosas le gustarían y, cuando llegamos a la habitación, mi cabeza estaba llena de diagramas que parecían las páginas de un manual de tácticas futbolísticas, con flechas que indicaban rutas de adelantamientos, estrategias de bloqueo, puestos defensivos y formaciones ofensivas.

Mientras contemplaba la mano de Gage en el pomo de la puerta y oía el chasquido de la cerradura, mi estómago dio un vuelco. Encendí la lámpara de la mesilla de noche, la cual desparramó una capa de luz amarillenta por el suelo.

Gage me observó y sus facciones se suavizaron.

—¡Eh...! —susurró mientras realizaba un gesto para que me acercara a él—. Puedes cambiar de opinión.

Yo sentí su brazo alrededor de mi cintura y me acurruqué junto a él.

—No, no voy a cambiar de opinión. —Apoyé la mejilla en el tejido suave de su jersey—. Pero...

—Pero ¿qué?

Su mano se deslizó de arriba abajo por mi espalda. Yo reflexioné durante unos segundos. Si confiaba en un hombre hasta el punto de acostarme con él, también debería de poder confiarle lo que quisiera.

—La cuestión es que... —declaré con dificultad. Aunque inhalaba hondo, sólo conseguía introducir en mis pulmones la mitad del aire que necesitaba. Gage continuó deslizando la mano de una forma lenta y tranquilizadora por mi espalda—. Hay algo que deberías saber.

—¿Sí?

—Bueno, verás... —Cerré los ojos y me obligué a contárselo—. La cuestión es que soy un desastre en la cama.

Su mano se detuvo. Gage apartó mi cabeza de su hombro y me observó con ojos burlones.

—No, no lo eres.

—Sí, sí, soy un desastre en la cama. —Admitirlo constituyó un alivio tan inmenso que las palabras se amontonaron en mi garganta mientras yo continuaba hablando—. No tengo experiencia. Resulta tan vergonzoso a mi edad. Sólo me he acostado con dos hombres y, con el último, el sexo era muy mediocre. Siempre. No tengo ninguna habilidad. No consigo concentrarme. Tardo muchísimo en ponerme en situación y, cuando lo consigo, no logro mantenerla durante mucho tiempo y tengo que fingir. Soy una fingidora, y ni siquiera soy buena fingiendo. Soy...

—Espera. Un momento. Liberty... —Gage me acercó más a él y ahogó mis palabras. Yo noté que el temblor de una risa recorría su cuerpo y me puse en tensión. Él me sujetó con más fuerza—. No —declaró con la voz ahogada debido a la risa—. No me río de ti, cariño, es sólo que... Te tomo en serio, de verdad.

—Pues no lo parece —declaré con fastidio.

—Cariño. —Gage apartó el cabello de mi rostro y me besó en la sien—. No hay nada mediocre en ti. El único problema que tienes es que has llevado la vida de una madre soltera y trabajadora desde que tenías..., ¿qué, dieciocho, diecinueve años? Yo ya sabía que no tenías experiencia porque, bueno, para ser sincero, lanzas todo tipo de señales contradictorias.

—¿Ah, sí?

—Sí. Por eso no me importa ir despacio. Prefiero ir despacio a que hagas algo para lo que no estás preparada.

—Ya estoy preparada —declaré con seriedad—. Sólo quiero asegurarme de que disminuyas tus expectativas.

Gage apartó la vista de mí y me dio la impresión de que intentaba contener otra oleada de risa.

—Está bien, ya las he disminuido.

—Lo dices por decir —repliqué con recelo.

Gage no contestó, pero sus ojos brillaron divertidos.

Nos observamos mutuamente y me pregunté si el paso siguiente tenía que darlo yo o él. Me acerqué a la cama con piernas temblorosas, me senté en el borde y me quité los zapatos. Flexioné los dedos de los pies con placer, pues ya no tenían que soportar el peso de mi cuerpo.

Gage me observó, contempló el movimiento de mis pies desnudos y sus ojos perdieron el brillo chispeante y adquirieron una textura nebulosa, casi somnolienta. Yo, animada, alargué los brazos hacia el dobladillo de mi vestido.

—Espera —murmuró Gage mientras se sentaba junto a mí—. Un par de reglas básicas.

Yo asentí con la cabeza mientras contemplaba cómo la tela de sus pantalones se extendía sobre sus muslos y notaba que sus pies llegaban al suelo y los míos se balanceaban en el aire. Una de sus manos me cogió por la barbilla y giró mi cara hacia él.

—En primer lugar, nada de fingir. Tienes que ser sincera conmigo.

Yo me arrepentí de haber mencionado mis fingimientos. Siempre he odiado ser el tipo de persona que habla demasiado cuando está nerviosa.

—De acuerdo, pero, para que lo sepas, en general tardo mucho en...

—No me importa si tardas toda la noche. Esto no es una audición.

—¿Y si no consigo...?

Por primera vez, me di cuenta de que resulta mucho más difícil hablar de sexo que practicarlo.

—Trabajaremos en ello —contestó él—. Créeme, no tengo ningún problema en ayudarte a practicar.

Yo le toqué el muslo, el cual era duro como el cemento.

—¿Cuál es la otra regla?

—Yo me encargo de todo.

Yo parpadeé mientras me preguntaba qué quería decir. Gage apoyó la mano en mi nuca y realizó una ligera presión que envió un estremecimiento erótico por mi médula espinal.

—Sólo por esta noche —continuó él sin alterarse—, confía en mí y déjame decidir cuándo, dónde y durante cuánto tiempo. Tú no tienes que hacer nada, sólo relajarte. Déjate ir. Deja que yo cuide de ti. —Gage colocó los labios junto a mi oreja y susurró—: ¿Puedes hacer esto por mí, cariño?

Los dedos de mis pies se doblaron. Nunca nadie me había pedido algo así y no estaba segura de poder hacerlo, pero asentí. Mi estómago brincaba, y Gage deslizó la boca por mi mejilla hasta la comisura de mis labios. Me besó, con un beso lento y profundo, hasta que me sentí débil y me tumbé sobre sus piernas. Gage se quitó los zapatos y se echó en la cama conmigo, los dos todavía vestidos. Gage apoyó uno de sus muslos sobre la falda de mi vestido rojo y me inmovilizó. Su boca poseyó la mía con besos largos, mordiscos y mordisquitos, hasta que el calor se condensó entre mi piel y el tejido de lana de mi vestido. Yo deslicé los dedos por su espeso cabello, el cual resultaba fresco al tacto en la superficie y cálido cerca del cuero cabelludo e intenté apretar su boca contra la mía.

Gage se resistió a mi ardiente deseo y se separó de mí. Con un movimiento ágil, se sentó a horcajadas sobre mis caderas. Yo inhalé de una forma temblorosa mientras sentía la íntima presión de su trasero y su duro miembro. Gage se quitó el jersey negro con habilidad y lo echó a un lado. Su torso era más corpulento de lo que yo había imaginado, liso y con los músculos abdominales marcados, y su pecho estaba ligeramente cubierto de vello oscuro. Yo quería sentir su torso contra mis pechos desnudos.

Quería besarlo, explorarlo... No por su propio placer, sino por el mío. Era tan excitante, tan sumamente masculino...

Gage se inclinó sobre mí y volvió a besarme. Yo me derretía, desesperada por librarme de mi vestido, el cual había empezado a picarme y a pegarse contra mi piel como una tosca camisa medieval. Estiré los brazos hacia el dobladillo inferior del vestido y tiré de él hacia arriba.

Gage separó su boca de la mía con brusquedad y me cogió por la muñeca. Yo lo miré confusa.

—Liberty —declaró en tono de censura y con ojos maliciosos—. Sólo dos reglas. Y ya has quebrantado una.

Yo tardé unos instantes en comprender lo que quería decir y, tras realizar un esfuerzo, solté el vestido. Intenté permanecer inmóvil, pero mis caderas se levantaban contra su cuerpo en un vaivén suplicante. Gage, el muy sádico, volvió a bajarme el vestido hasta las rodillas y se pasó una eternidad acariciándome a través del tejido de lana. Yo me apretaba contra él cada vez con más fuerza mientras jadeaba al sentir su cuerpo excitado.

La pasión aumentó hasta que Gage por fin me subió el vestido. Mi piel estaba tan encendida y sensible que las ráfagas de aire del ventilador del techo me hicieron estremecer. Gage desabrochó el cierre frontal de mi sujetador y liberó mis pechos de las copas. El roce estimulante de sus dedos era tan exquisito que apenas podía soportarlo.

—Liberty... Eres hermosa..., tan hermosa...

Yo percibí sus susurros entrecortados en mi garganta, en mi pecho..., mientras él murmuraba lo mucho que me quería, cuánto lo excitaba y lo dulce que era mi piel. Sus labios se arrastraron con suavidad por la curva mullida de mi pecho, se abrieron sobre el pezón y lo introdujeron en la ardiente humedad de su boca. Gage deslizó los dedos por debajo del borde superior de mis bragas de algodón y mis caderas se arquearon en el aire. Mi entrepierna ardía de deseo, pero Gage parecía no comprender dónde necesitaba yo que me tocara y acarició toda la zona sin llegar nunca a donde yo quería. Yo levanté las caderas hacia él en una súplica rítmica y silenciosa: «Quiero... Quiero...

Quiero...» Pero él seguía sin responder a mi súplica, hasta que me di cuenta de que lo hacía a propósito.

Abrí los ojos de golpe y entreabrí los labios, pero Gage me miró con una expresión desafiante y divertida, como si me retara a quejarme y, de algún modo, conseguí mantener la boca cerrada.

—Buena chica —murmuró él mientras me quitaba las bragas.

Gage me apretó con firmeza contra el colchón y yo permanecí inmóvil en la postura en la que él me había colocado. El cuerpo me pesaba, como si las sensaciones que experimentaba hubieran adquirido la densidad del agua salada. Yo me sentía rebosante pero impotente. Gage se deslizó por encima de mí y a mi alrededor hasta que la estimulación y el calor que me provocaba y su roce seductor me enloquecieron.

Gage se deslizó hacia abajo. Yo ni siquiera pude levantar la cabeza, pues la sentía muy pesada. Su boca vagó entre mis piernas en una búsqueda ciega y sin concierto. Yo me estremecí al sentir cómo su lengua me lamía y me exploraba haciendo que me derritiera, y mis labios vaginales, empapados, se abrieran. Gage me sujetó por las caderas y me mantuvo inmóvil mientras continuaba con sus besos apasionados y la lenta exploración de su boca. Mis músculos se contrajeron al notar cómo las sensaciones crecían en mi interior. Estaba a punto de tener un orgasmo, casi lloraba de placer cuando Gage se separó de mí.

Yo le supliqué, temblando, que no parara, pero él me contestó que todavía no y se tumbó encima de mí. Gage deslizó dos dedos en mi interior y los mantuvo allí mientras me besaba en la boca. La pasión hacía que, a la luz de la lámpara, sus facciones parecieran severas. Mi carne se puso en tensión debido al suave empujón de sus dedos. Yo me arqueé para que no los sacara, pues necesitaba que cualquier parte de su cuerpo estuviera en el interior de cualquier parte del mío. Pronuncié su nombre una y otra vez, pero no encontré la manera de decirle que habría hecho cualquier cosa por él, que él era todo lo que yo quería y que significaba tanto para mí que creía que no lo podría soportar.

Gage alargó el brazo hacia la mesilla de noche y hurgó en su cartera. Yo le arrebaté la bolsita de plástico, pero estaba tan desesperada por ayudarle que lo único que conseguí fue entorpecer su objetivo. Oí que Gage soltaba una risa ahogada, pero yo no le veía la gracia a nada de todo aquello. Estaba enfebrecida y me había excitado hasta la locura.

Percibí la temperatura de su cuerpo, que estaba más fresco y era más duro y más pesado que el mío, y noté que su temperatura aumentaba hasta emparejarse con la de mi ardiente interior. Gage respondió a todos los sonidos y estremecimientos de mi cuerpo. Sus labios robaron los secretos de mi carne y sus manos hurgaron con delicadeza en todos mis recovecos hasta que no quedó ninguna parte de mí sin reclamar. Gage me separó las piernas, me penetró con un empujón profundo y acalló mis jadeos con su boca mientras susurraba «Así, cariño, tranquila, tranquila...» Yo lo acogí por completo mientras me embargaba un placer dulce y denso y, con cada empujón de su miembro duro, húmedo y suave como la seda, él me acercaba más y más al clímax. «¡Oh, ahí! ¡Sí, sí, por favor!» Yo necesitaba que empujara más deprisa, pero su disciplina era total y él me penetró con más intensidad pero sin alterar la terrible lentitud de su ritmo. Gage hundió el rostro en la curva de mi cuello y el roce de su barba me resultó tan agradable que gemí como si estuviera sufriendo.

De una forma instintiva, deslicé las manos por su espalda hasta su trasero y mis dedos se clavaron en aquel músculo tenso. Gage, sin interrumpir su ritmo regular, cogió mis muñecas, primero una y después la otra, las subió por encima de mi cabeza y las sujetó contra el colchón mientras cubría mi boca con la suya.

En la frontera de mi conciencia, destelló un único pensamiento: algo, en su demanda de rendición total, no estaba bien, pero, por otro lado, constituía un alivio indescriptible, de modo que me rendí y mi mente quedó a oscuras y en silencio. Cuando me dejé ir, las oleadas de placer empezaron, cada una más implacable que la anterior. Mis caderas casi levantaban a Gage en el aire. Él respondió a mis arqueos con penetraciones más potentes que me empujaban contra el colchón, mientras la voluptuosa tensión de mi carne incitaba su propio orgasmo. Yo me corrí, me corrí, me corrí... Parecía imposible que alguien pudiera sobrevivir a aquello.

En general, cuando el sexo ha terminado, la separación se produce en todos los sentidos. Los hombres se dan la vuelta y se duermen, y las mujeres corren al lavabo para refrescarse y eliminar las pruebas. Sin embargo, Gage se quedó abrazado a mí durante largo rato mientras jugueteaba con mi cabello, susurraba en mi oído y me besaba en la cara y en los pechos. También me limpió con una toalla húmeda. Yo debería de estar agotada, sin embargo, me sentía llena de vida y la energía circulaba a toda velocidad por mi cuerpo. Me quedé en la cama tanto como pude y, al final, me levanté de un salto y me puse la bata.

—Así que eres una de ésas —comentó Gage con expresión divertida mientras yo recogía y doblaba nuestra ropa.

—¿Una de qué?

Me detuve para admirar la vista de su largo cuerpo apenas cubierto por la sábana blanca y de sus músculos, que se hincharon bajo su piel cuando se apoyó en un codo. Me encantaban el desorden que mis manos habían provocado en su pelo y la curva relajada de su boca.

—Una de esas mujeres que se ponen a cien después de practicar el sexo.

—Hasta ahora, a mí el sexo nunca me había producido este efecto —declaré mientras dejaba la ropa doblada encima de una silla. Una autoevaluación rápida me hizo reconocer con timidez—: Aunque ahora mismo me siento como si pudiera correr cien kilómetros.

Gage sonrió.

—Tengo unas cuantas ideas sobre cómo cansarte. Por

desgracia, como no sabía lo que ocurriría esta noche, sólo llevaba un condón para una urgencia.

Me senté en el borde de la cama.

—¿Yo era una urgencia?

Él tiró de mí y se tumbó, de forma que yo quedé encima de él.

—Desde el primer momento en que te vi.

Sonreí y lo besé.

—Sí que tienes más condones —le expliqué—. Encontré algunos en el lavabo cuando me trasladé aquí. No pensaba devolvértelos, pues me habría resultado muy violento, de modo que los dejé donde estaban. Hemos estado compartiendo un cajón.

—¿Hemos estado compartiendo un cajón y yo no lo sabía?

—Ahora puedes recuperar tus condones —le ofrecí con generosidad.

Sus ojos chispearon.

—Te lo agradezco.

Conforme fue avanzando la noche, decidimos que yo no sólo no era un desastre en la cama, sino que era un fenómeno. Un prodigio, en opinión de Gage.

Bebimos vino, nos duchamos juntos y regresamos a la cama. Y nos besamos con ansia, como si no nos hubiéramos besado ya cientos de veces. Por la mañana, había hecho cosas con Gage Travis que eran ilegales al menos en nueve estados. Por lo visto, no había nada que no le gustara, nada que no estuviera dispuesto a hacer. Se mostró malvadamente paciente y tan meticuloso que al día siguiente me sentía como si me hubieran desmontado y vuelto a montar de una forma distinta.

Saciada y exhausta, dormí acurrucada a su lado y me desperté cuando la débil luz del amanecer entró por la ventana. Oí que Gage bostezaba y su cuerpo se puso en tensión mientras se desperezaba. Todo parecía demasiado maravilloso para ser real: la sólida figura masculina junto a mí, las punzadas y dolores sutiles que me recordaban los placeres nocturnos, la mano que se apoyaba con suavidad en mi cadera desnuda... Y tuve miedo de que aquel amante que me había poseído y explorado con tanta dulzura se desvaneciera y lo reemplazara el hombre distante y de ojos fríos que era antes.

—No te vayas —susurré, y con mi mano cubrí la suya y la apreté con fuerza contra mi piel.

Noté la sonrisa de Gage en la curva cálida y somnolienta de mi cuello.

—No me voy a ninguna parte —respondió, y me apretó contra él.

A los houstonianos les gusta hacer las cosas a lo grande, y la inauguración de una casa no es una excepción. El sábado por la noche, había muchos acontecimientos, pero la lista de invitados de la que todo el mundo quería formar parte era la de una fiesta benéfica que se celebraba en la casa de Peter y Sascha Legrand. El ejecutivo de la compañía petrolífera y su esposa, una concejala del Ayuntamiento, aprovechaban la ocasión para inaugurar su nueva casa, un palacete de estilo italiano que contaba con diez pórticos antiguos que habían sido traídos de Europa y una sala de baile de trescientos metros cuadrados que ocupaba toda la segunda planta de la mansión.

Como es lógico, los Travis estaban invitados, y Gage me preguntó si quería ir con él, lo cual no se puede considerar una segunda cita típica.

La sección de sociedad de la revista *Chronicle* había publicado unas fotografías de la mansión entre las que había una de una lámpara de araña que colgaba a unos cuatro metros de altura en el majestuoso vestíbulo de la casa. La maravillosa lámpara parecía un racimo de flores gigantes y medio abiertas de color azul, ámbar y naranja.

La fiesta se había organizado en beneficio de una fundación para las artes y giraba en torno al tema de la ópera, lo cual significaba que unos cantantes de la Ópera de Houston amenizarían la velada. Debido a mi limitado conocimiento de este arte, me imaginé que los cantantes llevarían cascos vikingos y largas trenzas y que nos despeinarían con el chorro de su voz.

Las cuatro hornacinas del vestíbulo estaban decoradas como otros tantos teatros operísticos de Venecia y Milán de reconocida fama. En el jardín trasero, se habían instalado unas glorietas sobre unas plataformas sólo para el evento y en ellas se ofrecían especialidades culinarias de las distintas regiones de Italia. Escuadrones de camareros con guantes blancos estaban disponibles para satisfacer cualquier necesidad de los invitados.

Yo me había gastado el equivalente de medio mes de sueldo en un vestido blanco de Nicole Miller sin espalda y con cuello de pico que iba ceñido hasta la cadera y luego caía con algo de vuelo hasta el suelo. Era un vestido sexy pero elegante. También me había comprado unas sandalias Stuart Weitzman con apliques de cristal en los tacones y en las tiras de los dedos. «Son los zapatos de Cenicienta», declaró Carrington cuando los vio. Yo me había estirado el pelo hacia atrás, y resplandecía pegado a mi cabeza, y lo llevaba recogido en un moño artístico. Después de aplicarme sombra de ojos, una ligera capa de brillo en los labios y un poco de colorete, contemplé mi reflejo con una mirada crítica. Ninguno de mis pendientes hacía juego con el vestido y necesitaba algo más.

Después de reflexionar unos segundos, entré en la habitación de Carrington, hurgué en su caja de manualidades y encontré una hoja de pegatinas. Cogí una de las más pequeñas, del tamaño de una cabeza de alfiler, y me la coloqué en el borde exterior de uno de mis ojos.

—¿Parece una baratija? —le pregunté a Carrington, quien no paraba de saltar encima de la cama.

Claro que preguntarle a una niña de ocho años si algo está fuera de lugar es como preguntarle a un texano si hay demasiados jalapeños en la salsa. La respuesta es siempre no.

—¡Está perfecto!

Carrington estaba a punto de entrar en órbita.

—Deja de saltar —la regañé y ella se dejó caer sobre la cama con una mueca.

—¿Volverás aquí esta noche o te quedarás a dormir en la casa de Gage? —preguntó Carrington.

—No estoy segura. —Me senté a su lado, en el borde de la cama—. ¿Te importaría que durmiera allí esta noche?

—¡Oh, no! —exclamó ella con alegría—. La tía Gretchen me ha dicho que, si duermes allí, podré quedarme levantada hasta tarde y que haremos galletas. Además, si quieres que tu novio te pida que te cases con él, tienes que dormir en su casa para que pueda ver si estás guapa por las mañanas.

—¿Qué? Pero, Carrington, ¿quién te ha dicho eso?

—Lo he pensado yo sola.

La barbilla me tembló debido al esfuerzo que realicé por contener la risa.

—Gage no es mi novio, y no intento que me pida que me case con él.

—Creo que deberías hacerlo —contestó ella—. ¿No te gusta, Liberty? Gage es mejor que cualquiera de los otros hombres con los que has salido. Incluso mejor que el que nos *trajeba* los pepinillos y los quesos de olor raro.

—Nos traía. —Yo observé con atención su rostro pequeño y de expresión seria—. Por lo que parece, Gage te cae muy bien.

—¡Oh, sí! Creo que sería un buen padre para mí, después de que le enseñe unas cuantas cosas más sobre los niños.

Los comentarios de un niño pueden dejarte fuera de combate incluso antes de que te des cuenta. Mi corazón se encogió de culpabilidad, dolor y, todavía peor, de esperanza.

Me incliné hacia Carrington y la besé con dulzura.

—No esperes nada, cariño —susurré—. Seremos pacientes y veremos lo que ocurre.

Churchill, Vivian, Gretchen y su acompañante estaban tomando unos cócteles en el salón antes de salir hacia la fiesta. Habíamos enviado los pantalones de esmoquin de Churchill al sastre para que le cosieran una tira de Velcro en la pernera de la escayola. Vivian bromeó acerca de aquellos pantalones, los cuales podían arrancarse de un tirón y declaró que tenía la impresión de estar saliendo con un *stripper*.

Cuando salí del ascensor, Gage me estaba esperando. Tenía un aspecto impresionante, todo elegancia y testosterona en una combinación impecable de ropa en blanco y negro. Gage llevaba el esmoquin como todo lo demás, con soltura y naturalidad.

Me miró con una leve sonrisa.

—Liberty Jones, pareces una princesa.

Cogió mi mano con delicadeza, se la llevó a los labios y la besó en la palma.

Aquélla no podía ser yo, pues lo que me sucedía estaba muy lejos de lo que había constituido mi realidad hasta entonces. Me sentí como la niña que era en el pasado, con el cabello encrespado y las enormes gafas, mirando a una mujer elegantemente vestida que quería vivir el momento y disfrutarlo, pero que no lo lograba del todo. Y entonces pensé: «¡Qué demonios, no tengo por qué sentirme como una intrusa!»

De una forma deliberada, apoyé mi cuerpo en el de Gage y vi que sus ojos se oscurecían.

—¿Todavía estás enfadado conmigo? —le pregunté.

Él sonrió con arrepentimiento.

Antes, habíamos discutido acerca de las Navidades, que estaban próximas. Todo empezó cuando Gage me preguntó qué quería que me regalara.

—Nada de joyas —respondí de inmediato—. Y nada caro.

—Entonces ¿qué?

—Invítame a una cena agradable.

—De acuerdo. ¿París o Londres?

—No estoy preparada para realizar un viaje contigo.

Gage frunció el ceño.

—¿Qué diferencia hay entre dormir conmigo aquí o hacerlo en un hotel en París?

—Para empezar, una fortuna.

—Eso no tiene nada que ver con el dinero.

—Para mí, sí —respondí compungida—. A ti no te importa porque eres una de esas personas que no tienen que pensar en el dinero, pero yo sí. Y si permitiera que te gastaras tanto dinero en mí, todo se desequilibraría, ¿no lo entiendes?

Gage se enfadó todavía más.

—Vamos a aclarar las cosas. ¿Me estás diciendo que irías a cualquier lugar del mundo conmigo si ambos tuviéramos dinero o si ninguno de los dos lo tuviera?

—Exacto.

—Me parece una estupidez.

—Eso lo dices porque eres tú quien tiene el dinero.

—Entonces, si salieras con un empleado de la empresa de transportes UPS, él podría comprarte lo que quisiera, pero yo no.

—Pues... sí. —Lo miré de una forma seductora—. Pero yo nunca saldría con un empleado de UPS, porque su uniforme no me excita.

Gage no sonrió. Su mirada calculadora me hizo sentir incómoda, y con razón. Yo conocía a Gage lo suficiente para saber que, cuando quería algo, encontraba la forma de superar, rodear o esquivar cualquier obstáculo, lo cual significaba que no descansaría hasta conseguir separar mis pies de clase trabajadora del suelo norteamericano.

—Si lo piensas bien —continué yo—, es bueno que quiera mantener el dinero fuera de esta... esta...

—Relación. Y tú no estás manteniendo el dinero fuera, sino poniéndolo justo en medio.

Intenté mostrarme lo más razonable posible.

—Mira, acabamos de empezar a salir juntos. Lo único que te pido es que no me compres regalos lujosos ni que me invites a viajes caros. —Al ver su expresión, añadí a regañadientes—: Todavía.

Aquella palabra pareció tranquilizarlo un poco, aunque continuó frunciendo los labios.

Pero allí, junto al ascensor y mientras me estrechaba

levemente entre sus brazos, percibí que había vuelto a recuperar su autodominio.

—No, no estoy enfadado —contestó con calma—. A los Travis nos gustan los retos.

Yo no sabía por qué, pero su arrogancia, que antes me molestaba mucho, se había convertido en algo sexy para mí. Entonces le sonreí.

—Las cosas no pueden ser siempre como a ti te gustaría, Gage.

Él estrechó el abrazo y rozó el lateral de mi pecho con la base de la mano.

—De todos modos, esta noche lo conseguiré —declaró él en un susurro que aceleró el ritmo de mi corazón.

—Es posible —respondí mientras respiraba con rapidez.

Gage deslizó la mano por mi espalda con lentitud, como si estuviera pensando en arrancarme el vestido allí mismo.

—Estoy ansioso porque acabe esta dichosa fiesta.

Yo me eché a reír.

—¡Pero si ni siquiera ha empezado!

Entrecerré los ojos mientras él deslizaba los labios por el lateral de mi garganta.

—Celebraremos nuestra propia fiesta en la limusina.

—¿No...? —Sus labios encontraron una zona sensible y contuve el aliento—. ¿No vamos con Churchill y los demás?

—No, ellos irán en otra limusina. —Gage levantó la cabeza y percibí un destello apasionado en sus ojos—. Solos tú y yo —murmuró—. Detrás de una bonita mampara tintada y con una botella de Perrier Jouet muy fría. ¿Crees que podrás soportarlo?

—¡Vamos allá! —contesté y lo tomé por el brazo.

Las limusinas estaban aparcadas en tres hileras delante de la mansión de los Legrand. La casa era impresionante, tanto por el tamaño como por el estilo arquitectónico. Parecía más un lugar para visitar que para utilizarlo como vivienda. Yo empecé a divertirme nada más entrar en el amplio vestíbulo, el cual parecía albergar un elaborado carnaval europeo. La multitud de hombres vestidos con esmoquin negro constituía el entorno perfecto para los vistosos trajes de noche de las mujeres.

Sascha Legrand, una mujer esbelta con un elegante corte oblicuo de pelo, insistió en enseñarnos parte de la casa. De vez en cuando, se detenía para que entabláramos conversación con algún que otro grupo de personas, pero antes de que ésta se alargara, reanudaba el recorrido. Me sorprendió la variedad de los invitados: un pequeño grupo de actores, productores y directores jóvenes que se habían trasladado a Hollywood y que se autodenominaban «la mafia de Tejas», un gimnasta ganador de una medalla de oro en las Olimpíadas, un defensa de los Rockets, el pastor de una conocida megaiglesia de ámbito nacional, unos magnates del petróleo, unos ganaderos multimillonarios e incluso algún que otro aristócrata extranjero.

Gage estaba muy habituado a aquel tipo de reuniones. Conocía el nombre de los asistentes, les preguntaba cómo les iba en el golf, cómo estaban sus perros de caza, cómo había ido la temporada de tiro al pichón o si todavía tenían aquella casa en Andorra o Mazatlán. Incluso en aquel ambiente de la alta sociedad, la gente se sentía halagada y emocionada por el interés que Gage mostraba. Con su sereno carisma, su sonrisa elusiva y su halo de buena cuna y buena educación, Gage encandilaba a los demás. Y él lo sabía. Yo podría haberme sentido intimidada, pero todavía conservaba en mi mente las imágenes de un Gage muy diferente, no tan seguro de sí mismo, temblando bajo el roce de mi mano. El contraste entre aquel entorno tan formal y el recuerdo de Gage en la cama me produjo una ligera excitación. Nada que los demás pudieran percibir, pero lo sentía cada vez que el brazo de Gage rozaba el mío o notaba el calor de su aliento cuando me susurraba algo al oído.

Me resultó bastante fácil charlar con las personas que me presentaron, más que nada porque mis conocimientos no me permitían hacer otra cosa más que formular preguntas, lo cual hacía que la conversación fluyera. Avanzamos entre el animado océano de invitados hasta el jardín posterior de varios niveles. Tres glorietas ofrecían especialidades culinarias de las distintas regiones de Italia. Después de llenar sus platos, los invitados se sentaban a unas mesas cubiertas con manteles amarillos e iluminadas con unas lamparillas de aceite en las que flotaban flores frescas.

Nos sentamos a una mesa con Jack, su novia y algunos miembros de la mafia de Tejas, quienes nos entretuvieron con relatos de la filmación de una película de cine independiente y comentaron que pensaban presentarla en el festival de Sundance, el cual se celebraba al cabo de sólo dos semanas. Eran tan informales y divertidos y el vino era tan bueno que me sentí mareada. Aquella noche era mágica. Los cantantes de ópera actuarían pronto y después habría un baile y yo estaría entre los brazos de Gage hasta el amanecer.

—Dios mío, eres preciosa —comentó una componente de la mafia de Tejas, una mujer morena que se llamaba Sydney. Era directora de cine y lo dijo como una observación más que como un cumplido, mientras me lanzaba una sincera mirada apreciativa—. Quedarías estupenda en una película, ¿no creéis, chicos? Tienes uno de esos rostros transparentes...

—¿Transparente?

Yo me llevé las manos a la cara de una forma instintiva.

—Se te nota todo lo que piensas —aclaró Sydney.

Yo me ruboricé.

—¡Cielos, yo no quiero ser transparente!

Gage reía en voz baja y apoyó el brazo en el respaldo de mi silla.

—No pasa nada —me dijo—. Eres perfecta tal como eres. —A continuación miró a Sydney con los ojos entornados—. Si alguna vez te pesco intentando colocarla delante de una cámara...

—De acuerdo, de acuerdo —se defendió Sydney—.

No es necesario que te pongas violento, Gage. —Sydney me sonrió—. Supongo que lo vuestro va en serio, ¿no? Conozco a Gage desde que teníamos diecisiete años y nunca lo había visto tan...

—Syd... —la interrumpió Gage con una mirada asesina.

Ella sonrió todavía más.

La novia de Jack, una rubia vivaracha que se llamaba Heidi, condujo la conversación en una nueva dirección.

—¡Ja-ack! —declaró con un mohín pícaro—. Dijiste que me comprarías algo en la subasta y todavía no hemos visto qué es lo que hay. —Heidi me miró de una forma significativa—. Dicen que hay cosas muy interesantes, como unos pendientes de diamantes, una semana en St. Tropez...

—¡Mierda! —declaró Jack de buen humor—. Elija lo que elija, seguro que le clavará un buen mordisco a mi capital.

—¿Acaso no me merezco un bonito regalo? —preguntó Heidi y tiró de él para que se levantara sin esperar su respuesta.

Gage, quien se había levantado de la silla con cortesía cuando Heidi lo hizo, vio que yo ya había terminado el postre.

—Ven, cariño —me dijo—, vayamos a ver qué hay.

Nos disculpamos ante el resto de los comensales y seguimos a Jack y a Heidi al interior de la casa. Uno de los salones principales había sido acondicionado para la subasta silenciosa. Varias hileras de mesas estaban atiborradas de prospectos, cajas y descripciones de los artículos. Fascinada, examiné el contenido de la primera mesa. Junto a cada uno de los artículos, había una carpeta de piel con una lista de puja en el interior. En ella escribías tu nombre y tu oferta y, si alguien quería superarla, escribía su nombre y su puja debajo de la tuya. A medianoche, se cerraba la subasta.

Entre los artículos subastados había una clase privada con un famoso cocinero de la televisión, una lección de golf de un profesional que había ganado el Master en una ocasión, una colección de vinos singulares, una canción compuesta y grabada especialmente para ti por una estrella del rock británico...

—¿Qué te gusta más? —preguntó Gage a mi espalda.

Yo tuve que esforzarme para no apoyarme en él y colocar sus manos sobre mis pechos. Allí mismo, en aquella habitación llena de gente.

—¡Mierda!

Apoyé los dedos sobre la mesa y cerré los ojos durante un instante.

—¿Qué ocurre?

—Me alegraré cuando hayamos superado esta etapa y pueda volver a pensar con claridad otra vez.

Él permaneció detrás de mí y preguntó con voz animada:

—¿Qué etapa?

Gage apoyó la mano en mi costado y mis nervios se estremecieron.

—Cuando sales con alguien se pasa por cinco etapas —le expliqué—. La primera es la de la atracción. Ya sabes, cuando hay química y se produce una especie de subida hormonal al estar junto a esa persona. La etapa siguiente es la de la exclusividad. Y después, vuelves a la realidad, que es cuando la atracción física decae...

Gage deslizó la mano hasta mi cadera.

—¿Y crees que esto... —me acarició sutilmente y los nervios se me pusieron de punta— decaerá?

—Bueno, se supone que sí —contesté con voz débil.

—Cuando lleguemos a la etapa de volver a la realidad, házmelo saber. —Su voz era como el terciopelo—. Haré lo que pueda para que tus hormonas vuelvan a subir. —Gage terminó su caricia con una palmadita en mi cadera—. Mientras tanto, ¿te importa si te dejo sola unos minutos?

Yo me volví para mirarlo.

—Claro que no, ¿por qué?

Gage me miró con una expresión de disculpa.

—Tengo que saludar a un amigo de la familia. Está en la otra habitación. Yo fui al colegio con su hijo, quien ha fallecido hace poco en un accidente náutico.

—¡Oh, qué triste! Sí, ve. Te esperaré aquí.

—Mientras tanto, elige algo.

—¿Qué quieres que elija?

—Lo que quieras, un viaje, un cuadro, lo que te parezca bien. Mañana la prensa pondrá verde a quien no haya participado en la subasta por considerar que no le importan nada las artes. En tus manos está salvarme.

—Gage, no pienso asumir la responsabilidad de gastar todo ese dinero en... Gage, ¿me escuchas?

—¡No!

Gage sonrió y se alejó de allí.

Yo examiné el prospecto que tenía más cerca.

—Nos vamos a Nigeria —lo amenacé—. Espero que te guste jugar al polo a lomos de un elefante.

Él soltó una carcajada y me dejó entre las hileras de mesas de la subasta. Vi que Heidi y Jack inspeccionaban algunos artículos unas mesas más allá, hasta que una muchedumbre los ocultó a mi vista. Yo no tenía ni idea de qué podía interesarle a Gage. Una motocicleta europea de fabricación limitada..., de ningún modo pensaba permitirle que se arriesgara a perder una extremidad; la posibilidad de conducir un coche de seiscientos caballos en un circuito de carreras..., lo mismo; viajes en yate...; joyas con nombre...; una comida privada con una guapa actriz de comedia... «¡Sí, ahora!», pensé con sarcasmo.

Después de unos minutos de búsqueda concienzuda mientras se oía un aria animada de fondo, encontré algo. Se trataba de un sillón de masaje con un intrincado panel de control que prometía ofrecer al menos quince tipos distintos de masaje, y pensé que Gage podía regalárselo a su padre por Navidad.

Cogí un bolígrafo y me dispuse a escribir el nombre de Gage en la hoja de pujas, pero el bolígrafo no funcionaba. Era un desastre de bolígrafo. Lo sacudí y volví a intentarlo, pero sin éxito.

—Toma —declaró un hombre mientras dejaba un bolígrafo sobre la mesa. Seguidamente, me lo acercó haciéndolo rodar con la palma de la mano—. Prueba con éste.

¡Aquella mano!

Yo la contemplé estupefacta mientras se me erizaba el vello de la nuca.

Se trataba de una mano grande, con las uñas blanqueadas por el sol y unas cicatrices diminutas en forma de estrella en los dedos. Yo sabía a quién pertenecía aquella mano. Lo sabía desde un lugar más profundo que la memoria, pero no podía creerlo. «¡No aquí! ¡No ahora!»

Levanté la vista y me encontré con unos ojos azules que me habían perseguido durante años. Unos ojos que recordaría hasta el último día de mi vida.

—Hardy —susurré.

22

Me quedé paralizada mientras intentaba asimilar que Hardy, aquel muchacho a quien tanto había amado, estaba allí. Hardy Cates había crecido hasta convertir en realidad la promesa de sus años jóvenes y ahora era un hombre corpulento y de aspecto vigoroso. Aquellos ojos..., azul sobre azul, su cabello moreno y brillante..., y aquella sonrisa incipiente, la cual envió una oleada de felicidad a mi alma... Lo único que podía hacer era mirarlo mientras me inundaba un placer inmenso.

Hardy permaneció inmóvil mientras me miraba, pero noté la vibración de la emoción que lo embargaba más allá de la apariencia.

Hardy me tomó de la mano con dulzura, como si yo fuera una niña.

—Busquemos un lugar para hablar.

Yo cogí su mano con fuerza, sin importarme si Jack nos veía salir juntos, aunque, en realidad, no era consciente de nada, salvo de la presión de su mano encallecida. Hardy me condujo al exterior, más allá de las mesas, hacia la acogedora oscuridad de la parte más alejada del jardín. Esquivamos a la muchedumbre, huimos del ruido y las luces y nos dirigimos a uno de los jardines laterales. Parecía que la luz intentaba seguirnos y que se extendía en finas ramas detrás de nosotros, y al final nos sumergimos en las sombras de una glorieta vacía.

Nos detuvimos al abrigo de una columna tan gruesa como el tronco de un roble. Yo temblaba y me había quedado sin aliento. No sé quién se movió primero, pues tengo la impresión de que nos buscamos el uno al otro al mismo tiempo. Mi cuerpo se pegó al suyo en toda su longitud, boca contra boca y restregamos nuestros labios con unos besos que eran demasiado fuertes para producir placer. Mi corazón latía con tanta intensidad que me parecía que me iba a morir.

Después de un rato de pasión devastadora y silenciosa, Hardy separó su boca de la mía y murmuró que ya estaba bien, que no pensaba dejarse ir. Yo empecé a relajarme en sus brazos mientras sentía el calor de sus labios, que rastrearon el recorrido de las lágrimas en mis mejillas. Después volvió a besarme en la boca, despacio, con suavidad, como me había enseñado tanto tiempo atrás y me sentí segura y joven, y me invadió un deseo tan sincero que casi parecía inocuo. Sus besos destaparon pozos profundos de mi memoria y los años que nos habían separado se desvanecieron como la nada.

Hardy me arropó con los extremos delanteros de su chaqueta de esmoquin y noté su duro torso debajo de la camisa.

—Había olvidado cómo era esto —declaré con un susurro quebrado.

—Yo nunca lo olvidé. —Hardy rozó el contorno de mi cintura y mis caderas por encima de los pliegues de mi vestido de seda blanco—. Liberty, no debería haberme acercado a ti de esta manera. Me dije a mí mismo que debía esperar. —Soltó una breve risa—. Ni siquiera recuerdo haber cruzado la habitación. Siempre me has parecido tan hermosa, Liberty..., pero ahora... No puedo creer que seas real.

—¿Cómo es que has venido a la fiesta? ¿Sabías que yo estaría aquí? ¿Tú...?

—Tengo tantas cosas que contarte. —Hardy apoyó la mejilla en mi cabeza—. Pensé que podías estar aquí, aunque no estaba seguro.

Hablaba con aquella voz que yo tanto había añorado y que era más grave que cuando era joven. Según me contó, había acudido a la fiesta gracias a la invitación de un amigo que también trabajaba en el negocio del petróleo. Me habló acerca de su trabajo en la plataforma petrolífera, que fue difícil y peligroso, de los contactos que hizo allí y de las oportunidades que estuvo esperando que surgieran. Al final, dejó el trabajo en la plataforma y fundó una pequeña compañía con otros dos hombres, un geólogo y un ingeniero, con la intención de encontrar nuevas zonas productivas en campos petrolíferos ya explotados. Hardy me contó que al menos la mitad del petróleo y del gas de todos los campos petrolíferos del mundo se pasa por alto, y a aquellos que estén dispuestos a explotar campos desechados les espera una fortuna. Hardy y sus socios consiguieron una financiación de cerca de un millón de dólares y, en su primer intento en un terreno petrolífero abandonado, encontraron una zona nueva que contenía el equivalente a unos doscientos cincuenta mil barriles de crudo recuperable.

Por lo que me explicó, comprendí que era rico y que lo sería mucho más. Le había comprado una casa a su madre y él tenía un piso en Houston que, de momento, constituía su hogar. Yo conocía sus ansias tremendas de tener éxito, de elevarse por encima de sus circunstancias, de modo que me alegré por él y se lo dije.

—No es suficiente —declaró Hardy mientras me cogía la cara entre las manos—. La mayor sorpresa de todo lo que he conseguido es lo poco que significa una vez que lo tienes. Por primera vez en muchos años tuve tiempo de pensar, de inhalar hondo, y entonces... —Hardy soltó un suspiro de exasperación—. Nunca he dejado de quererte. Tenía que encontrarte. Para empezar, fui a ver a Marva. Ella me dijo dónde estabas y...

—Y que estoy con alguien —declaré con dificultad.

Hardy asintió con la cabeza.

—Quería averiguar si...

Si era feliz, si todavía lo necesitaba, si no era demasiado tarde para nosotros, si..., si...

A veces, la vida tiene un cruel sentido del humor y nos da lo que siempre hemos querido en el peor momento posible. La ironía de este hecho me partió el corazón y desató más tristeza amarga de la que yo podía soportar.

—Hardy —declaré con voz temblorosa—, si me hubieras encontrado aunque sólo fuera un poco antes...

Él permaneció en silencio mientras me abrazaba contra su pecho. Una de sus manos se deslizó por mi brazo desnudo hasta que alcanzó mi mano apretada en un puño. Sin pronunciar una palabra, Hardy levantó mi mano izquierda y rozó con el pulgar mi vacío dedo anular.

—¿Estás segura de que es demasiado tarde, cariño?

Yo pensé en Gage y me embargó la confusión.

—No lo sé. No lo sé.

—Liberty, veámonos mañana.

Yo negué con la cabeza.

—Le prometí a Carrington que pasaría el día con ella. Iremos a un espectáculo de patinaje en Reliant.

—Carrington... —Hardy sacudió la cabeza—. ¡Dios mío, ya debe de tener ocho o nueve años!

—El tiempo pasa —susurré yo.

Hardy llevó mi mano hasta sus labios y besó mis nudillos.

—¿Y pasado mañana?

—Sí. Sí. —Yo me habría ido con él en aquel mismo momento. No quería dejarlo ir y preguntarme si me lo había imaginado. Le di mi número de teléfono—. Hardy, por favor, vuelve a la fiesta tú primero. Necesito estar sola un par de minutos.

—Está bien.

Hardy apretó el abrazo unos instantes antes de soltarme.

Nos separamos y nos miramos. Su aspecto me desconcertaba, aquel hombre que se parecía tanto al chico que yo había conocido y que, al mismo tiempo, era tan distinto a él. No entendía cómo podía seguir existiendo la conexión que había entre nosotros, pero así era. Hardy y yo éramos los mismos, nos comunicábamos desde el mismo centro, proveníamos del mismo mundo. Pero Gage..., pensar en él me encogió el corazón.

Fuera lo que fuera lo que vio en mi rostro, hizo que Hardy me hablara con dulzura.

—Liberty, no haré nada que pueda hacerte daño.

Yo asentí levemente con la cabeza contemplando, sin ver, la oscuridad mientras él se alejaba.

Sin embargo, él me había hecho daño en el pasado, pensé. Comprendía las razones por las que se había ido de Welcome. Comprendía por qué creyó, en su momento, que no tenía elección. Y no lo culpaba. El problema radicaba en que yo había continuado con mi vida y, después de años de lucha y de una gran soledad, al final había conectado con otro hombre. Los pies me dolían debido a los zapatos de Cenicienta. Cambié el peso de pierna y moví los dedos de los pies por debajo de las cortantes tiras de las sandalias. Mi príncipe encantado por fin había aparecido, pensé con desconsuelo, y llegaba demasiado tarde.

«No necesariamente», insistía mi mente. Hardy y yo todavía podíamos estar juntos. Los viejos obstáculos habían desaparecido y los nuevos...

Siempre hay una alternativa, pero saberlo resulta de lo más incómodo.

Me dirigí hacia la luz y abrí el pequeño bolso que colgaba de mi brazo. No sabía si podría arreglar mi maquillaje. La fricción de la piel, la boca y los dedos de Hardy había eliminado la fina capa de colorete. Me empolvé la cara, utilicé la yema del dedo anular para limpiar las manchas de delineador de ojos del párpado inferior y me apliqué brillo de labios. La diminuta pegatina que había colocado cerca del borde exterior de mi ojo había desaparecido. Quizá los demás no lo notarían. Todo el mundo estaba bailando, bebiendo o comiendo y lo más probable era que, a aquellas alturas, yo no fuera la única a la que se le hubiera estropeado el maquillaje.

Cuando llegué al jardín posterior de la casa, vi la oscura figura de Gage, alta y precisa como la hoja de un cuchillo. Se acercó a mí con pasos relajados y me cogió por el brazo, que estaba helado.

—¡Eh! —declaró—. Te estaba buscando.

Yo esbocé una sonrisa forzada y breve.

—Necesitaba un poco de aire fresco. Lo siento. ¿Hace mucho que me esperabas?

Las facciones de Gage eran sombrías.

—Jack me dijo que te vio salir con alguien.

—Sí, me encontré con un viejo amigo. Alguien de Welcome, ¿te lo puedes creer? —Creí que había hablado con gran despreocupación, pero, como siempre, Gage se mostró muy receptivo y me volvió de cara a la luz.

—Querida, sé qué aspecto tienes cuando alguien te ha besado...

Yo me quedé sin habla. Los diminutos músculos de mi cara temblaron de culpabilidad y los ojos se me humedecieron con lágrimas de súplica.

Gage me observó sin demostrar ninguna emoción. Sacó el móvil del bolsillo interior de la chaqueta y le dijo al chófer de la limusina que nos recogiera en la entrada.

—¿Nos vamos? —pregunté a pesar de la áspera bola que atenazaba mi garganta.

—Sí.

En lugar de atravesar la casa por el interior, la rodeamos por el lateral. Los tacones de mis sandalias resonaban con dureza en el asfalto. Por el camino, Gage realizó otra llamada.

—Jack. Sí, soy yo. Liberty tiene dolor de cabeza. Demasiado champán. Nos vamos a casa. ¿Puedes despedirnos de...? De acuerdo, gracias. Y échale un ojo a papá. —Jack hizo un comentario y Gage rio un poco—. Estadísticas. Más tarde.

Plegó el móvil y volvió a guardarlo en su chaqueta.

—¿Churchill está bien? —pregunté yo.

—Sí, pero Vivian está enfadada porque muchas mujeres andan detrás de él.

Aquello casi me hizo sonreír. Uno de mis tacones se hundió en un bache del suelo y, sin pensarlo, me agarré a Gage. Él enseguida me sujetó y me rodeó la espalda con el brazo mientras seguíamos caminando. Aunque estaba furioso, Gage no permitiría que me cayera.

Entramos en la limusina y el lujoso y oscuro nido nos aisló del ruido y la actividad de la fiesta. Me preocupaba un poco estar allí encerrada con Gage. No hacía tanto que había estado sometida a la furia de su rabia, el día que nos mudamos a la casa de su padre y, aunque le planté cara, no sentía grandes deseos de volver a pasar por lo mismo.

Gage habló con el chófer con toda tranquilidad.

—Phil, dé vueltas durante un rato. Ya le indicaré cuándo podemos volver a la ciudad.

—Sí, señor.

Gage pulsó unos botones. La mampara de separación se cerró y el minibar se abrió. No podría decir si Gage estaba enfadado o no. Se lo veía relajado, con una calma que casi daba miedo y que empezaba a parecerme peor que los gritos. Gage cogió un vaso, se sirvió un dedo de licor y se lo tragó sin saborearlo. Sin pronunciar una palabra, sirvió otro trago y me lo ofreció. Yo lo cogí con agradecimiento y con la esperanza de que el alcohol me quitara el frío. Estaba helada. Intenté beber el líquido de un trago, como lo había hecho Gage, pero me abrasó la garganta y me hizo toser.

—Despacio —murmuró él mientras apoyaba una mano en mi espalda de una forma impersonal.

Al notar que yo tenía la piel de gallina, se quitó la chaqueta y me cubrió con ella. Yo sentí el suave forro de seda que todavía conservaba el calor de su cuerpo.

—Gracias —balbuceé.

—De nada. —Se produjo una larga pausa y el impacto, frío como el acero, de su mirada me hizo estremecer—. ¿Quién es él?

En mis relatos acerca de mi infancia, cuando le conté a Gage mis recuerdos sobre mi madre, mis amigas y todo lo relacionado con Welcome, nunca nombré a Hardy. Le había hablado de él a Churchill, pero todavía no había conseguido mencionárselo a Gage.

Intenté mantener la voz firme y le hablé de Hardy: que lo conocía desde que tenía catorce años, que, mi madre y mi hermana aparte, él había sido la persona más importante para mí en el mundo, que lo había amado.

Me resultó muy extraño hablarle a Gage de Hardy, y mi pasado y mi presente chocaron. Entonces me di cuenta de lo diferente que era la Liberty Jones del campamento de casas prefabricadas de la mujer en la que me había convertido. Tenía que reflexionar acerca de esta cuestión. Tenía que reflexionar acerca de muchas cosas.

—¿Te acostaste con él? —me preguntó Gage.

—Quería hacerlo —reconocí yo—, y lo habría hecho, pero él no quiso. Me explicó que, si nos acostábamos, le resultaría imposible dejarme. Y tenía ambiciones.

—Ambiciones que no te incluían.

—Los dos éramos demasiado jóvenes y no teníamos nada. A la larga, creo que fue mejor así. Hardy no podría haber logrado sus objetivos arrastrándome a mí como a una piedra de molino colgada del cuello. Y yo no podía dejar a Carrington.

No sé qué leyó Gage en mis expresiones, en mis gestos o en los breves silencios entre mis palabras, lo único que sé es que, mientras hablaba, sentí que algo se resquebrajaba, mi aplomo inflexible se rompió como una capa de hielo sobre el agua en movimiento y Gage la pisoteó sin piedad.

—De modo que lo amabas, él te abandonó y ahora quiere otra oportunidad.

—Él no ha dicho eso.

—No es necesario que lo diga, pero resulta obvio que tú sí que quieres otra oportunidad —declaró Gage con rotundidad.

Yo me sentía agotada e irritable. Mi cabeza parecía un tiovivo.

—No sé si es eso lo que quiero.

Los pequeños rayos de luz del minibar se reflejaron con crudeza en sus facciones.

—¿Todavía estás enamorada de él?

—No lo sé.

Los ojos se me humedecieron.

—No llores —declaró Gage perdiendo la calma—. Yo haría casi cualquier cosa por ti. Creo que hasta mataría por ti, pero no voy a consolarte mientras lloras en mis brazos por otro hombre.

Yo pellizqué los bordes de mis ojos con la punta de los dedos y me tragué las lágrimas, que abrasaron mi garganta como si fueran ácido puro.

—Volverás a verlo —comentó Gage al cabo de un rato.

Yo asentí con la cabeza.

—Tenemos..., tengo que aclarar las cosas.

—¿Follarás con él?

Aquella cruda palabra, que Gage utilizó a propósito, fue como una bofetada en mi rostro.

—Desde luego no tengo planeado hacerlo, no —respondí con frialdad.

—No te he preguntado si tienes planeado acostarte con él, sino si vas a hacerlo.

Yo empecé a enfadarme también.

—¡No! No me acuesto con alguien con tanta facilidad. Tú ya lo sabes.

—Sí, lo sé. Y también sé que no eres el tipo de mujer que acude a una fiesta con un tío y termina besuqueándose con otro, pero lo has hecho.

Yo me ruboricé de vergüenza.

—No pretendía hacerlo. Verlo constituyó una gran impresión para mí. Simplemente..., sucedió.

Gage dio un respingo.

—En lo que a excusas se refiere, cariño, ésa es la peor.

—Lo sé, y lo siento. No sé qué otra cosa puedo decir. La verdad es que amé a Hardy mucho tiempo antes de conocerte a ti, y tú y yo acabamos de empezar una relación. Quiero ser justa contigo, pero, al mismo tiempo, tengo que averiguar si lo que sentía por Hardy todavía existe, lo que significa que tengo que mantener en espera nuestra relación hasta que lo averigüe.

Gage no estaba acostumbrado a que lo mantuvieran en espera. Esta situación no encajaba con él. De hecho, lo sacó de sus casillas. Gage alargó los brazos y tiró de mí hacia él mientras yo daba un brinco.

—Hemos hecho el amor, Liberty, y no hay marcha

atrás para eso. Él no puede aparecer de repente y arruinar nuestra relación tan fácilmente.

—Sólo hemos hecho el amor una vez —protesté yo.

Él arqueó una ceja en actitud sarcástica.

—De acuerdo, varias veces —reconocí yo—, pero sólo una noche.

—Ya es suficiente. Ahora eres mía y te quiero más de lo que él te quiso o te querrá nunca. Recuérdalo mientras te aclaras. Mientras él te cuenta lo que tú quieres oír, sea lo que sea, recuerda que... —Gage se interrumpió de repente. Respiraba con dificultad y sus ojos ardían de tal manera que se podría haber encendido un fuego con ellos—. Recuerda esto —terminó con voz gutural y me apretó contra él.

Sus brazos estaban demasiado tensos y su boca demasiado dura. Nunca me había besado de aquella forma antes, con ansiedad inflamada por los celos. La situación lo había empujado más allá de sus límites. Gage me tumbó con ímpetu sobre la tapicería de piel de la limusina y, mientras se echaba encima de mí sin separar sus labios de los míos, noté que su aliento ardía.

Yo me retorcí. No sabía si quería apartarlo o acercarlo más a mí. Con cada sacudida mía, Gage se hundía más y más entre mis muslos exigiendo que lo aceptara, que lo tomara. La dureza de su cuerpo me hizo recordar las cosas que me había hecho en la cama, el placer embriagador que me había hecho sentir, y todos los pensamientos y las emociones que experimentaba se empaparon de deseo. Lo quería con todas mis fuerzas y me dejé ir ciegamente. Me puse a temblar de pies a cabeza y me contorsioné contra la presión de su carne, que aumentaba de dureza y de grosor debajo de la fina lana de su pantalón. Exhalé un gemido grave y deslicé las manos hasta sus caderas.

Los siguientes minutos fueron como un sueño enfebrecido en el que forcejeamos con frenesí. La fina tela de mis bragas se enredó en la hebilla de una de mis sandalias y se resistió a los esfuerzos de Gage por liberarla, hasta que, al final, Gage rasgó la tela con sus manos. Me subió el vestido hasta la cintura y mi piel quedó aplastada contra la piel fría del asiento. Una de mis piernas colgaba, extendida y licenciosa, hasta el suelo y no me importaba, pues la necesidad latía en todas las células de mi ser.

Sus dedos agarraron el borde superior de mi vestido y tiraron hacia abajo hasta que mis pechos, con una delicada sacudida, quedaron libres. Yo gemí al sentir el calor de su boca en mi pecho, el borde de sus dientes, los lametazos de su lengua. Gage deslizó una mano entre nuestros cuerpos y tiró de los botones de su pantalón. Yo abrí mucho los ojos al sentir su miembro, listo y caliente, exigiendo entrar. Mi vista se nubló cuando mi cuerpo cedió al contacto húmedo, a la impactante invasión de lo duro en lo blando. Mi cabeza se relajó en la sólida firmeza de su brazo y su boca recorrió con gula mi cuello expuesto. Gage empezó a empujar en mi interior con un ritmo fuerte que me sacudió y me hizo jadear.

El coche se detuvo frente a un semáforo en rojo y todo permaneció inmóvil, salvo los empujones y la fricción interior. A continuación, el coche tomó un desvío y avanzó con una velocidad cada vez mayor, como si hubiéramos entrado en la autopista. Yo acepté a Gage una y otra vez, mientras intentaba acercarlo a mí tanto como me era posible. Clavé las uñas en su ropa. Necesitaba su piel, pero no podía alcanzarla. Necesitaba... Necesitaba... Sus labios volvieron a los míos e introdujo la lengua en mi boca. Gage me llenaba por todas partes, penetrándome más y más hasta que los espasmos, suaves y dulces, irradiaron de mi cuerpo al de él. Me estremecí e interrumpí el beso mientras inhalaba grandes bocanadas de aire. Gage contuvo el aliento y lo soltó en un siseo, como la leña verde en una hoguera.

Borracha de endorfinas, me sentí tan fláccida como una funda de almohada vacía mientras Gage me incorporaba en el asiento. Sostuvo mi cabeza con su brazo y soltó una maldición. Yo nunca lo había visto tan alterado, sus pupilas negras casi habían ocultado los iris grises de sus ojos.

—He sido brusco contigo —declaró con voz entrecortada—. ¡Maldita sea! Lo siento. Yo...

—Está bien —susurré mientras los últimos temblores de placer todavía recorrían mi cuerpo.

—No, no está bien. Yo...

Lo hice callar con un beso. Él permitió que deslizara la boca sobre la de él, pero no respondió a mi beso, sólo me sostuvo y después volvió a cubrir mi pecho con la parte superior de mi vestido, bajó la falda sobre mis piernas y me tapó de nuevo con la chaqueta de su esmoquin.

No hablamos más durante el resto del viaje. Yo todavía me sentía sobrecargada de sensaciones y apenas fui consciente de que Gage pulsaba un interruptor y hablaba con el conductor. Sin dejar de sostenerme con un brazo, se sirvió otra copa y la bebió despacio. Sus facciones no reflejaban nada, pero yo percibí la tremenda tensión de su cuerpo.

Sostenida con firmeza por el brazo de Gage y arrullada por el movimiento del coche y el calor que despedía su cuerpo, me adormecí un poco. Me desperté bruscamente cuando el coche se detuvo y la puerta se abrió y parpadeé varias veces cuando Gage me sacudió levemente y me ayudó a bajar del vehículo.

Yo era muy consciente de que iba muy desarreglada y de que las razones eran obvias y lancé una mirada rápida y avergonzada a Phil, el conductor. Él no nos miró de una forma deliberada y se mantuvo impertérrito.

Estábamos en 1800 Main. Gage me contempló con fijeza, como si esperara que yo me negara a pasar la noche en su piso. Yo intenté sopesar las consecuencias de quedarme o irme, pero mi mente estaba demasiado confusa. Entre el maremágnum de mis pensamientos, sólo destacaba uno: decidiera lo que decidiera respecto a Hardy, Gage no se retiraría con cortesía.

Arropada con la chaqueta de Gage, crucé el vestíbulo y entré en el ascensor con él. La rápida subida de éste y la altura de mis tacones hicieron que me tambaleara. Gage me sostuvo y me besó hasta que me quedé sin aliento y se me enrojeció la cara. Cuando Gage tiró de mí para que saliera del ascensor, di un traspié y él me cogió en brazos con soltura y me llevó hasta su piso.

Nos dirigimos directamente al silencio expectante del dormitorio y Gage me desnudó en la oscuridad. Después de la precipitada copulación en el coche, la necesidad había dejado paso a la ternura. Gage se deslizó encima de mí como una sombra mientras buscaba mis zonas más blandas, mis nervios más sensibles. Cuanto más me acariciaba, más ardía yo de deseo. Mientras respiraba de una forma profunda, lo agarré ansiosa por beber de sus fuertes músculos, de su elástica carne y de la sedosa textura de su cabello. Él consiguió con paciencia que me abriera y me relajara, y su boca y sus dedos ahondaron en mi carne con delicadeza hasta que extendí mis extremidades y mi cuerpo se arqueó en una súplica temblorosa para recibirlo. Gemí con cada penetración, una y otra vez, hasta que él traspasó todas las fronteras y lo sentí en mi interior, sumergido, poseyéndome y siendo poseído.

Como reza el dicho vaquero, no se puede montar con vehemencia un caballo y dejarlo, sin más, mientras todavía está sudoroso. Esto también se aplica a las mujeres, sobre todo a las que hace tiempo que no practican el sexo y necesitan tiempo para volver a habituarse a él. No sé cuántas veces Gage hizo el amor conmigo aquella noche. Cuando me desperté, por la mañana, me dolían músculos que ni siquiera sabía que tenía y tenía agujetas en las extremidades. Gage se mostró muy considerado y me trajo un café a la cama.

—No intentes parecer arrepentido —declaré, y me incliné hacia delante mientras él colocaba una almohada extra en mi espalda—. Resulta obvio que no es una expresión natural en ti.

—No me siento arrepentido, sino agradecido.

Vestido con una camiseta negra y unos tejanos, Gage se sentó en el borde de la cama.

Yo tiré de la sábana, me tapé los pechos y bebí con cuidado un sorbo del humeante café.

—Pues deberías estarlo, sobre todo después de lo que has hecho.

Los dos nos miramos y sostuvimos nuestras miradas. Gage apoyó la mano sobre mi rodilla y su calor traspasó el tejido fino de la sábana.

—¿Estás bien? —preguntó con dulzura.

¡Maldición!, tenía la infalible habilidad de desarmarme mostrando preocupación justo cuando yo esperaba que se mostrara autoritario y arrogante. Los nervios de mi estómago se encogieron hasta parecer una cama elástica. Todo era tan bueno con él que me pregunté si podría renunciar a él por el hombre a quien siempre había amado.

Quería decirle que me encontraba bien, pero, en cambio, le dije la verdad.

—Tengo miedo de cometer el error más grande de mi vida, pero todavía no sé cuál sería el error.

—Quieres decir quién sería el error.

Yo sonreí.

—Ya sé que te enfadarás si lo veo, pero...

—No, no me enfadaré. Yo quiero que lo veas.

Mis dedos apretaron la taza caliente de café.

—¿Ah, sí?

—Es evidente que no obtendré lo que quiero de ti hasta que esta situación se haya resuelto. Tienes que descubrir en qué ha cambiado. Tienes que averiguar si tus antiguos sentimientos todavía siguen vivos.

—Así es.

Pensé que era muy evolucionado por su parte mostrarse tan comprensivo.

—Eso me parece bien —continuó Gage—. Siempre que no te acuestes con él.

Evolucionado, pero de Tejas.

Yo le lancé una mirada burlona.

—¿Eso significa que no te importa lo que sienta por él siempre que sea contigo con quien practique el sexo?

—Eso significa —respondió él con calma— que, de momento, me quedo con el sexo y que ya me esforzaré en conseguir el resto más adelante.

23

Por lo que pude averiguar, a Churchill la noche no le fue mejor que a mí. Vivian y él acabaron peleándose. Según Churchill, ella era del tipo celoso y no era culpa de él si algunas mujeres se habían mostrado amistosas con él.

—¿Y cómo fue usted de amistosas con ellas? —le pregunté.

Churchill frunció el entrecejo y cambió varias veces de canal con el mando a distancia del televisor.

—Digamos que no importa dónde se me despierte el apetito siempre que venga a cenar a casa.

—¡Santo cielo, espero que no le dijera eso a Vivian!

Se produjo un silencio.

Yo cogí la bandeja del desayuno.

—No me extraña que no se quedara ayer por la noche. —Era la hora de su ducha y ya podía tomarla solo—. Si tiene algún problema para ducharse o vestirse, llámeme a través del walkie-talkie y le diré al jardinero que suba a ayudarle.

Empecé a retirarme.

—Liberty.

—¿Sí?

—No me gusta entrometerme en los asuntos ajenos... —Churchill sonrió al ver la mirada que le lancé—, pero ¿hay algo de lo que quieras hablar conmigo? ¿Algo nuevo que haya sucedido en tu vida?

—Nada en absoluto. Lo mismo de siempre.

—Has iniciado algo con mi hijo...

—No pienso hablar de mi vida amorosa con usted.

—¿Por qué no? Ya lo habías hecho antes.

—Pero entonces no era mi jefe y mi vida amorosa no incluía a su hijo.

—Está bien, pues no hablaremos de mi hijo —contestó con ecuanimidad—. Hablemos de un viejo conocido tuyo que ha establecido un pequeño negocio de recuperación de explotaciones desechadas de petróleo.

La bandeja casi se me cayó al suelo.

—¿Sabía que Hardy estaba en la fiesta?

—No hasta que alguien nos presentó. En cuanto oí su nombre, supe de quién se trataba.

Churchill me miró de una forma comprensiva y sentí deseos de echarme a llorar, pero en lugar de llorar dejé la bandeja en una mesa y me dirigí a una silla que había cerca de su cama.

—¿Qué ha ocurrido, guapa? —oí que me preguntaba.

Yo me senté y clavé la mirada en el suelo.

—Sólo hablamos unos minutos. Volveré a verlo mañana. —Se produjo una larga pausa—. Gage no está precisamente entusiasmado con la situación.

Churchill se rio con sequedad.

—Me imagino que no.

Yo dirigí la vista hacia él y no pude resistir preguntarle:

—¿Qué impresión le produjo Hardy?

—Tiene mucho a su favor. Es listo, tiene buenos modales... Le dará un buen mordisco al mundo antes de retirarse. ¿Lo has invitado a venir aquí?

—¡Cielos, no! Seguro que iremos a algún otro lugar para charlar.

—Podéis quedaros aquí, si tú quieres. Ésta también es tu casa.

—Gracias, pero...

Negué con la cabeza.

—¿Te arrepientes de haber iniciado una relación con Gage?

Su pregunta me desató la lengua.

—No —respondí de inmediato mientras parpadeaba

con fuerza—. No tengo nada de qué arrepentirme, es sólo que... Siempre supuse que terminaría casándome con Hardy. Él era todo lo que yo quería y con quien soñaba, pero, ¡maldición!, ¿por qué ha tenido que aparecer justo cuando creía que había superado lo que sentía por él?

—Lo que sentimos por ciertas personas no se supera nunca —declaró Churchill.

Yo lo miré con mis ojos empañados en lágrimas.

—¿Se refiere a Ava?

—La echaré de menos el resto de mi vida, pero no, no me refiero a Ava.

—¿Entonces a su primera esposa?

—No. Me refiero a otra persona.

Me sequé los ojos con la manga. Me dio la impresión de que Churchill quería contarme algo, pero, en aquellos momentos, ya había recibido todas las revelaciones que podía soportar, de modo que me puse de pie y carraspeé.

—Tengo que prepararle el desayuno a Carrington.

Me volví para salir de la habitación.

—Liberty.

—¿Sí?

Churchill parecía estar reflexionando intensamente en algo y tenía el ceño fruncido.

—Hablaré contigo sobre esto en otro momento. No como el padre de Gage, ni como tu jefe, sino como tu viejo amigo.

—Gracias —contesté con gravedad—. Algo me dice que necesitaré a mi viejo amigo.

Hardy me telefoneó aquella misma mañana y nos invitó a Carrington y a mí a montar a caballo el domingo. A mí me encantó su propuesta, pues hacía varios años que no montaba a caballo, pero le dije que Carrington sólo había montado en ponis de ferias y que no sabía montar.

—No importa —replicó Hardy con calma—. Enseguida lo cogerá.

Hardy nos recogió en casa de los Travis en un todoterreno enorme y blanco. Carrington y yo lo recibimos en la puerta vestidas con tejanos, botas y chaquetas gruesas. Yo le había contado a Carrington que Hardy era un viejo amigo de la familia, que la conocía de cuando era un bebé y que, de hecho, había acompañado a mamá al hospital el día de su nacimiento.

Gretchen, quien sentía una curiosidad enorme hacia el hombre misterioso de mi pasado, esperaba en el vestíbulo con nosotras cuando el timbre sonó. Yo abrí la puerta y me divirtió oír murmurar a Gretchen cuando vio a Hardy a la luz del sol «¡Oh, Dios mío!»

Con el cuerpo alto y fornido de un trabajador de pozo petrolífero, sus increíbles ojos azules y su sonrisa irresistible, Hardy irradiaba un magnetismo que atraía a cualquier mujer. Hardy recorrió mi cuerpo con una rápida mirada, murmuró un saludo, me besó en la mejilla y se volvió hacia Gretchen.

Yo los presenté y Hardy le cogió la mano con delicadeza, como si temiera rompérsela. Gretchen sonrió, se conmovió y representó con toda su alma el papel de refinada anfitriona sureña. En cuanto Hardy desvió la atención hacia otro lado, Gretchen me lanzó una mirada significativa, como si quisiera decirme: «¿Dónde lo has estado escondiendo?»

Mientras tanto, Hardy se había acuclillado delante de mi hermana.

—Carrington, eres incluso más guapa que tu madre. Probablemente no te acuerdes de mí.

—Tú nos llevaste al hospital cuando nací —declaró Carrington con timidez.

—Exacto, en una vieja camioneta azul y a través de una tormenta que inundó la mitad de Welcome.

—¡Ahí es donde vive Miss Marva! —exclamó Carrington—. ¿La conoces?

—¿Que si conozco a Miss Marva? —Hardy sonrió abiertamente—. Sí, claro que la conozco. Me he comido más de un par de trozos de pastel de terciopelo rojo en la encimera de su cocina.

Hardy se puso de pie y Carrington, encantada, lo cogió de la mano.

—¡Liberty, no me habías dicho que conocía a Miss Marva!

Verlos cogidos de la mano me produjo una intensa emoción.

—No he hablado mucho de ti —le dije a Hardy y mi voz me sonó extraña incluso a mí.

Hardy me miró a los ojos y asintió con la cabeza. Sin duda, comprendía que algunas cosas significan demasiado para hablar de ellas.

—Bueno —declaró Gretchen animosa—, marchaos y pasadlo bien. Y ten cuidado con los caballos, Carrington, recuerda lo que te he dicho y no te acerques a las patas traseras.

—¡De acuerdo!

Fuimos al centro ecuestre de Silver Bridle, donde los caballos viven mejor que la mayoría de los seres humanos. Los establos disponían de un sistema de control digital de moscas y mosquitos y música clásica, y cada compartimento contaba con una acometida de agua propia y luz eléctrica. En el exterior había una pista cubierta, un circuito de salto, pastos, estanques, cercados y cincuenta acres de terreno para montar.

Hardy lo había organizado todo para que pudiéramos montar los caballos de un amigo suyo. Como el coste de mantenimiento de un caballo en Silver Bridle era comparable al de la asistencia a algunas universidades, resultaba evidente que el amigo de Hardy tenía dinero a raudales. Nos trajeron un caballo claro con crin blanca y uno ruano. Ambos resplandecientes, de pelo lacio y brillante y muy mansos. Los caballos de la raza cuarto de milla son grandes y musculosos y son conocidos por su mansedumbre y su habilidad para trabajar con el ganado.

Antes de salir al campo, Hardy subió a Carrington en un poni robusto y lo llevó de las riendas mientras daba unas cuantas vueltas al corral. Hardy la elogió y bromeó con ella haciéndola reír y, como yo esperaba, la cautivó por completo.

Hacía un día estupendo para salir a montar, pues era frío y soleado. El aire olía a pastos y a animales y contenía la ligera fragancia a tierra que resulta difícil aislar, pero que constituye el auténtico olor de Tejas.

Hardy y yo pudimos hablar mientras cabalgábamos uno al lado del otro y Carrington lo hacía un poco más adelante con el poni.

—La has educado muy bien, cariño —me dijo Hardy—. Tu madre se habría sentido orgullosa.

—Eso espero. —Yo contemplé a mi hermana, quien llevaba el pelo recogido en una trenza y atado con una cinta blanca—. Es maravillosa, ¿no crees?

—Maravillosa. —Pero Hardy me miraba a mí—. Marva me ha contado las circunstancias por las que has tenido que pasar. Has cargado con un gran peso, ¿no?

Yo me encogí de hombros. En ocasiones, la vida me había resultado difícil, pero mirando hacia atrás, la lucha y las cargas no me parecían tan extraordinarias. ¡Tantas mujeres tenían que enfrentarse a situaciones mucho más duras que las mías!

—Lo más duro fue cuando mi madre murió. Creo que no dormí una noche entera durante dos años. Trabajaba, estudiaba y tenía que ocuparme de Carrington. Me parecía que siempre lo hacía todo a medias. Nunca llegábamos a tiempo a nada ni conseguía hacer las cosas bien, pero, con el tiempo, todo me resultó más fácil.

—Cuéntame cómo conociste a los Travis.

—¿A cuál de ellos? —le pregunté sin pensar, y enseguida me ruboricé.

Hardy sonrió.

—Empecemos con el padre.

Conforme hablábamos, tuve la sensación de que dejaba al descubierto algo precioso que había permanecido enterrado durante largo tiempo pero que estaba maduro. Nuestra conversación constituyó un proceso de eliminar capas. Algunas nos resultó fácil desempolvarlas y otras, para las que se requería de un cincel o un hacha, de momento las dejamos como estaban. Ambos revelamos tanto como nos atrevimos a revelar acerca de lo que nos había ocurrido durante los años que habíamos estado separados. Sin embargo, volver a estar de nuevo con Hardy no fue como yo esperaba. Algo en mí permanecía encerrado bajo llave con terquedad, como si tuviera miedo de liberar las emociones que había albergado durante tanto tiempo.

A media tarde, Carrington empezó a sentirse cansada y con hambre. Regresamos a los establos y desmontamos de los caballos. Le di a Carrington un puñado de centavos para que comprara una bebida en una máquina expendedora que había en el edificio principal. Ella salió corriendo y nos dejó solos.

Él me contempló durante unos instantes.

—Ven —murmuró mientras me conducía al cuarto de los aperos.

Hardy me besó con suavidad y percibí un sabor a polvo, sol y piel salada, y los años se disolvieron en una oleada lenta y firme de calidez. Yo había estado esperando aquello, esperándolo a él, y era tan dulce como lo recordaba. Pero cuando Hardy profundizó el beso y quiso más, yo me separé y solté una risa nerviosa.

—Lo siento —declaré sin aliento—. Lo siento.

—Está bien. —Sus ojos estaban encendidos de pasión, pero su voz era tranquilizadora. Hardy sonrió brevemente—. Me he dejado llevar.

A pesar de lo bien que me sentía junto a Hardy, me sentí aliviada cuando nos acompañó de regreso a River Oaks. Necesitaba retirarme, pensar y dejar que todo aquello se asentara. Durante el camino, Carrington no dejó de hablar en el asiento trasero; acerca de que quería volver a montar, que algún día tendría su propio caballo y cuáles eran los mejores nombres para un caballo.

—Nos has lanzado a una nueva etapa —le dije a Hardy—. Hemos pasado de la Barbie a los caballos.

Hardy sonrió y se dirigió a Carrington:

—Cuando quieras volver a montar pídele a tu hermana que me telefonee.

—¡Quiero ir mañana!

—Mañana tienes que ir al colegio —declaré.

Carrington frunció el ceño, hasta que se dio cuenta de que, al día siguiente, podría contarles a sus amigas que había montado en un poni.

Hardy aparcó frente a la puerta principal y nos ayudó a bajar del vehículo.

Yo lancé una ojeada al garaje y vi el coche de Gage. Él casi nunca acudía a la casa los domingos por la tarde. Mi estómago realizó uno de esos brincos como cuando subes a una montaña rusa y estás a punto de caer en picado por la primera bajada.

—Gage está aquí —declaré.

Hardy se mantuvo inalterable.

—Claro.

Carrington cogió a Hardy de la mano y lo condujo hasta la puerta mientras hablaba a mil por hora:

—... Ésta es nuestra casa y yo tengo una habitación en el piso de arriba con un papel de rayas amarillas en las paredes y eso de ahí es una cámara de vídeo para que podamos ver a las personas y decidir si las dejamos entrar...

—Nada de todo esto es nuestro, cariño —declaré con incomodidad—. La casa es de los Travis.

Carrington me ignoró, pulsó el timbre e hizo una mueca delante de la cámara que hizo reír a Hardy.

La puerta se abrió y allí estaba Gage, vestido con unos tejanos y un polo blanco. Mi pulso se aceleró cuando su mirada se posó primero en mí y, después, en mi acompañante.

—¡Gage! —gritó Carrington como si no lo hubiera visto en meses. A continuación, se lanzó sobre él y le rodeó la cintura con los brazos—. Éste es nuestro viejo amigo Hardy. Nos ha llevado a montar a caballo y a mí me han dado un poni negro que se llama *Prince*. ¡Y he montado como una vaquera de verdad!

Gage le sonrió mientras le rodeaba los estrechos hombros con el brazo de una forma reconfortante.

Yo observé a Hardy y noté un brillo de especulación en su mirada. No esperaba el cariño que unía a Gage y a mi hermana. Hardy extendió el brazo con una sonrisa franca.

—Hardy Cates.

—Gage Travis.

Se estrecharon la mano con firmeza y con un breve y casi imperceptible enfrentamiento que acabó en tablas. Gage permaneció impasible, con Carrington todavía abrazada a su cintura. Yo hundí las manos en mis bolsillos. La membrana que unía mis dedos estaba empapada de sudor. Los dos hombres parecían estar muy relajados, pero la atmósfera estaba cargada de conflictividad.

Resultaba inquietante verlos juntos. Hardy había ocupado un lugar tan preponderante en mis recuerdos y durante tanto tiempo que me sorprendió darme cuenta de que Gage era tan alto como él, aunque era más delgado. Eran distintos en casi todo, en educación, entorno, experiencia... Gage, quien se regía por unas reglas que él mismo había ayudado a establecer, y Hardy, que ignoraba las reglas, como otros tejanos duros, según su conveniencia. Gage, que siempre era el más inteligente en cualquier reunión, y Hardy, que me había contado, con una sonrisa burlona, que lo único que tenía que hacer era ser más listo que el tío con el que iba a realizar un trato.

—Felicidades por la puesta en marcha de la compañía —le dijo Gage a Hardy—. Has conseguido unos logros impresionantes en poco tiempo. Según he oído, has encontrado unos yacimientos muy productivos.

Hardy sonrió y se encogió levemente de hombros.

—Hemos tenido suerte.

—Se requiere algo más que suerte.

Hablaron sobre geoquímica, sobre la sustitución de partes del revestimiento de los pozos petrolíferos y sobre la dificultad de calcular los intervalos productivos sobre el terreno. Después, la conversación se desvió a la compañía de tecnologías alternativas de Gage.

—Se cuenta que estás trabajando en un nuevo biodiésel —declaró Hardy.

La expresión relajada de Gage permaneció inalterable.

—Nada que valga la pena comentar de momento.

—No es eso lo que he oído. Se ha extendido el rumor de que has conseguido reducir las emisiones de óxidos de nitrógeno, pero que el biofuel todavía resulta excesivamente caro. —Hardy le sonrió—. El petróleo es más barato.

—De momento.

Yo conocía un poco la opinión personal de Gage sobre esta cuestión. Tanto él como Churchill opinaban que los días del petróleo barato estaban contados y que, cuando alcanzáramos la brecha entre la oferta y la demanda, el biofuel ayudaría a sortear la crisis económica. Muchas personas del mundo del petróleo y amigas de los Travis sostenían que esa situación no se produciría hasta transcurridas muchas décadas y que todavía quedaba mucho petróleo. Además, bromeaban con Gage y le decían que esperaban que no estuviera planeando sacar al mercado algo que reemplazara al petróleo, de otro modo lo harían responsable de sus pérdidas financieras. Gage me había contado que bromeaban sólo a medias.

Después de uno o dos minutos de conversación insoportablemente contenida, Hardy me miró y murmuró:

—Ya me voy. —Entonces saludó con la cabeza a Gage—. Encantado de conocerte.

Gage le devolvió el saludo y dirigió su atención a Carrington, quien intentaba contarle más cosas acerca de los caballos.

—Te acompañaré al coche —le indiqué a Hardy profundamente aliviada por el hecho de que el encuentro hubiera terminado.

Mientras caminábamos, Hardy me rodeó los hombros con el brazo.

—Quiero verte otra vez —declaró en voz baja.

—Quizá dentro de unos días.

—Te telefonearé mañana.

—De acuerdo. —Hardy me besó en la frente y yo contemplé sus cálidos ojos azules—. Bueno —declaré—, habéis estado muy civilizados.

Hardy se echó a reír.

—Le gustaría arrancarme la cabeza. —Hardy apoyó la mano en el marco de la puerta y se puso serio de repente—. No te veo con alguien como él. Es un frío hijo de puta.

—Cuando lo conoces, no.

Hardy alargó un brazo, cogió un mechón de mi cabello y lo frotó entre sus dedos.

—Creo que tú podrías derretir hasta un glaciar.

Hardy sonrió y se dirigió a su todoterreno.

Yo me sentía cansada y desconcertada y entré en la casa en busca de Carrington y Gage. Los encontré en la cocina, saqueando la nevera y la despensa.

—¿Tienes hambre? —me preguntó Gage.

—Mucha.

Gage sacó una fuente con ensalada de pasta y otra con fresas. Yo encontré una barra de pan y corté unas rodajas mientras Carrington sacaba tres platos del armario.

—Sólo dos —indicó Gage—. Yo ya he comido.

—De acuerdo. ¿Puedo comer una galleta?

—Cuando hayas terminado de comer.

Mientras Carrington sacaba las servilletas, yo miré a Gage con el ceño fruncido.

—¿No te vas a quedar?

Él negó con la cabeza.

—Ya he averiguado lo que necesitaba saber.

Yo, consciente de la presencia de Carrington, reprimí mis preguntas. Gage le sirvió a Carrington un vaso de leche y dejó dos galletas en el borde de su plato.

—Come las galletas al final, cariño —murmuró.

Ella lo abrazó y empezó a comer la ensalada de pasta.

Gage me sonrió de una forma impersonal.

—Adiós, Liberty.

—Espera... —Yo me dispuse a seguirlo, no sin antes avisar a Carrington de que regresaba enseguida. Me apresuré para alcanzar a Gage—. ¿Crees que conoces a Hardy

Cates después de haber hablado con él sólo cinco minutos?

—Sí.

—¿Y qué impresión te ha dado?

—No tiene sentido que te lo cuente, pues me acusarías de ser parcial.

—¿Y acaso no lo eres?

—Cielos, claro que soy parcial, pero da la casualidad de que también estoy en lo cierto.

Cuando llegamos a la puerta, le toqué el brazo para que se detuviera. Gage contempló el lugar en el que había apoyado los dedos y deslizó la mirada a mi rostro con lentitud.

—Cuéntamelo —le pedí yo.

Gage respondió con toda naturalidad.

—Creo que es terriblemente ambicioso, que trabaja duro y juega todavía más duro. Está ansioso por tener todos los signos visibles del éxito: coches, mujeres, casa y un palco en Reliant. Creo que renunciará a todos sus principios para ascender en la escala social. Conseguirá y perderá un par de fortunas y tendrá tres o cuatro esposas. Y te quiere a ti porque eres su última esperanza de convertir todo eso en realidad. Pero ni siquiera tú serás suficiente para él.

La dureza de su valoración me dejó atónita y me rodeé el pecho con los brazos.

—Tú no lo conoces. Hardy no es así.

—Ya lo veremos. —Su sonrisa no llegó a reflejarse en sus ojos—. Será mejor que regreses a la cocina, Carrington te está esperando.

—Gage... Estás muy enfadado conmigo, ¿no? Yo...

—No, Liberty. —Su expresión se suavizó un poco—. Intento aclararme. Igual que tú.

Durante las dos semanas siguientes, salí con Hardy unas cuantas veces: una comida, una cena, un largo paseo... Por medio de las conversaciones, los silencios y la intimidad recuperada, intenté reconciliar al adulto en el que Hardy se había convertido con el muchacho que yo había conocido y que tanto añoraba. Me inquietaba descubrir que no eran el mismo. Claro que yo tampoco era la misma.

Me parecía importante averiguar qué parte de la atracción que sentía por él procedía de aquel nuevo encuentro y qué parte del pasado. Si nos hubiéramos conocido entonces, ¿habría sentido lo mismo por él?

No estaba segura, aunque..., ¡santo cielo, era encantador! Tenía don de gentes, siempre lo había tenido. Y me hacía sentir muy cómoda. Podíamos hablar de cualquier cosa. Incluso de Gage.

—Cuéntame cómo es él —me pidió Hardy en una ocasión mientras jugueteaba con los dedos de mi mano—. ¿Qué hay de verdad en todo lo que cuentan de él?

Yo conocía la reputación de Gage, de modo que me encogí de hombros y sonreí.

—Gage es... un hombre muy capaz, pero puede resultar intimidante. El problema es que siempre lo hace todo de una forma perfecta. La gente cree que es invulnerable. Y es muy reservado. No resulta fácil intimar con un hombre como él.

—Pues, por lo visto, tú lo has conseguido.

Yo me encogí de hombros y sonreí.

—Un poco. Justo empezábamos a intimar, pero entonces...

Entonces apareció Hardy.

—¿Qué sabes de su compañía? —preguntó él de una forma desinteresada—. No entiendo cómo un hombre que ha nacido en Tejas y que tiene conexiones con las grandes compañías petrolíferas se dedica a tontear con las células de combustible y el biodiésel.

Yo sonreí.

—De modo que eso es Gage para ti. —Le di un leve codazo y le expliqué lo que sabía acerca de la tecnología que estaba desarrollando la compañía de Gage—. Hay un importante acuerdo en marcha. Gage quiere construir una planta de producción combinada en una destacada refinería de Dallas. Mezclarán el biodiésel con el carburante y lo distribuirán por todo Tejas. Por lo que sé, las negociaciones están bastante adelantadas. —Y añadí con cierto orgullo—: Churchill opina que sólo Gage puede conseguirlo.

—Debe de haber tenido que superar bastantes obstáculos —comentó Hardy—. En algunos círculos de Houston, con sólo oír la palabra «biodiésel» te pegarían un tiro. ¿De qué refinería se trata?

—Medina.

—Sí, es una gran compañía. Bueno, espero por su bien que el negocio salga adelante.

Hardy cogió mi mano y cambió de tema con destreza.

Hacia finales de la segunda semana, Hardy me llevó a un bar supermoderno que me recordó a una nave espacial. La decoración era fría, con una iluminación de fondo en verde y azul. Las mesas eran del tamaño de un posavasos y se mantenían en frágil equilibrio sobre un pie del grosor de una pajita. Era el lugar más de moda de Houston y todo el mundo parecía estar muy en la onda, aunque no exactamente cómodos.

Yo sostenía una copa de Southern Comfort con hielo y, al mirar a mi alrededor, no pude evitar darme cuenta de que Hardy era el centro de atención de unas cuantas mujeres. Este hecho no me sorprendió, dada su presencia, su encanto y su aspecto. Con el paso del tiempo, cuando su éxito resultara más visible, todavía constituiría un partido mejor.

Acabé la bebida y pedí otra. Aquella noche no conseguía relajarme. Mientras Hardy y yo intentábamos hablar por encima del estruendo de la música en vivo, lo único que podía pensar era que echaba de menos a Gage. No lo había visto desde hacía unos días y, con un sentimiento de culpabilidad, pensé que le había pedido mucho, quizá demasiado, al exigirle que esperara mientras yo averiguaba qué sentía por otro hombre.

Hardy me acarició el dorso de la mano con suavidad y declaró con una voz suave que contrastaba con el ritmo entrecortado de la música:

—Liberty. —Yo levanté la mirada hacia él. Sus ojos brillaban de una forma sobrenatural en aquella luz artificial—. Vámonos, cariño. Creo que ha llegado la hora de que aclaremos algunas cosas.

—¿Irnos adónde? —pregunté con voz tenue.

—A mi piso. Tenemos que hablar.

Yo titubeé, tragué saliva y asentí con la cabeza. Hardy me había enseñado su piso aquella misma tarde, pues yo había preferido quedar allí con él a que me recogiera en River Oaks.

De camino a su piso no hablamos mucho, pero él mantuvo su mano sobre la mía. El corazón me latía como las alas de un colibrí. No estaba segura de qué iba a suceder o de lo que yo quería que sucediera.

Llegamos al lujoso edificio y Hardy me condujo hasta su piso, el cual era amplio y confortable, con muebles tapizados en cuero y piel y elegantes alfombras de estilo rústico. Unas lámparas con pie de hierro forjado y pantalla de pergamino esparcían su tenue luz por el salón principal.

—¿Quieres beber algo? —preguntó Hardy.

Yo sacudí la cabeza, entrelacé los dedos y me quedé cerca de la puerta.

—No, gracias, ya he bebido bastante en el bar.

Hardy sonrió de una forma burlona, se acercó a mí y me dio un beso en la sien.

—¿Estás nerviosa, cariño? Soy yo, tu viejo amigo Hardy.

Yo exhalé un tembloroso suspiro y me apoyé en él.

—Sí, te recuerdo.

Él me rodeó con los brazos y permanecimos abrazados durante largo tiempo, juntos, respirando al unísono.

—Liberty —susurró él—. En cierta ocasión te dije que tú siempre serías lo que más querría en el mundo. ¿Lo recuerdas?

Yo asentí junto a su hombro.

—Sí, la noche que te fuiste.

—No volveré a dejarte. —Sus labios rozaron el borde suave de mi oreja—. Todavía me siento así, Liberty. Ya sé lo que te estoy pidiendo que dejes, pero te juro que no te arrepentirás. Te daré todo lo que siempre has querido.

Hardy deslizó las yemas de los dedos por mi mandíbula, levantó mi barbilla y acercó su boca a la mía.

Yo me tambaleé y me apoyé en él. Su cuerpo estaba duro debido a los años de brutal trabajo físico y sus brazos eran sólidos y fuertes. Los besos de Hardy eran distintos a los de Gage, besaba de una forma más directa y agresiva, sin la sutileza y el jugueteo de Gage. Separó mis labios y exploró el interior de mi boca con lentitud. Yo le devolví el beso con una mezcla de placer y culpabilidad. Su cálida mano se deslizó hasta mi pecho, sus dedos acariciaron las redondas formas y se detuvieron sobre el sensible extremo. Yo separé mi boca de la suya con un gemido agitado.

—¡Hardy, no! —conseguí exclamar mientras el deseo me pesaba, caliente, en el estómago—. No puedo.

Sus labios buscaron la temblorosa piel de mi cuello.

—¿Por qué no?

—Se lo he prometido a Gage, bueno, los dos acordamos que no me acostaría contigo. No hasta que...

—¿Qué? —Hardy apartó la cabeza de mi cuello y entornó los ojos—. Tú no le debes nada. Él no es tu dueño.

—No se trata de eso, no tiene nada que ver con la propiedad, es sólo que...

—¡Y una mierda!

—No puedo romper mi promesa —insistí yo—. Gage confía en mí.

Hardy no dijo nada, sólo me miró de una forma peculiar. Algo en su silencio me hizo estremecer. Hardy deslizó la mano entre su pelo, se dirigió a una de las ventanas y contempló la ciudad que se extendía a sus pies.

—¿Estás segura? —preguntó por fin.

—¿A qué te refieres?

Él se volvió a mirarme, se apoyó en la ventana y cruzó los tobillos.

—Las dos últimas veces que hemos salido, me he dado cuenta de que nos seguía un Crown Victoria plateado. Memoricé la matrícula y llevé a cabo averiguaciones. Pertenece a un tío que trabaja para una empresa de vigilancia.

Yo sentí un escalofrío.

—¿Crees que Gage me ha hecho seguir?

—Ahora mismo, el coche está aparcado al final de la calle. —Hardy me indicó que me acercara a él con un gesto—. Compruébalo tú misma.

Yo no me moví.

—Gage no haría algo así.

—Liberty —declaró Hardy en voz baja—, no lo conoces lo suficiente para estar segura de lo que haría o dejaría de hacer.

Yo me froté los brazos con las manos en un intento inútil por calentarme. Estaba demasiado atónita para hablar.

—Sé que piensas que los Travis son amigos tuyos —oí que Hardy continuaba con voz serena—, pero no lo son, Liberty. ¿Crees que te han hecho un favor al acogeros a ti y a Carrington en su casa? No os han hecho ningún maldito favor, pues te deben mucho más que eso.

—¿Por qué lo dices?

Hardy cruzó la habitación hasta donde yo estaba, me cogió de los hombros y examinó mis sorprendidos ojos.

—No lo sabes, ¿no? Pensé que, como mínimo, lo sospecharías.

—¿De qué me estás hablando?

Su expresión era sombría. Hardy me llevó hasta el sofá, nos sentamos y él cogió mis nerviosas manos entre las de él.

—Tu madre tuvo una aventura con Churchill Travis que duró unos cuantos años.

Yo intenté tragar, pero la saliva no bajaba por mi garganta.

—No es verdad —susurré.

—Marva me lo contó. Puedes preguntárselo tú misma. Tu madre se lo explicó todo.

—¿Por qué Marva no me lo contó a mí?

—Tenía miedo de que, al saberlo, te pusieras en contacto con los Travis y de que ellos decidieran arrebatarte a Carrington. En ese caso, no podrías haber hecho nada para impedírselo. Después, se enteró de que estabas trabajando para Churchill y dedujo que él intentaba compensarte por todo y Marva pensó que era mejor no intervenir.

—Lo que dices no tiene ningún sentido. ¿Por qué habrían querido arrebatarme a Carrington? ¿Qué interés podría tener Churchill en...?

De repente lo comprendí todo, empalidecí y me tapé la boca con dedos temblorosos.

Oí la voz de Hardy como si procediera de muy lejos.

—Liberty... ¿quién crees que es el padre de Carrington?

24

Me alejé en mi coche del edificio en el que Hardy vivía con la intención de ir directamente a River Oaks y enfrentarme a Churchill. Estaba más alterada de lo que lo había estado nunca desde la muerte de mi madre. En el exterior, parecía insospechadamente calmada, pero mi mente y mi corazón constituían un auténtico caos. «No puede ser verdad», pensaba una y otra vez. No quería que fuera verdad.

Si Churchill era el padre de Carrington... Rememoré todas las veces que pasamos hambre, las dificultades, las ocasiones en las que ella me preguntó por qué no tenía un padre cuando todas sus amigas lo tenían. Yo le enseñé una fotografía de mi padre, le conté que también era el de ella y que la quería mucho aunque vivía en el cielo. Recordé los cumpleaños y las vacaciones, las ocasiones en las que Carrington había caído enferma y todas las cosas que no había tenido...

Si Churchill era el padre de Carrington, a mí no me debía nada, pero a ella le debía muchísimas cosas.

Antes de darme cuenta, estaba frente a la verja de entrada de 1800 Main. El guarda de seguridad me pidió que me identificara. Yo titubeé y pensé en decirle que me había equivocado, que no pensaba ir allí, pero le enseñé mi carnet y aparqué en la zona de residentes. Quería ver a Gage, aunque ni siquiera sabía si estaría en su piso.

El dedo me temblaba cuando pulsé el botón número dieciocho del ascensor. En parte por miedo, pero, sobre todo, por rabia. Aunque las mexicanas tenemos fama de tener un carácter explosivo, en general, yo soy muy tranquila. No me gusta enfadarme y odio la descarga de adrenalina que acompaña a este sentimiento, sin embargo, en aquel momento, estaba a punto de estallar y sentía deseos de tirar y romper cosas.

Me dirigí a la puerta del piso de Gage con pasos largos y decididos y la golpeé con tanta fuerza que me dolieron los nudillos. Como no obtuve ninguna respuesta, levanté el puño para llamar otra vez, pero la puerta se abrió y casi me caí hacia delante.

Gage apareció en el umbral, con aspecto sereno y aplomado, como siempre.

—Liberty... —Pronunció la última sílaba con cierto tono inquisitivo. Su viva mirada recorrió mi cuerpo y se detuvo en mi cara encendida. Gage me cogió del brazo para que entrara en su piso. Yo me solté de un tirón y crucé el umbral—. ¿Qué ocurre, cariño?

En aquellos momentos, detesté la calidez de su voz y la necesidad apremiante que sentí, incluso entonces, de hundirme entre sus brazos.

—No pretendas simular que estás preocupado por mí —declaré con rabia mientras tiraba el bolso al suelo—. ¡No puedo creer lo que has hecho cuando yo sólo he sido honesta contigo!

La expresión de Gage se enfrió considerablemente.

—Me ayudaría que me contaras de qué estás hablando —declaró en tono conciliatorio.

—Sabes perfectamente por qué estoy enfadada. Has contratado a alguien para que me siga. ¡Me has estado espiando! Y no entiendo por qué, pues yo no he hecho nada para merecer que me trates así.

—Tranquilízate.

La mayoría de los hombres no entienden que decirle a una mujer enojada que se tranquilice es como tirar pólvora en una hoguera.

—¡No quiero tranquilizarme, quiero saber por qué demonios has hecho algo así!

—Si pensabas cumplir tu promesa no debería importarte que alguien te vigilara —indicó él.

—Entonces, ¿admites que contrataste a alguien para que me siguiera? ¡Oh, Dios mío, lo has hecho, lo veo en tu cara! ¡Maldito seas, no me he acostado con él! Deberías haber confiado en mí.

—Siempre he creído en el viejo dicho: «Confía, pero comprueba.»

—Ese dicho puede resultar muy válido en el mundo de los negocios, pero no en una relación —declaré con voz asesina—. Quiero que pongas fin a esta situación ahora mismo. No quiero que me sigas nunca más. ¡Deshazte de él!

—Está bien. Está bien.

Sorprendida por el hecho de que hubiera accedido con tanta facilidad, le lancé una mirada cautelosa.

Gage me miró de un modo extraño y me di cuenta de que yo estaba temblando de una forma visible. Mi rabia había desaparecido y una gran desesperación la había reemplazado. No entendía cómo me encontraba en medio de un tira y afloja entre dos hombres despiadados. Por no mencionar a Churchill. Estaba cansada de todo aquello. Estaba cansada de todo y, en especial, de la avalancha de preguntas sin contestar. No sabía adónde ir ni qué hacer.

—Liberty —declaró Gage con prudencia—, ya sé que no te has acostado con él. Confío en ti. ¡Maldita sea, lo siento! No puedo echarme a un lado y esperar cuando quiero algo, a alguien, tanto como te quiero a ti. No puedo dejarte ir sin luchar.

—¿Todo se reduce a ganar? ¿Esto es una especie de competición para ti?

—No, no se trata de una competición. Te quiero. Quiero cosas que no estoy seguro de que estés preparada para oír todavía. Y, más que nada, quiero abrazarte hasta que dejes de temblar. —Su voz se volvió grave—. Deja que te abrace, Liberty.

Yo permanecí inmóvil mientras me preguntaba si podía confiar en él y deseé poder pensar con claridad. Lo miré con fijeza y percibí en sus ojos frustración y necesidad.

—Por favor —insistió él.

Yo avancé un paso y Gage me abrazó con fuerza.

—¡Ésta es mi chica! —murmuró.

Hundí la cara en su hombro e inhalé el olor familiar de su piel. Una sensación de alivio me inundó e intenté acercarme más a él, pues lo necesitaba más de lo que mis brazos podían abarcar.

Después de un rato, Gage me acompañó al sofá y me masajeó la espalda. Nuestras piernas se entrelazaron, yo apoyé la cabeza en su hombro y habría creído que estaba en el cielo si el sofá no hubiera sido tan incómodo.

—Necesitas cojines —declaré en voz baja.

—Detesto las habitaciones que contienen demasiadas cosas. —Gage se movió para mirarme—. Algo más te preocupa, ¿no? Cuéntamelo y lo solucionaré.

—No puedes.

—Ponme a prueba.

Yo deseaba contarle lo de Churchill y Carrington, pero, de momento, tenía que mantenerlo en secreto. No quería que Gage lo solucionara por mí y sabía que, si se lo contaba, lo haría.

Se trataba de una cuestión entre Churchill y yo, de modo que sacudí la cabeza y me acurruqué más junto a él.

Gage me acarició el pelo.

—Quédate conmigo esta noche.

Yo me sentía frágil y herida. Disfruté de su brazo fuerte y musculoso bajo mi nuca y de la reconfortante calidez de su cuerpo.

—De acuerdo —susurré.

Gage me observó con atención, cubrió mi mejilla con su mano en un gesto de infinita ternura y me besó la punta de la nariz.

—Tengo que irme antes del amanecer. Debo asistir a una reunión en Dallas y a otra en Research Triangle, el centro de investigación y desarrollo.

—¿Dónde está?

Gage sonrió y acarició mi mejilla con un dedo.

—En Carolina del Norte. No estaré de vuelta hasta

dentro de un par de días. —Gage siguió mirándome con fijeza y empezó a preguntarme algo, pero se contuvo, se levantó del sofá con soltura y tiró de mí—. Vamos, necesitas dormir.

Yo me dirigí con él al dormitorio, el cual estaba a oscuras, salvo por el tenue resplandor de una lamparilla que estaba enfocada hacia el cuadro del mar. Con una sensación de timidez, me desnudé y me puse la camiseta blanca que Gage me tendía. Me introduje con alivio entre las suaves y lujosas sábanas. Gage apagó la luz y noté que el peso de su cuerpo hundía el colchón. Yo rodé hacia él, me acurruqué a su lado y apoyé mi pierna encima de las de él.

Estábamos muy apretados el uno contra el otro y no pude evitar notar la dureza y el ardor de su miembro junto a mi muslo.

—Ignóralo —declaró Gage.

Aunque yo estaba muy cansada, su comentario me hizo sonreír. Deslicé los labios con suavidad por su garganta y el olor de su piel fue lo único que necesité para que mi pulso se acelerara presa del erotismo. Los dedos de mis pies exploraron con delicadeza la superficie cubierta de vello de su pierna.

—Sería una lástima desperdiciarlo.

—Estás demasiado cansada.

—No para uno rápido.

—Yo no lo hago rápido.

—No me importa.

Yo me coloqué encima de él con ardiente determinación y jadeé un poco al sentir la fuerza flexible de su cuerpo debajo del mío. Se oyó una risita en la oscuridad y, de repente, Gage me hizo rodar y se colocó encima de mí.

—No te muevas —susurró—. Yo cuidaré de ti.

Yo lo obedecí. Él deslizó el borde de mi camiseta hacia arriba rozando mis pechos con ella y me estremecí. El húmedo calor de su boca cubrió mi terso pezón y yo arqueé las caderas con un gemido suplicante.

Sus labios se desplazaron por mi pecho en un recorrido lento de besos entreabiertos mientras él se acuclillaba encima de mí como un gato. Gage mordisqueó la piel de mi clavícula y, cuando encontró los huecos en los que mi pulso palpitaba, lo calmó con su lengua. Descendió hasta los músculos de mi abdomen, que temblaron al sentir sus labios, y más abajo, donde sus besos lentos y suaves se convirtieron en fuego. Yo me retorcí intentando escapar de aquel placer indecente, pero él me sujetó y permanecí inmóvil y tensa mientras las sensaciones me inundaban y sacudían todo mi cuerpo.

Me desperté sola, envuelta en unas sábanas que todavía conservaban el olor a piel y a sexo. Me acurruqué más en ellas y contemplé cómo se filtraban por la ventana los primeros rayos del sol. La noche con Gage me había producido una sensación de estabilidad y me sentí capaz de enfrentarme a lo que me esperaba. Había dormido pegada a él, no para esconderme, sino buscando cobijo. Siempre había encontrado la fuerza en mi interior, pero recibirla de otra persona había constituido toda una revelación para mí.

Me levanté de la cama, atravesé el piso vacío hasta la cocina, descolgué el teléfono y marqué el número de la casa de los Travis.

A la segunda llamada, Carrington descolgó el auricular.

—¿Sí?

—Hola, cariño, soy yo. He dormido en casa de Gage. Siento no haberte avisado, pero cuando pensé en hacerlo ya era demasiado tarde.

—Oh, no pasa nada —contestó mi hermana—. Tía Gretchen preparó palomitas y ella, Churchill y yo vimos una película antigua muy tonta con muchas canciones y baile. Nos lo pasamos muy bien.

—¿Te estás preparando para ir al colegio?

—Sí, el chófer me llevará en el Bentley.

Al oír la naturalidad con que lo dijo, sacudí la cabeza compungida.

—Hablas como cualquier otra niña de River Oaks.

—Tengo que acabar de desayunar. Los cereales se están poniendo blandos.

—Está bien. ¿Quieres hacerme un favor? Dile a Churchill que llegaré dentro de una media hora y que tengo que hablar con él sobre algo importante.

—¿Sobre qué?

—Cosas de mayores. Te quiero.

—Yo también te quiero. ¡Adiós!

Churchill me estaba esperando en el salón, cerca de la chimenea. ¡Me resultaba tan familiar y, al mismo tiempo, tan desconocido! De todos los hombres de mi vida, Churchill era con el que había tenido una relación más larga y de quien había dependido más. No había duda de que era lo más cercano a un padre que yo había conocido.

Lo quería.

Pero si en aquel momento no me revelaba unos cuantos secretos, acabaría con él.

—Buenos días —saludó él mientras me miraba de una forma inquisitiva.

—Buenos días. ¿Cómo te encuentras?

—Bastante bien. ¿Y tú?

—No estoy segura —declaré con franqueza—. Nerviosa, supongo. Un poco enfadada. Y muy confusa.

Con Churchill no tenías que emplear el tacto para tratar un asunto delicado. Podías soltar prácticamente lo que fuera y él lo manejaría sin problemas. Yo lo sabía, de modo que todavía me resultó más fácil cruzar la habitación, detenerme delante de él y soltarle lo que tenía que soltarle.

—Conocías a mi madre —declaré.

El fuego de la chimenea sonaba como una bandera que ondea y se sacude en un día de viento.

Churchill contestó con una serenidad increíble.

—Yo amaba a tu madre. —Churchill esperó a que yo asimilara la noticia y, a continuación, me hizo una significativa señal con la cabeza—. Ayúdame a trasladarme al sofá, Liberty. Esta silla se me clava en la parte posterior de los muslos.

Ambos nos refugiamos temporalmente en la logística de transferirlo desde la silla de ruedas al sofá, aunque se trató más de una cuestión de equilibrio que de fuerza. Coloqué un taburete debajo de su pierna enyesada y le tendí a Churchill dos cojines para que se los colocara en la espalda. Cuando estuvo sentado con comodidad, me senté junto a él y esperé con los brazos cruzados sobre el pecho.

Churchill sacó un billetero del bolsillo de su camisa, hurgó en el interior y me entregó una fotografía antigua en blanco y negro y de bordes desgastados. Se trataba de una fotografía de mi madre de cuando era joven. Estaba guapa como una diosa y en ella había escrito de su puño y letra: «Para mi querido C. Con amor, Diana.»

—Su padre, tu abuelo, trabajaba para mí —me explicó Churchill. Y después de volver a coger la fotografía, la sostuvo en la palma de su mano como si fuera una reliquia—. Cuando conocí a Diana, en una comida de empresa, yo ya era viudo. Gage acababa de dejar los pañales. Él necesitaba una madre, y yo una esposa. Desde el principio resultó obvio que Diana no era la persona adecuada en ningún sentido. Era demasiado joven, demasiado guapa y demasiado fogosa. Pero nada de eso me importaba. —Churchill sacudió la cabeza mientras recordaba aquellos días. De repente, soltó—: ¡Dios, cómo amaba a esa mujer!

Yo lo observé sin parpadear. No podía creer que Churchill me estuviera revelando el secreto de la vida de mi madre, el pasado del que ella nunca me había hablado.

—Yo la tenté con todo lo que tenía —continuó Churchill—. Con todo lo que creí que podía atraerla. Desde el principio le dije que quería casarme con ella. Diana se sintió presionada por todos los lados, sobre todo por su familia. Los Truitt eran de clase media y sabían que si Diana se casaba conmigo yo les daría lo que fuera. —Churchill, sin ningún tipo de reparo, añadió—: Y yo me aseguré de que ella también lo supiera.

Intenté imaginarme a Churchill de joven y persiguiendo a una mujer con todas las armas a su alcance.

—¡Dios, menudo espectáculo!

—Yo la acosé e intenté sobornarla y convencerla de que me amara. Incluso le regalé un anillo de compromiso. —Churchill soltó una risita de medio lado que me enterneció—. Si me dan el tiempo suficiente, me hago querer.

—¿Mi madre te quería de verdad o sólo lo simulaba? —le pregunté.

No tenía intención de herirlo, pero necesitaba saberlo y él, por ser como era, no se lo tomó a mal.

—Creo que a veces sí que me quería, pero a la larga no fue suficiente.

—¿Qué ocurrió? ¿Fue a causa de Gage? ¿No quería ser madre tan pronto?

—No, no tuvo nada que ver con Gage. A ella parecía gustarle mi hijo y yo le prometí que contrataría a criadas y niñeras y que tendría toda la ayuda que necesitara.

—Entonces, ¿qué pasó? No entiendo por qué... ¡Oh! Se había enamorado de mi padre.

Experimenté una oleada instantánea de simpatía hacia Churchill y, al mismo tiempo, otra de orgullo por el padre que apenas había conocido y que había conseguido conquistar a mi madre a pesar de la insistencia de un hombre mayor, rico y poderoso.

—Exacto —declaró Churchill como si pudiera leer mis pensamientos—. Tu padre era todo lo que yo no era: joven, atractivo y, como diría mi hija Haven, privado del derecho al voto.

—Y mexicano.

Churchill asintió con la cabeza.

—Este hecho no atraía mucho a tu abuelo. En aquellos tiempos, el matrimonio entre las personas de piel blanca y las de piel morena no estaba bien visto.

—Por decirlo de una forma suave —declaré con sequedad, pues era consciente de que un matrimonio así debía de constituir una auténtica desgracia—. Sé cómo era mi madre y es probable que aquel marco de Romeo y Julieta hiciera que la relación con mi padre le resultara todavía más atractiva.

—Diana era una romántica —corroboró Churchill mientras volvía a guardar la fotografía de mi madre en el billetero con sumo cuidado—. Y sentía verdadera pasión por tu padre. Tu abuelo le advirtió que si se escapaba con él no intentara regresar. Tu madre sabía que su familia nunca la perdonaría.

—¿Porque se enamoró de un hombre pobre? —pregunté con rabia.

—Tu familia no actuó bien —admitió Churchill—, pero eran tiempos difíciles.

—Eso no es una excusa válida.

—Diana acudió a mí la noche que huyó para casarse con tu padre. Él la esperó en el coche mientras ella entraba a despedirse y a devolverme el anillo. Yo no lo acepté y le sugerí que lo cambiara por un regalo de boda. También le dije que acudiera a mí siempre que necesitara algo.

Yo comprendí cuánto debió de costarle a Churchill pronunciar aquellas palabras, pues era un hombre muy orgulloso.

—Y cuando mi padre murió, tú ya te habías casado con Ava.

—Así es.

Yo guardé silencio mientras repasaba mis recuerdos. Mi pobre madre luchando por salir adelante ella sola, sin ayuda, sin ninguna familia a la que acudir en caso de necesidad. Sin embargo, aquellas ocasiones en las que desaparecía de una forma misteriosa..., cuando estaba fuera un par de días y después había comida en la nevera y los cobradores dejaban de llamar...

—Ella acudió a ti a pesar de que estabas casado —declaré yo—. Venía a verte y tú le dabas dinero. La ayudaste durante años.

Churchill no necesitaba confirmar mi deducción, pues leí la verdad en sus ojos.

Yo me enderecé y, con esfuerzo, le formulé la gran pregunta:

—¿Carrington es hija tuya?

Churchill enrojeció y me lanzó una mirada ofendida.

—¿Crees que no me habría responsabilizado de mi propia hija? ¿Crees que habría permitido que se criara en un maldito campamento? No, es imposible que sea mía, pues Diana y yo nunca mantuvimos ese tipo de relación.

—¡Vamos, Churchill, que no soy idiota!

—Tu madre y yo nunca nos acostamos juntos. ¿Crees que le habría hecho algo así a Ava?

—Lo siento, pero no me lo creo. No desde el momento en que tú le dabas dinero.

—Mira, querida, no me importa nada si me crees o no —replicó él con calma—. No diré que no me tentara la idea, pero le fui físicamente fiel a Ava. Al menos le debía eso. Si quieres, me someto a la prueba de la paternidad.

Su oferta me convenció.

—Está bien, lo siento. Lo siento. Es sólo que... me resulta difícil aceptar que mi madre acudiera a ti en busca de dinero durante todos aquellos años. Siempre hizo mucho hincapié en que yo no debía aceptar limosna de nadie y que, cuando creciera, debía ser autosuficiente. Eso la convierte en una gran hipócrita.

—Eso la convierte en una madre que quería lo mejor para su hija. Tu madre lo hizo lo mejor que pudo. Yo quería hacer mucho más por ella, pero no me lo permitió. —Churchill suspiró. De repente, parecía cansado—. No la vi durante todo el año anterior a su muerte.

—Estaba absorta en la relación que mantenía con el hombre con el que salía —expliqué yo—. Un auténtico cerdo.

—Louis Sadlek.

—¿Mi madre te habló de él?

Churchill negó con un movimiento de la cabeza.

—Lo leí en la crónica del accidente.

Yo lo observé mientras recordaba cuánto le gustaban los gestos grandilocuentes.

—Contemplaste el funeral desde una limusina negra —reflexioné en voz alta—. Siempre me he preguntado quién sería. Y las rosas amarillas... Tú las has enviado todos estos años, ¿no?

Él permaneció en silencio mientras yo encajaba las piezas.

—Me hicieron un sustancioso descuento en la compra del ataúd —continué con lentitud—. También fuiste tú. Tú pagaste la diferencia. Convenciste al dueño de la funeraria para que te guardara el secreto.

—Es la última cosa que podía hacer por Diana —declaró él—. Eso y echar un vistazo a sus hijas.

—¿Echarnos un vistazo cómo? —pregunté con recelo.

Churchill no respondió, pero yo lo conocía demasiado bien. Parte de mi trabajo consistía en ayudarle a organizar las oleadas de información que llegaban a sus manos. Churchill se mantenía informado de la evolución de multitud de negocios, cuestiones políticas, personas... De una forma continua, recibía informes en sobres engañosamente inofensivos.

—¿Nos espiabas? —le pregunté mientras pensaba: «¡Cielo santo, estos Travis me van a volver paranoica!»

Él encogió levemente los hombros.

—Yo no lo diría así. Sólo comprobaba, de una forma ocasional, que estuvierais bien.

—Te conozco, Churchill. Tú no compruebas cómo están los demás. Eres un entrometido. Tú... —Di un respingo—. Aquella beca que me dieron en la escuela de estética... También lo amañaste tú, ¿no?

—Quería ayudarte.

Me levanté de un brinco.

—¡Yo no quería que nadie me ayudara! Podría haberlo conseguido sola. ¡Maldito seas, Churchill! Primero fuiste el amigo generoso de mi madre y, después, el mío, sólo que yo ni siquiera tuve la oportunidad de elegir. ¿Sabes lo estúpida que me siento?

Él entornó los ojos.

—Lo que hice por ti no resta mérito a lo que tú conseguiste. En absoluto.

—Debiste haberme dejado sola. Te juro que te devolveré hasta el último centavo que te gastaste en mí. A menos que quieras que no te vuelva a dirigir la palabra.

—Está bien, de acuerdo. Descontaré el importe de la beca de tu sueldo, pero no aceptaré ni un centavo por el coste del ataúd. Aquello lo hice por tu madre, no por ti. Siéntate, no hemos acabado de hablar. Hay más cosas de las que quiero hablarte.

—Estupendo. —Me senté. Mi mente parecía un hervidero—. ¿Gage lo sabe?

Churchill asintió con la cabeza.

—Me siguió un día que había quedado para comer con Diana en St. Regis.

—¿Te encontrabas con ella en un hotel y nunca...? —Me interrumpí al ver su ceño fruncido—. Está bien. Está bien. Te creo.

—Gage nos vio comiendo juntos y, más tarde, fue a hablar conmigo. Se puso furioso, aunque le juré que no había engañado a Ava. Al final, accedió a guardar mi secreto, pues no quería herirla.

Yo recordé el día que nos trasladamos a River Oaks.

—Gage reconoció a mi madre en la fotografía que conservo de ella en mi dormitorio —declaré.

—Sí, tuvimos unas palabras sobre ese hecho.

—Apostaría que sí. —Miré con fijeza el fuego de la chimenea—. ¿Por qué empezaste a ir a la peluquería?

—Quería conocerte. Me sentía muy orgulloso por cómo habías cuidado de Carrington, por haberla criado tú sola y por todo lo que habías trabajado. Yo ya os quería, porque erais lo único que quedaba de Diana, pero después de conoceros, os quise por vosotras mismas.

Apenas podía verlo debido a las lágrimas que empañaban mis ojos.

—Yo también te quiero, pedazo de prepotente metomentodo.

Churchill alargó el brazo indicándome que me acercara a él. Y yo lo hice. Me eché sobre él mientras me envolvía el reconfortante olor paternal de loción para el afeitado, cuero y algodón almidonado.

—Mi madre nunca dejó de querer a mi padre y tú nunca dejaste de quererla a ella —declaré en tono ausente. Volví a reclinarme en el sofá y lo miré—. Siempre creí que el amor consistía en encontrar a la persona adecuada, pero, en realidad, de lo que se trata es de escoger a la persona adecuada, ¿no crees? Se trata de realizar una buena elección y entregarse de corazón.

—Resulta más fácil decirlo que hacerlo.

«No para mí. Ya no.»

—Tengo que ver a Gage —declaré—. Entre todas las ocasiones que podía haber elegido para irse, ésta es la peor.

—Cariño... —empezó Churchill mientras fruncía el ceño—. ¿Gage te ha mencionado la razón de que haya tenido que marcharse de una forma repentina?

A mí no me gustó cómo sonaba aquello.

—Me contó que iba a Dallas y después a Research Triangle, pero no, no me explicó la razón.

—Seguramente, no querría que te lo contara, pero creo que tienes que saberlo —continuó Churchill—. Han surgido unos problemas de última hora en el trato con Medina.

—¡Oh, no! —exclamé preocupada, pues sabía lo importante que aquel acuerdo era para la compañía de Gage—. ¿Qué ha ocurrido?

—Se ha producido una filtración durante el proceso de las negociaciones. Se suponía que nadie sabía que se estaba gestionando aquel acuerdo. De hecho, todos los participantes firmaron un contrato de confidencialidad. Pero, de algún modo, tu amigo Hardy Cates lo averiguó y reveló la información a Victory Petroleum, el principal proveedor de Medina, quien ahora está presionando para que se cancele el proyecto.

Yo me quedé sin aire de una forma repentina. No podía creerlo.

—¡Dios mío, fui yo! —exclamé aturdida—. Yo le mencioné las negociaciones a Hardy. No sabía que se trataba de un secreto y no tenía ni idea de que Hardy fuera a hacer algo así. Tengo que telefonear a Gage y contarle lo que hice, explicarle que yo no pretendía...

—Él ya lo ha supuesto, cariño.

—¿Gage sabe que yo provoqué la filtración? Pero... —Me interrumpí y me quedé helada a causa del pánico que experimenté. Gage ya debía de saberlo la noche anterior y, aun así, no me había dicho nada. Sentí náuseas y me tapé la cara con las manos. Mi voz se filtró entre mis tensos dedos—: ¿Qué puedo hacer? ¿Cómo puedo arreglarlo?

—Gage se está encargando de reparar los daños —me explicó Churchill—. Esta mañana iba a tranquilizar a los de Medina y después se reunirá con su equipo en Research Triangle para resolver las cuestiones que han surgido respecto al biofuel. No te preocupes, todo se solucionará.

—Tengo que hacer una cosa. Yo... Churchill, ¿me ayudarás?

—Siempre —contestó él sin titubear—. Dime lo que necesitas.

25

Lo más sensato habría consistido en esperar a que Gage regresara a Tejas, pero en vista de que había tenido que soportar algunas situaciones que habían menoscabado su orgullo y otra incluso mayor que afectaba a su negocio, y todo por mi culpa, yo sabía que no era el momento de actuar con sensatez. Como decía Churchill, a veces se requieren gestos grandilocuentes.

Camino del aeropuerto, me detuve en la oficina de Hardy. Estaba situada en un edificio de cristal y aluminio construido en dos mitades que encajaban como dos piezas gigantes de un rompecabezas. Como era de esperar, la recepcionista era una mujer rubia y atractiva, con una voz sensual y unas piernas impresionantes. En cuanto llegué, me acompañó a la oficina de Hardy.

Hardy vestía un elegante traje oscuro y una corbata de un vívido tono azul, exactamente igual al de sus ojos. Se lo veía avispado y seguro de sí mismo, un hombre que llegaría lejos.

Le conté la conversación que había mantenido con Churchill y lo que había averiguado acerca de su intento de hacer fracasar el contrato con Medina.

—No entiendo cómo pudiste hacer algo así —declaré—. Nunca lo habría esperado de ti.

Él no parecía estar arrepentido.

—Sólo son negocios, cariño. A veces tienes que ensuciarte un poco las manos.

Pensé contestarle que cierto tipo de suciedad no desaparecía jamás, pero yo sabía que algún día él lo descubriría por sí mismo.

—Me utilizaste para hacer daño a Gage. Creíste que esto nos distanciaría y, como remate, Victory Petroleum te debería un favor. Harías cualquier cosa con tal de tener éxito, ¿no?

—Haré lo que tenga que hacer —respondió él con expresión calmada—. Sería tonto si me disculpara por querer salir adelante.

Mi enojo desapareció y lo observé con compasión.

—No tienes por qué disculparte, Hardy. Lo comprendo. Recuerdo todas las cosas que queríamos y necesitábamos y que no podíamos tener. Es sólo que..., lo nuestro no funcionaría.

—¿Crees que no soy capaz de amarte, Liberty? —preguntó con voz suave.

Yo me mordí el labio y negué con la cabeza.

—Creo que me amaste en cierta ocasión, pero ni siquiera entonces el amor que sentías por mí fue suficiente. ¿Quieres saber algo? Gage no me contó lo que habías hecho, aunque tuvo la oportunidad. Porque no pensaba permitir que nos distanciaras. Me perdonó sin que se lo pidiera, incluso sin contarme que lo había traicionado. Y eso es amor, Hardy.

—¡Vamos, cariño! —Hardy me cogió la mano y besó el interior de mi muñeca, la delicada piel que cubría el pequeño entramado de venas azules—. La pérdida de un trato no significa nada para él. Gage lo tenía todo nada más nacer. Si hubiera estado en mi lugar, habría hecho lo mismo que yo.

—No es cierto. —Me separé de él—. Gage no me habría utilizado a ningún precio.

—Todo el mundo tiene un precio.

Nuestras miradas se encontraron y con aquella mirada parecimos mantener toda una conversación. Cada uno de nosotros vio lo que necesitaba saber.

—Ahora tengo que despedirme, Hardy.

Él me contempló con comprensión y amargura. Los

dos sabíamos que no había cabida para la amistad. No quedaría nada salvo un recuerdo de la juventud.

—¡Mierda! —Hardy cogió mi cara entre sus manos. Besó mi frente, besó los párpados cerrados de mis ojos y se detuvo muy cerca de mi boca. Entonces me dio uno de aquellos abrazos sólidos y tranquilizadores que yo recordaba tan bien y, sin soltarme, me susurró al oído—: Sé feliz, cariño. Nadie se lo merece más que tú, pero recuerda... Me quedo con un trocito de tu corazón y, si algún día quieres que te lo devuelva, ya sabes dónde encontrarme.

Yo nunca antes había volado en un avión y mantuve los puños apretados durante todo el viaje hasta Raleigh Durham. Iba sentada en primera clase, al lado de un hombre trajeado y muy amable que me dio conversación durante el despegue y el aterrizaje y pidió que me sirvieran un whisky durante el vuelo. Cuando desembarcamos, me pidió mi número de teléfono y yo negué con la cabeza.

—Lo siento. Estoy comprometida.

Esperaba que fuera cierto.

Había planeado tomar un taxi hasta mi siguiente parada, un pequeño aeropuerto situado a unos diez kilómetros de allí, pero cuando salí de la zona de recogida de equipajes vi que un chófer sostenía un letrero con la palabra «Jones» escrita a mano. Yo me acerqué a él con indecisión.

—¿Por casualidad está esperando a Liberty Jones?

—Sí, señora.

—Pues soy yo.

Supuse que Churchill había contratado aquel servicio para mí, ya fuera por amabilidad o porque pensaba que yo no sería capaz de conseguir un taxi por mí misma. Los Travis son absolutamente sobreprotectores.

El chófer cogió mi maleta, una Hartmann que Gretchen me había prestado. En ella había puesto unos pantalones finos de lana, una falda, varias camisetas blancas, mi pañuelo de seda y dos jerseys de cachemira que Gretchen me había asegurado que no se ponía. Con optimismo, también había metido un vestido y unos zapatos de noche. En el bolso llevaba un pasaporte nuevo para mí y el de Gage, que me había dado su secretaria.

Cuando llegamos al aeropuerto, el cual disponía de dos pistas, un bar y nada que se pareciera, ni remotamente, a una torre de control, estaba anocheciendo. Percibí lo distinto que olía el aire en Carolina del Norte, a sal y a espacios verdes.

En tierra había cinco avionetas, dos pequeñas y tres de tamaño medio. Una de ellas era la Gulfstream de los Travis. Después de un yate, una avioneta privada constituye la muestra más ostensible de riqueza extrema. Los multimillonarios tienen aviones con ducha, dormitorios privados, despachos con paredes forradas de madera y complementos lujosos, como posavasos recubiertos de oro.

Los Travis, sin embargo, eran conscientes de los costes de mantenimiento y, en relación con los criterios de Tejas, eran moderados. Esta afirmación podría considerarse una broma en vista de la Gulfstream, una avioneta de lujo para vuelos de largo recorrido con el interior de caoba y suelo de moqueta de lana suave. También disponía de asientos reclinables de piel, un televisor de plasma y un sofá separado por una cortina que se desplegaba transformándose en una cama de matrimonio.

Subí a la avioneta y me presenté al piloto y al copiloto. Mientras ellos permanecían en la cabina de mando, yo me serví un refresco y esperé con nerviosismo a Gage. Ensayé un discurso con cientos de variaciones mientras buscaba las palabras adecuadas para hacer comprender a Gage cómo me sentía.

Oí que alguien subía a la avioneta, mi pulso se volvió loco y el discurso se desvaneció de mi mente.

Al principio, Gage no me vio. Su aspecto era sombrío y cansado. Dejó caer un maletín negro en el asiento más cercano y se frotó la nuca, como si la tuviera en tensión.

—¡Hola! —saludé con voz suave.

Él volvió la cabeza y, al verme, empalideció.

—¡Liberty! ¿Qué haces aquí?

Sentí una oleada sobrecogedora de amor hacia él, más amor del que podía contener y que irradiaba de mí como el calor de una hoguera. ¡Dios, qué guapo era! Yo busqué las palabras adecuadas.

—Me he... decidido por París.

Se produjo un largo silencio.

—París.

—Sí, ¿recuerdas que me preguntaste si...? En fin, que ayer me puse en contacto con el piloto y le dije que quería darte una sorpresa.

—Pues lo has conseguido.

—Lo ha organizado todo para que podamos ir desde aquí. Ahora mismo. Si quieres. —Esbocé una sonrisa esperanzada—. Tengo tu pasaporte.

Gage se quitó la chaqueta y se tomó su tiempo. Me tranquilizó bastante el ver que le temblaban un poco las manos mientras dejaba la chaqueta en el respaldo de uno de los asientos.

—¿Así que ya estás preparada para viajar a algún lugar conmigo?

—Estoy preparada para viajar a cualquier lugar contigo —declaré con voz grave a causa de la emoción.

Él me miró con sus ojos grises y brillantes, y yo contuve el aliento mientras una lenta sonrisa curvaba sus labios. Gage se aflojó la corbata y avanzó hacia mí.

—Espera —balbuceé yo—. Tengo que contarte algo.

Él se detuvo.

—¿Sí?

—Churchill me ha contado lo del trato con Medina. Fue culpa mía. Yo se lo conté a Hardy, pero no tenía ni idea de que él... Lo siento. —Mi voz se quebró—. Lo siento mucho.

Gage llegó a mi lado en dos zancadas.

—Está bien. ¡No, maldita sea, no llores!

—Yo nunca haría nada que pudiera perjudicarte...

—Ya lo sé. Tranquila, tranquila...

Gage me acercó a él y secó mis lágrimas con sus dedos.

—Fui tan estúpida... No me di cuenta. ¿Por qué no me dijiste nada?

—No quería que te preocuparas. Y sabía que no era culpa tuya. Debí haberme asegurado de que eras consciente de que se trataba de algo confidencial.

Yo me quedé atónita al percibir la confianza que sentía hacia mí.

—¿Cómo puedes estar tan seguro de que no lo hice a propósito?

Él cogió mi cara entre sus manos y sonrió mientras contemplaba mis ojos llorosos.

—Porque te conozco, Liberty Jones. No llores, cariño, me matas.

—Te compensaré por esto, te prometo que...

—Calla —declaró Gage con ternura y me besó con tanta pasión que las rodillas me temblaron.

Yo le rodeé el cuello con los brazos y me olvidé de la razón de mis lágrimas. Me olvidé de todo salvo de él. Gage me besó una y otra vez, con más y más profundidad, hasta que los dos nos tambaleamos en el pasillo y él tuvo que apoyar una mano en uno de los asientos para evitar que cayéramos al suelo. ¡Y la avioneta ni siquiera se movía! Sentí su aliento caliente y acelerado en mi mejilla cuando separó de mí su cabeza y murmuró:

—¿Y qué hay del otro tío?

Mis ojos se entrecerraron cuando noté que la base de su mano rozaba mi pecho.

—Él es el pasado y tú el futuro —conseguí afirmar.

—Te aseguro que sí.

Me dio otro beso profundo e incivilizado, lleno de fuego y ternura, con el que me prometía más de lo que yo podía asimilar. En lo único que yo podía pensar era en que una vida no sería suficiente para pasarla con aquel hombre. Gage separó su boca de la mía, se rio y declaró:

—Nunca más podrás escaparte de mí, Liberty.

«Lo sé», quería responder yo, pero antes de que pudiera hablar, Gage volvió a besarme y no se detuvo hasta pasado un buen rato.

—Te quiero.

No recuerdo quién lo dijo primero, sólo que ambos lo dijimos muchas veces durante el vuelo de siete horas y veinticinco minutos a través del Atlántico. Y por lo que vi, Gage tenía unas cuantas ideas interesantes acerca de cómo pasar el tiempo a mil quinientos metros de altitud.

Tan solo diré que volar resulta mucho más soportable cuando uno dispone de distracciones.

Epílogo

No estoy segura de si el rancho es un regalo de compromiso o un regalo de boda anticipado. Lo único que sé es que hoy, el día de San Valentín, Gage me ha dado un manojo enorme de llaves atado con una cinta roja. Según me ha contado, necesitaremos un refugio cuando la ciudad nos agobie y Carrington necesita un lugar para montar a caballo. Gage ha tardado varios minutos en hacerme comprender que el rancho es mío de verdad.

Ahora soy la propietaria de un rancho de cinco mil acres.

La finca, que antes era famosa por la cría de caballos de acoso y derribo de reses, se encuentra a unos cuarenta y cinco minutos de Houston. Ahora sólo consta de una pequeña parte de su tamaño original y es un rancho pequeño para lo que es habitual en Tejas. Jack lo ha llamado, en broma, «el ranchito», pero cuando lo ha hecho, Gage lo ha mirado con fiereza y Jack ha simulado encogerse de miedo.

—Tú ni siquiera tienes un rancho —ha declarado Carrington en tono de burla, y ha salido corriendo hacia la puerta mientras añadía—: Lo cual te convierte en un petimetre.

—¿A quién llamas petimetre? —ha preguntado Jack con rabia fingida y ha echado a correr detrás de ella mientras los gritos de júbilo de mi hermana retumbaban en los pasillos.

Este fin de semana, hemos venido a conocer el rancho,

que Gage ha rebautizado con el nombre de Rancho Armadillo.

—No tendrías que habérmelo regalado —le digo por milésima vez mientras conduce en dirección norte—. Ya me has regalado bastantes cosas.

Sin apartar la vista de la carretera, Gage lleva nuestras manos entrelazadas hasta sus labios y besa mis nudillos.

—¿Por qué te sientes tan incómoda siempre que te regalo algo?

Me doy cuenta de que aceptar regalos con gracia constituye un arte que, de momento, no he aprendido.

—No estoy acostumbrada a que me hagan regalos —admito yo—. Sobre todo cuando no me los dan por un cumpleaños, una fiesta o por una razón determinada. Y antes de que me dieras este...

—Rancho.

—Sí, incluso antes de que me lo regalaras, ya habías hecho por mí más de lo que yo nunca podré devolverte.

—Querida, tienes que esforzarte en eliminar ese libro contable invisible que llevas en la mente —declara él en tono paciente, aunque percibo un deje de inflexibilidad en su voz—. Relájate. Permite que te regale algo sin tener que hablar después sobre ello hasta la saciedad. —Gage mira por encima del hombro para asegurarse de que Carrington lleva puestos los cascos para escuchar música—. La próxima vez que te haga un regalo, lo único que te pido que hagas es darme las gracias y hacer el amor conmigo. Ésa es toda la compensación que necesito.

Yo contengo la risa.

—De acuerdo.

Pasamos entre dos pilares sólidos de piedra que soportan un arco de hierro de medio metro de ancho y continuamos por un camino pavimentado que constituye la entrada al rancho. A ambos lados hay unos campos de trigo moteados por la sombra de las alas de unos gansos que los sobrevuelan. Densos bosques de mesquites, cedros y chumberas crecen en la distancia.

El camino conduce a un gran edificio antiguo de piedra y madera construido al estilo victoriano y rodeado de robles y pacanos. Atónita, contemplo un establo de piedra, un prado y un corral vacío, todo rodeado de una valla de piedra. La casa es grande, sólida y preciosa. Intuyo que en ella han nacido niños, se han casado parejas y que, bajo su tejado a dos aguas, las familias se han amado, han discutido y han reído. Es un lugar en el que uno se puede sentir seguro. Un hogar.

Gage detiene el coche junto a un garaje con cabida para tres vehículos.

—Está totalmente renovada —me explica Gage—. Tiene una cocina nueva, grandes cuartos de baño, televisión por cable e Internet.

—¿Hay caballos? —le interrumpe Carrington con excitación mientras se quita los cascos.

—Sí. —Gage se vuelve hacia ella con una sonrisa y Carrington da saltos de alegría en el asiento—. Por no mencionar una piscina y un *jacuzzi*.

—Una vez, soñé con una casa como ésta —comenta mi hermana.

—¿Ah, sí?

Mi voz suena aturdida incluso a mis propios oídos. Desabrocho mi cinturón de seguridad, desciendo del coche y continúo contemplando la casa con asombro. Durante todos los años que deseé tener una familia y una casa nunca llegué a imaginar cómo serían, pero ésta es tan bonita, perfecta y agradable que ninguna otra podría gustarme más. A lo largo de la fachada hay un porche amplio con un columpio y la parte interior del techo está pintada de azul cielo, como se hacía antes para evitar que las avispas construyeran allí sus nidos. Y también hay montones de madera cortada.

Entramos en la casa, que dispone de aire acondicionado. Las paredes están pintadas de blanco y crema, y los suelos de madera de mesquite resplandecen a la luz que entra a raudales por los altos ventanales. Está decorada al estilo que las revistas llaman «nuevo country», o sea que no está muy recargada, pero los sofás y los sillones son mullidos y hay muchos cojines. Carrington chilla con nerviosismo y desaparece mientras recorre las habitaciones. De vez en cuando, descubre algo nuevo y vuelve para contárnoslo.

Gage y yo recorremos la casa con más calma. Él observa mis reacciones y me comenta que puedo cambiar lo que quiera y que le pida lo que desee. Yo me siento abrumada y hablo poco. Enseguida conecto con este lugar, con su persistente vegetación arraigada con obstinación en esa tierra árida y roja, con los bosques de espesa maleza que albergan pecaríes, linces rojos y coyotes. Conecto con él mucho más que con el piso moderno y frío de Gage que domina las calles de Houston, y me pregunto cómo ha adivinado él que esto es lo que ansiaba mi corazón.

Se coloca frente a mí y me escudriña con la mirada, y pienso que nadie se ha preocupado nunca tanto por mi felicidad.

—¿En qué estás pensando? —me pregunta.

Sé que Gage odia que llore. Cuando ve lágrimas, se desmorona por completo, de modo que parpadeo varias veces para contenerlas.

—Estoy pensando en lo agradecida que me siento por todo —respondo—. Incluso por lo malo. Cada noche en vela, cada segundo de soledad, cada vez que el coche se estropeó, cada remiendo en mi zapato, cada factura que no podía pagar y cada billete de lotería sin premio, cada magulladura, desastre o fracaso... Me siento agradecida por todo.

—¿Por qué, cariño? —pregunta él con voz suave.

—Porque todo me condujo a ti, a este momento.

Gage carraspea y me besa. Intenta hacerlo con suavidad, pero enseguida me aprieta contra su cuerpo y murmura palabras de amor, y palabras sexuales, mientras desliza la boca por la curva de mi cuello. Al final, le recuerdo, casi sin aliento, que Carrington no anda lejos.

Preparamos la cena juntos, los tres, y después de comer, nos sentamos en el porche y charlamos. A veces, callamos para escuchar el triste arrullo de las palomas, el relincho ocasional de un caballo en el establo o la brisa que hace susurrar las hojas de los robles y hace caer las nueces de las ramas.

Más tarde, Carrington sube a bañarse en una bañera antigua con patas restaurada y se acuesta en un dormitorio de paredes azul cielo. Medio dormida, me pregunta si podremos pintar nubes en el techo y le respondo que sí, que claro que podremos.

Gage y yo dormimos en el dormitorio principal, que está en la planta baja. Hacemos el amor en una cama de matrimonio con dosel y bajo un edredón bordado a mano. Consciente de mi estado de ánimo, Gage actúa despacio y con calma, de esa forma que siempre me vuelve loca, provocándome sensaciones hasta que el corazón me palpita con fuerza en la garganta. Actúa con lentitud y firmeza, y cada movimiento suave y deliberado constituye una reafirmación de algo que va más allá de las palabras, algo más profundo y dulce que la simple pasión. Me pongo rígida en sus brazos y ahogo un grito en su hombro mientras él arranca unos estremecimientos largos y deliciosos de mi cuerpo. Después me toca a mí sostenerlo. Lo rodeo con los brazos y las piernas y lo aprieto con firmeza contra mi cuerpo y él jadea mi nombre y su ritmo se acelera.

Nos despertamos al amanecer. Los gansos blancos que pasan aquí el invierno graznan y aletean mientras sobrevuelan los campos en busca de su desayuno. Yo permanezco acurrucada contra el pecho de Gage y escucho el canto de los sinsontes que gorjean sin tregua en las ramas de un roble que hay junto a la ventana.

—¿Dónde está la escopeta? —murmura Gage.

Yo sonrío con la cara pegada a su torso.

—Tranquilo, vaquero. Es mi rancho y esos pájaros pueden cantar tanto como quieran.

Gage responde que, como represalia, tendré que acompañarlo a recorrer el rancho a caballo.

Mi sonrisa se desvanece. Quería contarle algo, pero no sabía cuándo ni cómo hacerlo. Guardo silencio y jugueteo con nerviosismo con el vello de su pecho.

—Gage, hoy no creo que pueda montar.

Él se incorpora a medias apoyándose en un codo y me mira con el ceño fruncido.

—¿Por qué no? ¿No te encuentras bien?

—No. Quiero decir, sí. Me encuentro bien. —Inhalo aire de una forma entrecortada—. Pero tengo que preguntarle al médico si es o no contraproducente que realice una actividad tan enérgica como montar a caballo.

—¿Al médico? —Gage se incorpora del todo y me coge por los hombros—. ¿Qué médico? ¿Por qué tienes que...? —Su voz se apaga cuando se da cuenta de lo que ocurre—. ¡Dios mío! Liberty, cariño, ¿estás...? —Enseguida afloja la presión de las manos, como si temiera hacerme daño—. ¿Estás segura? —Yo asiento con la cabeza y él ríe con júbilo—. ¡No me lo puedo creer! —Se ruboriza y, por contraste, sus ojos parecen todavía más claros de lo que son en realidad—. Bueno, sí que puedo creérmelo. Fue en Nochevieja, ¿no?

—Por tu culpa —le recuerdo.

Su sonrisa se vuelve más amplia.

—Pues sí, reconozco mi total responsabilidad, cariño. Déjame verte.

Enseguida me somete a un examen completo mientras desliza con suavidad las manos por mi cuerpo. Gage besa mi barriga una docena de veces, se incorpora de nuevo y me abraza. Su boca se posa en la mía una y otra vez.

—¡Dios mío, cuánto te quiero! ¿Cómo te encuentras? ¿Sientes náuseas matutinas? ¿Quieres galletas saladas? ¿Pepinillos en vinagre? ¿Un helado?

Yo niego con un movimiento de la cabeza e intento hablarle entre beso y beso.

—Te quiero... Gage... Te quiero...

Mis palabras quedan atrapadas entre nuestros labios y, al final, comprendo por qué tantos tejanos se refieren a los besos como «mordiscos de azúcar».

—Cuidaré de ti con todo esmero. —Gage apoya con dulzura la cabeza en mi pecho y su oreja queda presionada contra los latidos de mi corazón—. Tú, Carrington y el bebé. Mi pequeña familia. Un milagro.

—Digamos que es un milagro bastante corriente —señalo yo—. En realidad, todos los días las mujeres tienen bebés.

—No mi mujer. Ni mi bebé. —La expresión de su mirada me deja sin aliento—. ¿Qué puedo hacer por ti? —susurra Gage.

—Sólo darme las gracias y hacer el amor conmigo —respondo yo.

Y él lo hace.

Sé, sin lugar a dudas, que este hombre me quiere sólo por lo que soy. Sin límites ni condiciones. Y esto también es un milagro. De hecho, todos los días están llenos de milagros corrientes.

No hay que buscar muy lejos para encontrarlos.